OF
Y

El gran libro del
PERRO

«Ciudadano Can»

El gran libro del
PERRO
«Ciudadano Can»

Las razas • Los cuidados • Las enfermedades
Cómo adiestrarlo • Técnicas especiales

Andreas Hofer
con la colaboración de Lydia Pastor

EL GRAN LIBRO DEL PERRO

Escrito por ANDREAS HOFER
Fotografías: ALFAOMEGA, CORDON PRESS, DIGIMAGE, STOCK PHOTOS, PRISMA, ARCHIVO OCÉANO
Edición y otros textos: MÓNICA CAMPOS, SERENA VALLÉS
Ilustraciones: JAVIER BOU
Diseño gráfico: MONTSE VILARNAU
Maquetación: MARTA RUESCAS

Portada: MONTSE VILARNAU, P&M. Fotografía: STOCK PHOTOS

© Editorial Océano, S. L., 2003 - Grupo Océano
Milanesat 21-23 EDIFICIO OCEANO — 08017 Barcelona
Tel: 93 280 20 20 — Fax: 93 203 17 91
www.oceano.com

ISBN: 84-7556-295-7 — Depósito legal: B-49239-XLVI
Impreso en España - Printed in Spain
9000448011203

Índice

Introducción 8
Orígenes del perro 12
   La neotenia 13

Los sentidos 16
   El olfato 16
   El oído 18
   La vista 20
   El tacto 20
   El gusto 21

Psicología canina 22

El aprendizaje 24
   Disuasión o hábito 24
   Asociación 25

El lenguaje 30
   Ladridos 30
   Gruñidos 30
   Gemidos y otros sonidos 31
   Orejas 31
   Cola 31
   Mirada 33
   Hocico y boca 33

El perro y su amo 34

Etapas del cachorro 36
   Los primeros 20 días 36
   De 21 días a 7 semanas 37
   De 7 a 12 semanas 38
   De 12 a 16 semanas 38
   Entre los 4 y los 12 meses 39

Elección del perro 40
   Perros de compañía 42
   Perros de utilidad 42

Razas caninas 44

Deportes caninos 64
   Concursos de obediencia 64

El «agility dog» . . . .
El ring francés . . . .
«Campagne» . . . .
RCI . . . .
La pulka nórdica . . . .
El rastreo . . . .
Las carreras de trineos . . . .

Las exposiciones . . . .

Comprar un cachorro . . . .
   Dónde adquirirlo . . . .
   Criadores profesionales . . . .
   Criadores aficionados . . . .
   El pedigrí . . . .
   El tráfico de animales . . . .
   Las tiendas de animales . . . .
   Identificación del perro . . . .
   Animales abandonados . . . .
   ¿Es mejor un cachorro o un ejemplar adulto? . . .
   ¿Es preferible comprar un macho o
     una hembra? . . . .
   ¿Es mejor que el perro sea de raza pura? . . . . . .
   ¿Es conveniente recoger un perro? . . . .
   Nuevas oportunidades . . . .
   SOS Galgos . . . .
   La llegada de otro perro . . . .
   Acoger otro animal . . . .
   El perro y los animales ajenos a la familia . . . . .
   Criterios de elección . . . .
   El test de Campbell . . . .
   Test de vigilancia . . . .
   Test de valentía . . . .
   Test de aptitud . . . .

Estructura familiar . . . .
   El niño y el perro . . . .
   Jugar sin molestar . . . .
   La compañía del perro potencia la seguridad . . .
   Los perros y la soledad . . . .
   Los perros y las personas ancianas . . . .
   La disponibilidad de tiempo y espacio . . . . . .
   El perfil del amo . . . .

El cachorro en casa 104
  Felicitaciones y castigos 104
  Reconocer la casa 105
  La manta y la cesta 106
  Cómo ganarse su respeto 107
  La comida 107
  Los excrementos 109
  Adaptación a la caseta 109
  Los accesorios del perro 109

La educación 114
  Los primeros paseos 114
  Las deposiciones 116
  El cachorro solo en casa 118

Los estímulos 120
  La recompensa y el refuerzo de las órdenes 120
  Cómo se dan las órdenes 123

El adiestrador 124
  Entrenamiento a domicilio o personalizado . . . 124
  Material de entrenamiento 126
  Trucos y material para corregir conductas 126

El entrenamiento 130
  El idioma para comunicarse con el perro 130
  Órdenes básicas 132
  Órdenes avanzadas o especiales 136
  Otras órdenes 141
  El método Hofer 142
  El adiestramiento en España 144

El comportamiento 146
  El carácter del perro 146
  Casos prácticos 152
  Los errores más frecuentes 160
  Errores de algunos criadores 160
  Errores de algunos veterinarios 162
  Equivocaciones que cometen los
    propietarios 164

Dónde dejarlo 168
  Las residencias caninas 169

Viajar con el perro 170
  En automóvil 170
  En autocar 171
  En tren 171
  En avión 172
  En barco 172
  Agencias especializadas de transporte 172
  Viajar al extranjero 173

Efectos terapéuticos 176
  TAAC (Terapia asistida por animales
    de compañía) 178
  Una mascota para personas especiales 182

Las enfermedades 184
  Cómo se comporta el perro enfermo 184
  Enfermedades infecciosas más comunes 185
  Enfermedades parasitarias 191
  Enfermedades congénitas 194
  Enfermedades hereditarias 195
  Enfermedades no infecciosas 198
  Cómo actuar ante una urgencia 200

La alimentación 210
  Cómo se alimenta 210
  La comida del cachorro 211
  El destete 211
  La comida del adulto 212
  La gama de alimentos para perros «activos» . . . 214
  Los complementos alimentarios 215
  La obesidad 216
  Qué hacer si no come 216
  Cuántas veces al día debe comer un perro . . . 217

Razas caninas 218
Vocabulario 222
Direcciones 226

Introducción

El amigo más fiel

El perro acompaña al ser humano desde hace miles de años. De hecho, este animal participó en mayor o menor medida en los primeros avances culturales de la humanidad. Gracias a él, el hombre pudo cazar de forma más cómoda y eficaz. Posteriormente, la labor del perro permitió el desarrollo del pastoreo y, en consecuencia, de la ganadería.

Aunque no se sabe exactamente cuándo empezaron a colaborar perros y humanos, los investigadores piensan que debió coincidir con los primeros asentamientos humanos. Hay pruebas de que los habitantes de Jericó, el pueblo más avanzado de su época, habían domesticado al perro hacia el 6300 a.C.

> Un perro es una sonrisa y una cola que se agita. Lo que haya en medio no importa mucho.
>
> CLARA ORTEGA

La asociación entre perros y humanos no se ha revelado sólo provechosa, sino también, llena de cariño y respeto mutuo desde muy antiguo. En las excavaciones de las cenizas volcánicas que enterraron las ruinas de Pompeya el año 79 de nuestra Era encontraron a un perro tendido junto a un niño. El perro, que se llamaba Delta, llevaba un collar donde decía que había salvado tres veces la vida de Severinus, su amo.

Con el paso del tiempo, el perro (que en un principio tenía un papel importante en una serie de actividades que se realizaban fuera de la casa) fue adaptándose paulatinamente a la vida humana hasta el punto que se convirtió en el «animal doméstico urbano» que conocemos actualmente y, en general, no realiza labores productivas, sino que nos gratifica con su compañía.

El perro es el animal doméstico que goza de más aceptación y popularidad en nuestra civilización, tal como demuestra el incremento constante de ejemplares de todas las razas que se registra en los núcleos urbanos. Gracias a la intervención del hombre, hoy en día existen

El perro
es el animal
doméstico
más aceptado
y popular.

Diez peticiones de un perro a su amo

• Mi vida dura entre diez y quince años. Cada separación de ti es para mí un sufrimiento. Piénsalo antes de adquirirme.

• Dame tiempo para comprender lo que quieres de mí.

• Ten confianza en mí, vivo de ella.

• No prolongues tus enfados conmigo y no me encierres como castigo. Tú tienes tus diversiones y ocupaciones; yo sólo te tengo a ti.

• Háblame. No entiendo tus palabras, pero sí percibo el tono en el que me hablas.

• Aprende la forma de tratarme y no la olvides.

• Antes de pegarme piensa que mi mandíbula podría partir fácilmente los huesecillos de tu mano, aunque no voy a utilizarla.

• Cuídame cuando empiece a envejecer: también tú envejecerás.

• Antes de tacharme de malhumorado, terco o vago en el trabajo, piensa en lo mucho que me desagrada una comida inapropiada, en si estoy demasiado tiempo al sol o en si estoy agotado.

• Acompáñame en los trances duros. No digas: «No puedo verlo». Para mí todo es más fácil contigo.

Del folleto «En torno al perro» publicado por la Asociación Cinológica Austríaca.

más de cuatrocientas razas reconocidas, sin contar una infinidad de cruces más o menos aceptables.

El perro es el animal de compañía por excelencia, el amigo fiel con quien compartimos gran parte de nuestras actividades. Su capacidad de adaptación y conexión con el entorno humano tan notable, que se convierte en un miembro casi imprescindible de la familia. Nuestras mascotas circulan libremente por toda la casa (salvo casos especiales) y disfrutan de algunos privilegios que no tienen otros animales de compañía: se les lleva a pasear por la calle, a los parques, de excursión y acompañan a sus dueños en muchas actividades al aire libre.

La relación entre el hombre y el perro es muy intensa. Por lo general, se rige por ciertas normas de comportamiento y convivencia, impuestas —y a menudo transgredidas— por los humanos. El dueño asume la responsabilidad de proporcionar el alimento, el cobijo y los cuidados al perro, que siempre estará deseoso de ayudarlo en todo momento. Esto explica que un perro intente reconfortar a su dueño cuando lo ve triste o preocupado, o que se resigne a quedarse en casa cuando éste no quiere salir a pasear.

El perro se adapta siempre a los hábitos de su dueño. Salvo en casos muy contados, no impone ni exige ningún tipo de privilegio y mantiene siempre la fidelidad a las personas que lo rodean.

Los perros tienen mucho que ofrecer y compensan las atenciones que reciben de mil formas diferentes. Tan sólo hay que prestarles un poco de atención. Son excelentes compañeros de juego, un buen remedio contra la tristeza, ayudantes imprescindibles y amigos hasta la muerte. Además, vigilan y defienden la casa con todas sus fuerzas, arriesgando su integridad cuando la ocasión lo requiere.

En definitiva, el perro se ha convertido en el amigo fiel que casi nunca nos falla y son pocas las personas que, habiendo disfrutado alguna vez de su compañía, conciben un hogar sin él.

Este manual se propone ayudar a todos los aficionados a comprender mejor a sus perros y a emprender por su cuenta las primeras etapas de adiestramiento.

Todas las indicaciones y consejos son producto de una larga experiencia en la que el respeto y el cariño por estos animales ha estado siempre presente. La comunicación entre el perro y su dueño es muy importante: los gestos, las miradas, los silencios y ciertas actitudes son imprescindibles para establecer una buena relación.

El único punto negro puede ser la convivencia entre personas a las que les gustan los perros y personas a las que no, especialmente en lugares con mucha densidad de población como las ciudades, pero no hay nada que no se pueda solucionar con tolerancia y una buena educación de los perros; porque, nos guste o no, los perros forman parte de nuestras vidas y organización social y son, de hecho, «ciudadanos canes».

Espero que este manual sea de gran utilidad para todos aquellos propietarios que deseen enseñar a sus perros las normas básicas de comportamiento, dentro de casa y en la calle.

Un perro nos invita a vivir con más intensidad nuestro tiempo de ocio.

Orígenes del perro
La herencia del lobo

¿Cómo hubiera podido el hombre, sin la ayuda del perro, conquistar, amaestrar o esclavizar otros animales? ¿Cómo podría hoy todavía descubrir, cazar, destrozar alimañas? Así pues, el primer arte del hombre fue la educación del perro, cuyo fruto fueron la conquista y la posible posesión de la Tierra.

BUFFON

No es fácil precisar cuáles son los antepasados del perro actual, ya que hay diversas teorías al respecto, pero si observamos detenidamente el comportamiento del perro nos daremos cuenta rápidamente de las similitudes que tiene con el lobo.

En algunos yacimientos arqueológicos se han encontrado restos de cánidos que podrían ser los antepasados del perro actual. Sin embargo, existen diferencias tan notables entre ellos, que en la actualidad se ha postulado la teoría de una doble evolución, según la cual algunas especies provendrían del *Canis familiaris puitiantini*, un animal de gran tamaño emparentado con el lobo y parecido a algunos Molosos primitivos, y otras del *Canis familiaris nostrazewi*, un cánido considerablemente más pequeño y más cercano al dingo.

Se cree que la mayor parte de las razas caninas actuales derivan de los cruces del perro primitivo pequeño con distintas especies de cánidos, como el lobo, el chacal dorado, etc.

Existen muchas similitudes entre el perro y el lobo; no sólo desde un punto de vista físico, sino también social y de carácter. Por esta razón, muchos especialistas postulan que los primeros ejemplares que convivieron con el ser humano no eran sino lobeznos domesticados. Si se demostrara esta hipótesis, habría que considerar el perro y todas las razas existentes como una especie producida enteramente por el hombre.

Razones para ello no faltan, puesto que buena parte de los comportamientos caninos guarda muchas semejanzas con los hábitos del lobo.

Gran parte de las acciones y gestos de nuestro compañero (unas veces incomprensibles y otras rutinarias y normales) se explican claramente si nos remontamos a los fenómenos de la vida social del lobo en estado salvaje (lo que llevaría a sostener una influencia genética directa).

Mediante el estudio de estos comportamientos, se entiende más fácilmente la conducta canina y se pueden prever determinadas reacciones en sociedad.

Cuando el perro nace observaremos que conserva los rasgos de conducta básicos que caracterizan al lobo. De hecho, el perro podría considerarse como un lobo inmaduro, al que la convivencia con un grupo humano ha impedido el desarrollo completo de sus instintos, de modo que no ha adquirido las capacidades suficientes como para desenvolverse por cuenta propia y sobrevivir. Desde este punto de vista, debería considerarse un animal neoténico.

La neotenia

La neotenia es una teoría sobre el comportamiento canino que podría resumirse del siguiente modo: partiendo de la base de que en estado salvaje un cachorro no es autosuficiente, es fácil lograr que dependa del hombre, a diferencia del lobo adulto, con quien es casi imposible instaurar esta misma dependencia porque no necesita de nadie para sobrevivir.

Según esta teoría, la domesticación del lobo se llevó a cabo estancando su desarrollo psíquico en la etapa juvenil mediante un proceso de selección. De ahí se deduce que el perro tiene un desarrollo psíquico comparable al de un lobezno.

Cabe diferenciar, no obstante, el desarrollo experimentado por las distintas razas de perro.

Un cierto tipo de perros, los Molosos, se detuvo en un estadio muy precoz, más o menos equivalente al de un lobezno de dos meses, con el que comparte algunas características físicas, como la redondez de la cabeza y las orejas colgantes. Un cachorro de esta edad es muy desconfiado. De la misma manera, estos perros temen —y por consiguiente tienden a morder— todo aquello que no conocen. Por esta razón son buenos guardianes en potencia. Estos perros tienen una relación

Similitudes perro - lobo

• **Articulaciones vocálicas.** El perro, al igual que los lobeznos, ladra y aúlla con mucha frecuencia; un comportamiento insólito entre los lobos adultos.

• **Gestualidad excesiva y extroversión.** Por lo general, los lobos adultos no suelen ser demasiado expansivos.

• **Dependencia.** El perro es incapaz de realizar acciones completas por sí mismo sin la aprobación de su superior jerárquico.

infantil con el mundo que les rodea y adolecen de falta de respeto a la jerarquía, porque en el lobo la jerarquía (entendida como la determinación de los papeles de cada miembro de la manada) se estructura a los cuatro meses aproximadamente. El resultado es que no consideran al hombre como «líder» de una hipotética manada y que poseen una docilidad limitada.

Otras razas, como el Pastor Alemán, se encuentran en un estadio más avanzado. Son perros con unas características físicas propias de un lobo adulto (orejas erguidas, hocico puntia-

gudo), pero que todavía podrían considerarse *adolescentes* desde el punto de vista psíquico y, como tales, dependen mucho del hombre. Estas razas a medio camino entre el cachorro y el adulto son las más polivalentes, y se pueden destinar a muchos tipos de trabajo.

Las razas más adelantadas en la escala neoténica (por ejemplo los perros nórdicos) tienen un desarrollo mental casi de lobo adulto. Esta característica les confiere mucha seguridad en ellos mismos, característica que les incapacita para la guarda, porque no tienen miedo a las personas y son muy independientes.

Con el paso del tiempo, los ejemplares de lobo que permanecieron en contacto con las comunidades humanas fueron adaptándose a las necesidades y a los hábitos de sus dueños, por medio de procesos de adiestramiento y selección en los que se privilegiaban ciertas características físicas y de carácter, necesarias para las tareas que se les asignaban. De este modo, aparecieron las primeras variaciones morfológicas que posteriormente originarían las razas actuales.

Nuestros antepasados escogieron siempre los ejemplares más dóciles, infantiles y menos agresivos antes del *imprinting* (es decir, antes de que hubiesen cumplido los primeros cincuenta días de vida) hasta conseguir un compañero apto para unas tareas muy determinadas. Gracias a este proceso de manipulación, hoy en día contamos con un gran número de razas preparadas para desempeñar diversas funciones, desde la compañía al rescate en agua, en la nieve o en escombros, pasando por el pastoreo, la guarda, la defensa o la caza.

La difusión de las razas experimentó en el siglo XX un desarrollo inusitado con la instauración de la cinofilia, es decir, la afición por la cría y el adiestramiento de perros. A partir de ese momento, la idea de utilidad dejó de ser el criterio único para valorar una raza y se empezó a tener en cuenta también las cualidades estéticas. En las últimas décadas se han registrado incrementos o disminuciones de la población de una determinada raza influenciadas por campañas organizadas a favor o en contra. Un ejemplo de ello es el incremento de ciertas razas consideradas peligrosas (Rottweiler, Dogo Argentino, Pit Bull) entre algunos sectores de la sociedad y las medidas de control, e incluso propuestas de erradicación, que se han llevado a cabo.

La influencia del mercado y de la sociedad es tal que algunas razas tienden a desaparecer a causa de una moda, de la mala prensa o del pánico generado por informaciones sensacionalistas. En algunos países europeos se ha debatido acaloradamente la conveniencia de esterilizar todos los ejemplares, censados o no, de Pit Bull a causa de los graves incidentes que algunos de ellos han provocado.

Por otra parte, existen razas que por influencia de la moda han sido criadas en regiones que no reúnen las condiciones climatológicas del país de origen y que han ocasionado cambios metabólicos e incluso físicos importantes. Este sería el caso del Husky Siberiano, el Alaskan Malamute, el Samoyedo, el San Bernardo o el Mastín de los Pirineos, por ejemplo.

Comportamientos heredados del lobo

• **Instinto depredador.** El perro acostumbra a perseguir objetos animados y a sacudir juguetes. Mediante el juego, da rienda suelta a su necesidad de cazar.

• **Comportamientos venatorios.** El perro suele revolcarse en la hierba o en el suelo, así como sobre excrementos, orines o restos de animales muertos para camuflarse. De este modo, se disimula el olor corporal y no se alerta a las posibles presas.

• **Marcaje del territorio.** El perro marca con orines las zonas por donde suele deambular. Es un modo de comunicar a sus congéneres su presencia, edad, sexo y grado jerárquico.

• **Asignación de tareas en función del sexo.** Al igual que los lobos, los perros machos se encargan de la defensa del territorio y las hembras, de la camada y el cobijo.

• **Organización jerarquizada.** Las manadas se estructuran mediante relaciones de dominio y sumisión, y siempre están dirigidas por un líder, al que los etólogos identifican como «ejemplar alfa». Cada miembro tiene su papel, desde el jefe al último eslabón.

• **Sistema de canguros.** Los lobos de categoría inferior cuidan a los lobeznos. En general, los perros machos no son buenos padres porque se les puede aparear con varias hembras a las que no vuelven a ver y esto destruye su sentido de la pareja.

• **Instinto de supervivencia.** Se manifiesta a través de comportamientos como enterrar alimentos u objetos especiales, y con la adaptación del medio a ciertas necesidades (dar vueltas sobre sí mismo antes de tumbarse para aplanar el terreno, etc.).

• **Agresividad.** Al igual que en el lobo, depende del aumento del nivel de adrenalina en la sangre. Del lobo, los perros también han heredado su capacidad para erizar el pelo del lomo, lo que los hace parecer más grandes y temibles.

• **Organización.** Para sobrevivir, los lobos tienen que tener un sistema de comunicación. Los lobos y los perros se comunican con posiciones de las orejas, movimientos de la cola y la mímica gestual.

Los sentidos

Cómo percibe la realidad

> Un perro cree que eres lo que piensas que eres.
>
> JANE SWAN

Si queremos saber cómo percibe realmente un perro la realidad, es preciso saber cuáles son sus capacidades sensoriales. El olfato y el oído son los sentidos más desarrollados y los que, obviamente, le aportan mayor información. El gusto, el tacto y la vista son secundarios.

La memoria canina apenas almacena imágenes, pero en cambio conserva sensaciones ligadas al olfato, el oído y el tacto.

En la actualidad, el cambio de hábitos y la vida en la ciudad han modificado los umbrales de percepción sensorial. El oído y el olfato de los perros criados en la ciudad es mucho menos agudo que el de sus congéneres campestres. Esta disminución no es forzosamente negativa, ya que si bien pierde parte de sus aptitudes para la supervivencia, le permite resistir mejor los excesos acústicos y odoríferos de la gran ciudad. Pensemos, por ejemplo, en el esfuerzo que le supone aceptar el estruendo de los motores y las bocinas, y en el peligro que entrañan algunas sustancias como la gasolina, los anticongelantes o los disolventes (todos de olores muy atractivos).

Por otra parte, al relacionarse con el hombre, sus capacidades visuales se ven estimuladas, ya que debe aprender a diferenciar objetos de tamaño reducido que no siempre están en movimiento y gran parte de su comunicación es visual.

El olfato

A diferencia de los seres humanos, el perro no tiene tanto interés por ver los objetos que le rodean como por olerlos. El olfato es su forma de reconocer el mundo.

El receptor olfativo está formado por una mucosa, un laberinto de innumerables pliegues que podría cubrir una superficie de 130 m² fren-

El olfato
y el oído
son sus
sentidos más
desarrollados.

De qué le informa el olfato

- El estado de ánimo de quien tienen delante.

- Si la persona que tiene delante lo rechaza o lo acepta.

- La antigüedad de un rastro y la dirección en la que se mueve.

- Información sobre los perros que han pasado antes que él.

te a los 3 cm² que podría cubrir la del hombre. Los perros disponen de 120 a 220 millones de células frente a los 5 millones del hombre.

Su aparato olfativo está tan desarrollado que puede percibir la mínima variación ambiental. De hecho, el perro se da cuenta del cambio de estado anímico de sus congéneres y de los seres humanos que se encuentran a su alrededor a partir de los incrementos o reducciones de los niveles hormonales y de la sudoración. No se trata de un sexto sentido: el perro tan sólo percibe ciertas señales que a nosotros nos pasan inadvertidas.

Algunas sensaciones, como el miedo, la tensión y la agresividad van aparejadas al incremento de esteroides, adrenalina y noradrenalina en la sangre, que repercute a su vez en la composición del sudor, que el perro detecta a través del olfato.

Más aún, las lágrimas de felicidad contienen sustancias distintas a las de tristeza y los perros son capaces de identificarlas...

El olfato de los perros les permite seguir el rastro de un animal salvaje y situarlo; rastrear en busca de personas perdidas; buscar a perso-

nas enterradas bajo escombros o bajo la nieve (las detectan hasta siete metros); buscar setas bajo tierra; husmear el rastro de un delincuente o descubrir droga escondida.

La nariz de un perro puede olfatear olores hasta un millón de veces más diluidos que los detectados por un hombre.

El olfato les aporta toda la información que necesitan para desenvolverse por el mundo y así como nosotros tenemos mapas de imágenes en nuestra mente, ellos tienen mapas de olores.

El oído

El oído es el siguiente órgano más desarrollado: los perros oyen mucho mejor que los seres humanos. Son capaces de percibir frecuencias que quedan por encima de nuestro umbral de audición como, por ejemplo, los ultrasonidos. Muchos perros comienzan a ladrar, al parecer sin motivo, cuando los captan. El dueño, aturdido por esta reacción, no sabe qué hacer y acaba por reprimir los ladridos de la manera más tajante que puede, creyendo que su perro se porta mal cuando sucede precisamente todo lo contrario, ya que pretende defender el territorio ante una presencia extraña.

Los ultrasonidos también se usan para dar órdenes «silenciosas» —al menos para los humanos— a los perros. Los silbatos que se usan para este fin producen sonidos de 20.000 a 35.000 Hz. La amplitud auditiva del perro es de 10.000 a 50.000 Hz y la del hombre es de 16.000 a 20.000 Hz.

Un perro, además, es capaz de reconocer sonidos que a nosotros nos parecen iguales: el ruido del coche de su dueño (que diferencia perfectamente de los coches de la misma marca y modelo) y el silbido de su amo, por ejemplo.

La distancia a la que percibe los sonidos un perro es cuatro veces mayor que la distancia a la que los oye el hombre. Su oído es cuatro veces más fino que el humano y pude registrar hasta 35.000 vibraciones sonoras por segundo. La movilidad de sus orejas le permite identificar con mayor facilidad la naturaleza y la procedencia del ruido. Los perros poseen 17 músculos para mover las orejas; los hombres sólo nueve, y la mayoría sólo sabe hacer funcionar uno o dos.

A los perros les suele gustar la música. Por sus reacciones, se puede ver qué les gusta y qué no. Su oído es selectivo: pueden estar durmiendo tranquilamente junto a un televisor en pleno funcionamiento, pero se despiertan en cuanto oyen un ruido no relacionado, por leve que sea. Los perros sólo sintonizan con lo que les interesa.

Un perro viejo tiene menos oído que uno joven y puede llegar a padecer una ostensible sordera.

Algunos perros pueden predecir terremotos días antes de que el temblor sacuda la tierra, aunque los científicos todavía no tienen ni idea de cómo lo hacen. Los expertos piensan que puede ser debido a que detecten ruidos de alta frecuencia en el interior de la Tierra o vibraciones en el suelo.

Más aún, se ha detectado que los perros son capaces de saber cuándo su amo se dirige de vuelta a casa aunque no esté cerca. Se especula que tiene que ver con la telepatía y con el nivel de vinculación entre el animal y su propietario.

El perro percibe frecuencias que están por encima de nuestro nivel de audición.

La vista

La vista es el sentido secundario más importante. No está tan desarrollada como en el ser humano, ya que el perro apenas distingue los colores (que confunde en una gama de tonalidades sepia) ni la profundidad, si bien su ángulo de visión es mucho más amplio y muestra una gran sensibilidad al movimiento; de ahí su gran utilidad para avistar presas durante la caza.

El sexto sentido perruno

Hay muchas habilidades perrunas que todavía están sin explicar, como el hecho de que los perros puedan alertar a sus amos epilépticos la inminencia de un ataque; encontrar el camino de regreso a muchos kilómetros de distancia; saber que su amo va a llegar a casa; orientarse en la oscuridad; seguir el rumbo por la noche tirando de un trineo cuando los hombres no pueden hacerlo ni con una brújula... Muchas de estas habilidades tienen que ver con sus desarrollados sentidos y con su capacidad de observación.

El campo de visión del perro es muy extenso: de 200° a 270° (dependiendo del tamaño del hocico y de la forma del cráneo) frente a los 160° del hombre. Los ojos del perro son parecidos a los del hombre, pero los glóbulos oculares tienen una movilidad menor. La visión del hombre es binocular y está orientada hacia delante pero la del perro es lateral. El ser humano ve mejor que los perros y es capaz de distinguir pequeños objetos mientras que los perros, por la situación de sus ojos, pueden sorprender un movimiento que ha tenido lugar detrás de su cabeza. Los perros son hipermétropes y detectan mejor el movimiento que los objetos en reposo.

Por otra parte, poseen una buena visión nocturna gracias a una membrana especial que les ayuda a captar la luz.

El tacto

El tacto sigue a la vista en orden de importancia. Pese a no estar muy desarrollado, hay especies que son más receptivas que otras a causa de que su pelaje es más corto. Además, los perros usan sus bigotes como radares detectores para discernir cómo es un objeto que está en su camino.

El tacto del perro se limita a una sensibilidad no muy desarrollada de las células cutáneas y de los pelos, cuyas raíces y las cavidades en las que se insertan están asociadas con terminaciones nerviosas. Las áreas más receptivas son los belfos y la lengua, razón por la cual emplea la boca para informarse sobre los objetos que encuentra.

El tacto es importante para el perro porque le sirve para relacionarse socialmente con su manada-familia o con sus congéneres. De ahí la importancia de acariciar a nuestro perro.

Para un perro, el atractivo de la comida está en el olor más que en el sabor.

El gusto

Es el sentido menos desarrollado. El número y la variedad de papilas gustativas que tapizan la lengua del perro son mucho menores que las del ser humano, por lo que apenas capta los sabores suaves. Los perros sólo captan gustos agradables, neutros o desagradables.

El atractivo de la comida reside en el olor. Por ello los fabricantes de piensos se esmeran tanto en obtener aromas tan intensos.

Los perros no saben saborear la comida; se sabe que algo les gusta porque lo engullen más rápidamente que algo que les resulta menos sabroso.

Psicología canina
La inteligencia y la memoria

> Una puerta es aquello junto a lo que perpetuamente
> se encuentra un perro en el lado que no debiera.
>
> OGDEN NASH

Un error muy frecuente consiste en pensar que los perros actúan movidos por necesidades o intereses similares a las nuestros. Muchos de los propietarios tienden a tratarlos como a un niño, sin caer en la cuenta de que el perro no es humano y que, por lo tanto, hay que enjuiciarlo desde un punto de vista más «perruno».

Para hacerlo, en primer lugar debemos ser conscientes de que nuestro mundo —aunque en cierto modo se asemeje al canino— no es el mismo que el suyo y que nuestros valores carecen de significado en él. Muchas personas consideran que sus perros son inteligentes, pero muy pocas tienen en cuenta que la idea que tienen acerca de esta cualidad no se corresponde con el modo de pensar y reaccionar de estos animales. La inteligencia del perro es la capacidad de respuesta o de atención frente a unos estímulos provocados por el entorno. En la mayor parte de los casos, la valoración de la inteligencia del perro depende de su reacción ante el mandato de su dueño. Cuanto más rápida sea su respuesta, más inteligente se lo considerará; cuanto más rápido aprenda, más valorada será su inteligencia.

Si la inteligencia del perro se reduce a su capacidad de asociación, la memoria no es menos limitada. A diferencia del ser humano, no puede retener voluntariamente imágenes o recuerdos ni almacenar un volumen de información considerable para recuperarla cuando considere necesario.

La memoria canina consiste más bien en una imagen o un recuerdo instantáneo (como un *flash* fotográfico) ligado a un determinado olor o a una sensación agradable o desagradable. Al igual que el resto de sus actividades intelectivas, se lleva a cabo mediante procesos de asociación. Si, por ejemplo, el dueño se va de vacaciones y deja al perro en una residencia desconocida para él, aquél desaparecerá de su memoria. En cierto modo, el dueño nunca habrá existido. Los primeros diez o quince días el animal experimentará una sensación de abandono total, ya que no reconocerá el territorio, ni estará en su manada y, si es débil de carácter o un poco sensible, sufrirá una depresión de consecuencias más o menos graves. Los ejemplares con un gran apego por su amo se sienten completamente abandonados, dejan de comer durante muchos días y pueden caer en un estado de desnutrición. Cuando su compañero regresa, es probable que desde la lejanía lo reconozcan por el olor o por el ruido del motor del coche, que se convierten en estímulos que activan el recuerdo de su amo justo en aquel instante.

Un perro muy apegado a su amo se siente abandonado cuando éste se ausenta.

El aprendizaje
Más allá del instinto

Muchas personas creen que la conducta canina se rige por los instintos. El instinto es un comportamiento concreto ante un suceso, que se realiza sin una experiencia análoga anterior. Es innato, no necesita ser aprendido. Por ejemplo, los cachorros, nada más nacer, se arrastran y buscan las mamas de la madre para alimentarse.

Otras conductas innatas importantes para el desarrollo psicosocial son la delimitación del territorio, la conducta gregaria o la cópula.

> Existen cachorros tan lerdos que uno se pregunta si conviene criarlos. Pero sonríen satisfechos, vacían su cuenco de comida y se afanan felices tras sus hermanos.
> Y son los primeros en ser elegidos por los que acuden a comprar un perro.
>
> PETER GRAY

Sin embargo, el hecho de que los perros tengan instintos no significa que éstos dominen su conducta, puesto que pueden ser modificados o sustituidos por la experiencia adquirida. En este punto es en donde interviene el «razonamiento» canino, que es el canal para el aprendizaje.

Fundamentalmente el perro razona o aprende por disuasión, por asociación y por intuición.

Disuasión o hábito

Es una forma de aprendizaje primitiva, en la que se distinguen los estímulos exteriores inofensivos de los que no lo son. Por ejemplo, al oír la sirena de una ambulancia o el claxon de un coche, las primeras veces el perro se asusta y quiere huir. Pero, si se le tranquiliza, al poco tiempo se acostumbra, comprende que este estímulo es totalmente inofensivo y lo relaciona con algo habitual.

Instintos, reflejos condicionados y no condicionados

Para obtener la máxima eficacia en el entrenamiento es fundamental definir claramente los conceptos de «instinto», «reflejo no condicionado» y «reflejo condicionado».

• Los **instintos** son comportamientos innatos, no aprendidos y generados internamente (por influencia genética u hormonal). El comportamiento heredado no se enseña ni se aprende, sino que se desarrolla de un modo natural sin necesidad de una experiencia previa. Para adiestrar al perro correctamente es fundamental conocer este comportamiento, ya que se podrán desarrollar y potenciar más las especialidades y características propias de cada raza. El hombre puede aprovechar los instintos, modificándolos mediante la cría selectiva y acentuándolos en relación con sus ancestros. De este modo se obtienen razas que tienen más instinto que otras para la guarda, la defensa personal, la caza, la conducción de rebaños, etc.

• Los **reflejos no condicionados** (también llamados «innatos» o «incondicionados») son aquellos con los que el animal responde a factores externos, pero de una manera continuada y constante. El agua, la comida o el juego, por ejemplo, desencadenan comportamientos espontáneos que el dueño deberá controlar de la manera más eficaz posible.

• Los **reflejos condicionados** («adquiridos» o «aprendidos») son aquellos en los que la conducta del animal está dirigida o reconducida por el hombre. La relación entre el agente externo y el perro es temporal, ya que

cuando cesa el condicionamiento desaparece la asociación y, en consecuencia, la respuesta.

Para obtener la conducta deseada de nuestro perro es preciso aprovechar una necesidad (hambre, sed, juego, compañía), un estímulo o reflejo incondicionado (agua, comida, juguetes) o un estímulo condicionado (sonidos, órdenes, señales). Bastará con un programa de ejercicios basados en la repetición, el ensayo y el error para conseguir los resultados deseados. No obstante, hay que tener en cuenta que es preciso que el perro satisfaga parcialmente sus necesidades, ya que de lo contrario se inhibirá ante los estímulos y su conducta se desviará.
Un norma básica en la educación es dejar que al inicio de los entrenamientos el perro se mueva con completa soltura. Paulatinamente, el adiestrador introducirá ciertas modificaciones que harán que el perro asimile unas pautas de comportamiento establecidas.

Asociación

Cumple un papel muy importante en todo proceso de educación y de adiestramiento.

La asociación se obtendrá mediante los reflejos condicionados o utiliza el método de ensayo y error.

Reflejos condicionados

El perro aprende a relacionar un efecto con una determinada acción. Tal como demostró Pavlov a principios del siglo XX, determinados estímulos

pueden provocar respuestas psicofísicas y, en consecuencia, modificar ciertas pautas de comportamiento. Este principio, aplicado al adiestramiento canino, da siempre excelentes resultados. Por ejemplo, si el propietario hace sonar un timbre o una campanilla antes de presentar la comida al perro, éste acudirá corriendo cada vez que oiga el sonido en cuestión. Aunque no tenga hambre, comenzará a salivar y experimentará un cierto nerviosismo. Por ello, la relación que establece con el estímulo no es estrictamente comunicativa, ya que no hay un intercambio de información, sino que se trata más bien del desencadenamiento de un reflejo condicionado.

No obstante, no es necesario valerse del hambre para enseñar al perro todos los comportamientos. Se puede recurrir a una gama relativamente amplia de sensaciones.

Ensayo y error

El perro aprende mediante equivocaciones: prueba una y otra vez hasta que da con la solución más adecuada. Si se encierra al animal en una jaula en el jardín y se le coloca la comida fuera, el perro intentará por todos los medios llegar hasta ella.

Primero empujará la valla, intentará saltar por encima, rascará en el suelo... Probará un método tras otro hasta que se dé cuenta de que todo es inútil y dejará de insistir. Se pondrá nervioso y se moverá de arriba abajo sin parar. Al cabo de un tiempo es posible que, con el hocico o con la pata, encuentre el mecanismo de apertura de la puerta. La segunda y la tercera vez ya no repetirá los primeros intentos que le habían resultado improductivos, pero no cesará de moverse inquieto hasta encontrar el pestillo o la palanca. De esta forma acabará por darse cuenta de la relación entre el gesto y el efecto, y las siguientes veces irá directamente al lugar apropiado.

Si un perro es encerrado, averiguará cómo salir a base de intentos fallidos.

Test de inteligencia

Preparación

El perro debe tener al menos un año de edad y ser exa-
minado por su dueño, que debe tenerlo desde hace
unos tres o cuatro meses como mínimo. El perro tiene
que haber vivido en la casa en la que
se realizan los tests al menos durante
ese tiempo.
Los tests se deben hacer con el perro en ayunas porque algunos usan la
comida como incentivo. No hay que re-
petirlos aunque el perro no obtenga
buenos resultados y no hay que ponerse nervioso con él: debe plantearse como un juego.

1. CAPACIDAD DE OBSERVACIÓN

En un momento del día en que no suela sacar al perro a
pasear, haga todos los gestos (sin llamarle) que hace
cuando le va a sacar. Por ejemplo, coja el abrigo, las llaves y su correa, y quédese quieto sin ir hasta la puerta.

• El perro corre a la puerta
  o viene a nosotros excitado . . . . 5 puntos
• Si no se mueve, nos dirigimos hacia
  la puerta. El perro se acerca a nosotros . . . . 4 puntos
• Si tampoco se mueve, abrimos la puerta
  unos milímetros. Si viene . . . . 3 puntos
• Si sigue sin moverse pero nos vigila
  atentamente . . . . 2 puntos
• Si no nos atiende en absoluto . . . . 1 punto

2. RESOLVER PROBLEMAS

Enseñe una golosina al perro, deje que la huela y tápela
con una lata. Ponga en marcha el cronómetro.

• Si empuja la lata y obtiene la comida
  en 5 segundos o menos . . . . 5 puntos
• Entre 5 y 15 segundos . . . . 4 puntos
• Entre 15 y 30 segundos . . . . 3 puntos
• Entre 30 y 60 segundos . . . . 2 puntos
• Si olfatea la lata pero no lo consigue
  en menos de 1 minuto . . . . 1 punto
• Si desde que la tapamos no hace
  ningún esfuerzo para alcanzar la comida . . . 0 puntos

3. ATENCIÓN AL ENTORNO

Mientras el perro esté fuera de la casa, cambie la disposición de algunos muebles en una habitación que
conozca. Puede añadir un par de sillas o mover una
mesa. Ponga el cronómetro en marcha cuando el perro entre:

• Si en 15 segundos el perro se da cuenta
  de que ha cambiado algo y empieza
  a explorar y olfatear . . . . 5 puntos
• Si se da cuenta entre los 15 y 30 segundos . . 4 puntos
• Entre 30 y 60 segundos . . . . 3 puntos
• Si parece darse cuenta (observa con atención)
  pero no explora . . . . 2 puntos
• Si tras 1 minuto el perro
  permanece indiferente . . . . 1 punto

4. RESOLVER PROBLEMAS

Tome una manta pequeña o una toalla y deje que el perro, que tiene que estar despierto y activo, la olfatee.
Tápele la cabeza de forma que el perro no pueda ver nada y ponga en marcha el cronómetro.

• Si se descubre la cabeza
  en menos de 15 segundos . . . . 5 puntos
• Entre 15 y 30 segundos . . . . 4 puntos
• Entre 30 y 60 segundos . . . . 3 puntos
• Entre 1 y 2 minutos . . . . 2 puntos
• Si no se ha liberado tras 2 minutos . . . . 1 punto

5. INTERPRETACIÓN DE GESTOS

En un momento en el que el perro esté sentado a un par
de metros de usted sin que se lo haya ordenado, mírele
a los ojos. En cuanto le devuelva la mirada, espere 2 ó 3
segundos y dedíquele una sonrisa.

• Si viene a usted moviendo la cola . . . . 5 puntos
• Si se acerca pero no llega hasta usted,
  o no mueve la cola . . . . 4 puntos
• Si cambia de posición, se tumba
  o se levanta sin acercarse . . . . 3 puntos
• Si se aleja . . . . 2 puntos
• Si no presta atención . . . . 1 punto

Test de inteligencia

6. RESOLVER PROBLEMAS

Es igual que el Test 2, pero ahora se tapa la golosina con un trapo o una toalla pequeña.

- La consigue en menos de 15 segundos ... 5 puntos
- Entre 15 y 30 segundos .... 4 puntos
- Entre 30 y 60 segundos .... 3 puntos
- Entre 1 y 2 minutos .... 2 puntos
- Si intenta cogerla pero abandona .... 1 punto
- Si la ignora .... 0 puntos

7. MEMORIA A CORTO PLAZO

Se hace siempre antes que el test 8. En una habitación despejada, enseñe al perro una golosina que no tenga olor fuerte y déjesela olfatear. Asegúrese de que no lo vea y coloque la golosina en una esquina de la habitación (puede decirle a alguien que controle al perro). Saque al perro de la habitación unos diez segundos y hágale entrar de nuevo. Ponga el cronómetro en marcha.

- Si va directo a la comida .... 5 puntos
- Si olfateando va casi directo .... 4 puntos
- Si se pone a buscar al azar y la encuentra
  en menos de 45 segundos .... 3 puntos
- Si busca pero en 45 segundos
  no lo ha encontrado .... 2 puntos
- Si no se esfuerza en buscar la comida .... 1 punto.

8. MEMORIA A LARGO PLAZO

Haga este test inmediatamente después del Test 7. Haga exactamente lo mismo que en el test anterior, pero ponga la comida en otro lugar. Saque al perro de la habitación 5 minutos. Ponga en marcha el cronómetro cuando entre.

- Si va directo a la comida .... 5 puntos
- Si va directo a donde estaba la comida
  en el test 7, y luego al correcto .... 4 puntos
- Si olfatea y encuentra la comida
  casi directamente .... 3 puntos
- Si busca al azar y lo encuentra
  por casualidad antes de 45 segundos ..... 2 puntos
- Si no lo encuentra antes de 45 segundos .. 1 punto
- Si no intenta buscarlo .... 0 puntos

9. RESOLVER PROBLEMAS Y MANIPULAR

Ponga una tabla sobre un par de guías de teléfono de forma que quepan las patas del perro pero no pueda meter la cabeza debajo. Sujétela con peso suficiente para que no pueda levantar la tabla.
Muestre una golosina al perro y póngala debajo de la tabla. Ponga en marcha el cronómetro.

- Si lo saca con las patas
  en menos de 1 minuto .... 5 puntos
- Si lo saca entre 1 y 3 minutos .... 4 puntos
- Si lo intenta pero a los 3 minutos
  no lo ha conseguido sacar .... 3 puntos
- Si no usa las patas y solo intenta
  alcanzarlo con la boca .... 2 puntos
- Si no intenta alcanzar la comida .... 1 punto

10. COMPRENSIÓN DEL LENGUAJE

El perro debe estar sentado frente a usted. Use el tono habitual con el que lo llama, pero en lugar de llamarle por el nombre use una palabra cualquiera que no se parezca en nada.

- Si responde a la llamada .... 3 puntos
- Si no acude, pronunciamos otra palabra
  en el mismo tono. Si esta vez viene .... 2 puntos

Si tampoco se acerca, pronunciamos su nombre, añadiendo «ven» o la palabra que usemos para llamarle.

- Si viene .... 5 puntos
- Si no viene, repetimos su nombre
  por segunda vez. Si ahora viene .... 4 puntos
- Si no se mueve .... 1 punto

11. APRENDIZAJE

Este es un ejercicio complicado. Se trata de hacer que el perro aprenda una orden nueva. No tiene que ser complicada, simplemente algo sencillo que no haya hecho nunca. Por ejemplo, si está sentado a su lado, haga que se levante y se gire para sentarse frente a usted o haga que dé vueltas a una silla ayudándole con la correa.

Test de inteligencia

Ordene lo que desea por primera vez. Como el perro no sabrá qué quiere, le guiará hacia la posición. Felicítelo o prémiele con alguna golosina.

Repita la orden dos veces más y ayúdele a cumplirla. Vuelva a repetir dos veces, pero ahora espere un instante antes de ayudarle. Guíele con la correa si no ejecuta la orden por sí mismo.

A continuación, repita la orden.

- Repita la orden y si la cumple, aunque sea torpemente . . . . 6 puntos
  Es un tanteo, no debe moverse para indicarle.
- Si falla, repita 10 veces más, ayudándole. Después haga otro tanteo sin ayudarle. Si lo hace bien . . . . 5 puntos
- Si vuelve a fallar, 10 pruebas más. Si en el siguiente tanteo lo hace bien . . . . . 3 puntos
- Si se levanta e intenta hacer algo, pero no cumple la orden . . . . 1 punto
- Si después de las 30 pruebas que llevamos, sigue sin hacer nada . . . . 0 puntos

12. RESOLVER PROBLEMAS

Se trata, sin duda, del ejercicio más complicado del test. Haga que el perro olfatee algo de comida y póngala en un sitio de forma que la vea pero no pueda acercarse a ella directamente. Puede servir, por ejemplo, una caja grande abierta por el extremo posterior y con una ranura por donde el perro vea la comida, pero no la pueda coger.

La solución será rodear la caja y entrar por el otro lado. Asegúrese de que no puede mover la caja ni puede alcanzar la comida con las patas.

Suelte al perro y seguidamente ponga en marcha el cronómetro.

- Si rodea el obstáculo y alcanza la comida en menos de 15 segundos . . . . 5 puntos
- Si tarda entre 15 y 30 segundos . . . . 4 puntos
- Entre 30 y 60 segundos . . . . 3 puntos
- Entre 1 y 2 minutos . . . . 2 puntos
- Si intenta alcanzar la comida metiendo la pata por la ranura, pero no intenta otro camino . . . . 1 punto
- Si no hace ningún esfuerzo por llegar a la comida . . . . 0 puntos

Sume todos los puntos conseguidos en las diversas pruebas.

- **54 puntos o más:** Es un perro prácticamente superdotado, y es bastante inusual encontrar un perro con este nivel de inteligencia. Según diversos estudios, apenas el cinco por ciento de los perros lo alcanza, y eso entre las razas más inteligentes.

- **de 48 a 53 puntos:** Perro de clase superior y con un alto nivel de inteligencia.

- **de 42 a 47 puntos:** Nivel medio-alto. Tiene la capacidad de llevar a cabo cualquier tarea de las que se exigen a un perro corriente.

- **de 30 a 41 puntos:** Nivel de inteligencia media. En ciertos trabajos se mostrará muy dotado, pero no tanto para otros.

- **de 24 a 29 puntos:** Nivel bajo. A veces muestra destellos de agudeza, pero la mayor parte del tiempo tendrá algunas dificultades para entender lo que queremos de él. Aprenderá el mínimo de órdenes básicas (sentarse, acudir a la llamada, y poco más). Su utilidad dependerá de su inteligencia instintiva, es decir, de las capacidades que es capaz de desarrollar por la herencia genética de su raza.

- **de 18 a 23 puntos:** Límite de la normalidad. Trabaja sin problemas en un entorno organizado y de poca actividad, y si no se le presentan situaciones nuevas.

- **menos de 18 puntos:** Deficiente. La convivencia con estos animales puede presentar problemas.

El lenguaje
Cómo se expresa nuestra mascota

Los perros son expertos en captar las emociones y los gestos de sus amos porque se pasan la vida observándoles. Sin embargo, los humanos no somos igual de hábiles a la hora de interpretar las señales que nos dan nuestras mascotas y eso que, aunque no hablan, nos dan muchas pistas sobre su estado de ánimo y sus intenciones mediante la posición de la cola, la expresión de la cara y de la boca, los ojos, los ladridos, los quejidos o gruñidos...

> Miles de generaciones de perros han creído en lo más íntimo de sus corazones que si un día prestaban atención suficiente y se concentraban, llegarían con el tiempo a dominar el lenguaje humano.
>
> MAYA V. PATEL

Ladridos

- **Ladridos continuos y rápidos, en tono intermedio:** Alerta. Problemas. Alguien entra en nuestro territorio.
- **Ladridos continuados y lentos, en tono bajo.** Intrusos o peligro cercano. Preparados para defenderse.
- **Ladridos rápidos y con pausas cada 3 ó 4.** Aviso de problemas acercándose. Le pide que investigue.
- **Ladridos prolongados e ininterrumpidos de tono alto, con intervalos largos entre cada uno.** Estoy solo y necesito compañía.
- **Uno o dos ladridos agudos y breves en tono intermedio.** Es el saludo más habitual.
- **Ladrido único en tono normal.** Curiosidad, alerta.
- **Ladrido breve en tono alto.** Indica sorpresa.

Si se repite dos veces significa «¡Mira esto!». Si es más largo es una llamada. Muchos perros lo usan cuando quieren salir a la calle.

- **Ladrido breve en tono medio.** Alegría.
- **Ladrido entrecortado en tono medio.** Petición de jugar.
- **Aullido o ladrido muy breve en tono alto.** «¡Ay!». Respuesta a un dolor repentino.
- **Aullidos repetidos a intervalos regulares.** Muestra de un dolor intenso o respuesta a algo que les asusta.
- **Ladridos agudos y urgentes que suenan a desesperados sin que haya motivo aparente.** Es una forma de liberar tensión para algunos perros.

Gruñidos

- **Gruñido suave en tono bajo.** Gruñido de amenaza. Conviene apartarse y dejar espacio al perro.
- **Gruñido que deriva en ladrido, en tono bajo.** Disposición a pelear. Si se presiona al perro, atacará.

• **Gruñido que deriva en ladrido, en tono alto.** Perro inseguro que preferiría no pelear, pero que atacará si no se le deja en paz.
• **Gruñido combinado con posición de sumisión.** Tiene miedo.
• **Gruñido intenso sin enseñar los dientes.** Suele oírse cuando se juega con el perro. Está simulando un ataque en broma e indica que se está divirtiendo.

Gemidos y otros sonidos

• **Gimoteos suaves.** Dolor o temor.
• **Gemidos prolongados.** «Dame» o «Quiero».
• **Suspiro.** Indica satisfacción si los ojos están semicerrados. Si están abiertos es una señal de decepción porque no ha ocurrido algo que el perro esperaba o aburrimiento.
• **Aullidos.** Comunicación entre congéneres.
• **Gañidos.** «¡Para, me haces daño!».
• **Resuellos.** Excitación, ganas de jugar o, simplemente, calor.

Orejas

Es una de las mejores formas de saber qué pasa por la cabeza del perro, aunque los perros de orejas caídas son más difíciles de interpretar.
• **Orejas gachas.** Calma.
• **Orejas erguidas y orientadas hacia delante.** Muestran atención o que están estudiando una situación nueva. Si se acompañan de ladeos de la cabeza y con la vista fija (por ejemplo cuando se les habla), puede significar tanto «Esto es muy interesante» como «No entiendo nada».
• **Orejas erguidas y orientadas hacia delante.** Si van acompañadas de morro arrugado y el perro enseña los dientes, es una amenaza de ataque.

• **Orejas vueltas hacia atrás y paralelas a la cabeza.** Suele asociarse con cualquier tipo de desafío.
• **Orejas orientadas ligeramente hacia atrás.** «Esto no me gusta nada». Equivalen a una mirada de sospecha, preocupación o miedo.
• **Cada oreja en una posición.** Indecisión.

Cola

Cuanto más seguro de sí mismo es un perro, más libremente se mueve su cola y dice más cosas con ella.
• **Cola relajada.** Relajación y comodidad.
• **Extendida horizontalmente pero no tiesa.** Es un signo de atención. El perro ve algo interesante.
• **Extendida horizontalmente y tiesa.** El perro se enfrenta contra un posible intruso o desconocido.
• **Cola erguida.** Es un signo de autoridad de un perro que se muestra dominante.
• **Cola erguida y curvada sobre la grupa.** Indica confianza, control y autodominio.

Sus estados de ánimo

• **Sumisión:** posición agachada, mirada baja, orejas hacia atrás, cola entre las piernas. Es el caso del perro que saluda a su dueño saltando con las orejas agachadas.

• **Sumisión total:** se tumba sobre la espalda, mostrando el estómago y la parte inferior del cuello. Muchos perros lo hacen voluntariamente ante el líder de la manada. Si el perro se tumba para que le rasquemos la barriga, lo que hace es aceptar que nosotros somos el jefe.

• **Autoridad:** colocar la cabeza o la pata sobre el lomo de otro perro. Son señales de autoridad (no deseable) sujetar la mano del dueño con la boca o querer llevar la correa entre los dientes al pasear. Es también el caso del perro que saluda a su amo con las orejas aguzadas y el rabo levantado.

• **Petición de atención:** colocar la pata en la rodilla del dueño.

• **Satisfacción:** revolcarse sobre el lomo y frotarlo en el suelo, frotar el hocico y el pecho contra el suelo.

• **Relajación y felicidad:** posición erguida y relajada, orejas erguidas no adelantadas, cabeza alta, boca entreabierta, cola baja y relajada.

• **Invitación a jugar:** perro agachado, patas delanteras extendidas, lomo erguido, cabeza cercana al suelo.

• **Aburrimiento:** perro tumbado con mirada desinteresada, orejas caídas y la cabeza apoyada sobre las patas.

• **Alerta:** perro erguido ligeramente inclinado hacia delante, orejas hacia delante, cola erguida, ojos muy abiertos y boca cerrada, miembros rígidos. Posición de mostrar autoridad. Cuando un perro está interesado en algo, todas las partes de su cuerpo parecen inclinarse hacia delante.

• **Mando:** perro erguido ligeramente inclinado hacia delante, orejas hacia delante, cola erguida y erizada, ojos muy abiertos, hocico arrugado, pelo erizado, miembros rígidos: individuo muy dominante, amenaza con atacar si se le desafía.

• **Amenaza miedosa:** cualquier expresión de amenaza, con la comisura de los labios estirada hacia atrás muestra un componente de temor en el perro. Aún puede atacar, pero también puede huir si se siente agredido.

• **Miedo y decisión:** posición ligeramente inclinada hacia atrás, pelo erizado, orejas hacia atrás, cola entre las patas, hocico arrugado enseñando los dientes. Está asustado pero también dispuesto a atacar si se le provoca.

• **Tristeza:** perro con signos de sumisión y cabeza gacha y aspecto abatido.

• **Al acecho:** perro de pie que baja ligeramente la cabeza y desciende la parte anterior del cuerpo. También puede andar en esta posición.

• **Deferencia:** perro que intenta lamer la boca de su amo.

• **Estrés:** perro que baja la cabeza y jadea sin que haya hecho esfuerzo físico. El cuerpo permanece agachado y la cola escondida entre las patas traseras.

• **Marcar el territorio:** aparte de la simple necesidad de evacuar, el perro también tiene necesidad de marcar el territorio. Los cachorritos orinan de una sola vez, pues aún no «marcan», mientras que los adultos se contienen, para ir dejando sus señales por todo el camino. Si en vez de orinar sobre las marcas de otros perros, lo hace sobre un perro o en casa, está dejando un signo de autoridad y posesión que se debe tratar.

- **Cola hacia abajo y cercana a las patas traseras.** Si las extremidades están rígidas y agita levemente la cola, indica «No me siento bien». Si las patas están ligeramente flexionadas es una muestra de que el perro siente inseguridad.
- **Cola oculta entre las patas.** Temor o sumisión.
- **Cola alzada y movimiento rítmico y lento.** El perro está en guardia.
- **Agitación leve.** Suele indicar saludo.
- **Agitación trazando círculos amplios.** «Me caes bien». Cuando dos perros juegan a pelear, este movimiento confirma que están jugando.
- **Agitación a ritmo lento.** Cuando estás adiestrando al perro, significa: «Estoy intentando entenderte; quiero saber qué dices pero no acabo de entenderlo». Cuando por fin lo entiende, el movimiento se acelera y aumenta en amplitud.
- **Movimientos lentos y cortos.** Indica que está a gusto. A veces sólo son unos pocos golpes en el suelo cuando está tumbado.
- **Agitación rápida.** Excitación ante un acontecimiento deseado.

Mirada

- **Mirada directa y fija.** Desafío, o respuesta al desafío por parte del perro dominante.
- **Mirada directa.** Perro que se siente seguro.
- **Ojos entornados.** Respuesta de un perro sumiso ante un reto. Aceptación de la sumisión.
- **Ojos semicerrados.** El perro está disfrutando. Es la mirada que ponen cuando se les acaricia.
- **Mirada esquiva.** Deferencia.
- **Mirada lateral.** Se siente tímido o quiere jugar. Es una forma educada de expresar interés sin imponerse.
- **Contacto visual casual.** Alegría.
- **Pupilas dilatadas.** Miedo.

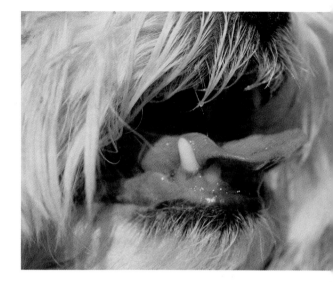

Hocico y boca

- **Boca relajada y entreabierta, lengua poco visible.** Equivale a una sonrisa entre las personas.
- **Bostezo.** En los perros indica estrés o tensión. El perro está tenso o inquieto.
- **Boca cerrada.** Atención.
- **Lamerse los belfos.** Preocupación o inquietud.
- **Boca cerrada, belfos levantados enseñando los dientes.** Primera señal de amenaza.
- **Boca entreabierta, belfos levantados enseñando los incisivos, hocico fruncido.** Segunda señal de amenaza. Si se presiona al perro, responderá con un ataque.
- **Boca entreabierta, belfos levantados enseñando los incisivos y las encías, hocico fruncido.** Precede a un ataque inmediato. Si alguna vez nos encontramos ante un perro así, nunca se debe salir corriendo. Está tan tenso que el menor movimiento por nuestra parte provocará el ataque. Hay que bajar la mirada, entreabrir la boca, y retroceder con lentitud sin dar la espalda al perro.

El perro y su amo
Una relación única

El amo lo es todo para su perro: es su mundo y su referente. Por esta razón, para educar y tratar a un perro conviene sobre todo ser consecuentes; que lo que un día está mal no se permita al día siguiente o al revés.

Un perro, por muy dominante que sea, aceptará que su amo sea severo, siempre y cuando sea justo con él. Esto incluye no administrar castigos desproporcionados, ser consecuente con su educación y tener paciencia cuando el perro se esfuerza, aunque no consiga los resultados que en un principio habíamos esperado.

> Compra un perro y a cambio de tu dinero conseguirás un cariño firme.
>
> RUDYARD KIPLING

Cuando un perro adulto y educado ve a su amo muy enfadado, se alejará hasta una distancia segura para observarle y saber si él es el objeto del enfado. Si no ve relación entre sus actos y el enfado, se acercará conciliador a su amo con las orejas gachas, el rabo girando y la mirada sumisa.

Este comportamiento termina cuando el líder se tranquiliza. Entonces el perro adopta el mismo estado de ánimo que él. Es un recurso perruno para conseguir la paz territorial que tanto aman: para calmar a su líder son capaces de mostrarse tremendamente sumisos aunque no hayan hecho nada malo.

Un privilegio del jefe de manada es que puede tocar a cualquier otro miembro del grupo cuando le apetece. Su perro debería dejarle que le tocara en cualquier situación. Acostúmbrelo de pequeño. Por el contrario, su perro no debería tocarle cada vez que le apetece y debería ser usted quien decidiera cuando hay que hacer cada cosa (salir, comer, jugar...).

También desde pequeño debe aprender cuál es su lugar en la familia. Si juega a pelear con él, no debe permitirle que se ponga encima, ya que es una posición de dominio. Cuando intente hacer esto, échele al suelo con firmeza, póngalo panza arriba e inmovilícelo unos segundos.

Juegue con él y enséñele de paso, con una pelota que le tirará para que vaya a recogerla, a cooperar con usted y a soltar la presa. Déjele a mano juguetes que pueda morder o con los que pueda jugar y que sean suyos. La pelota con la que jueguen juntos guárdela usted para asegurarse de que el juego empiece por iniciativa suya y no del perro. Quítele sin contemplaciones a su perro cualquier cosa que haya cogido sin su permiso.

Administre felicitaciones y castigos de forma justa; esto incluye castigar a los niños siempre que se porten mal, sobre todo si el perro está delante porque podría sentirse agraviado.

Las caricias que más gustan

Tendemos a acariciar la cabeza del perro por instinto, pero ésta es una señal de dominio que, aunque los perros han aprendido a interpretarnos con infinita paciencia, no expresa todo lo que queremos decirles. Hay otras caricias mucho más afectuosas. Es importante que le dejemos expresarse a él también: si nos lame la mano, debemos permitírselo.

• Acariciar con las yemas de los dedos la mejilla.
• Acariciar bajo las mandíbulas.
• Acariciar el cuello y debajo del morro.
• Pasarle suavemente los dedos por encima del morro, como rascando.
• Acariciar el pecho.
• Acariciar detrás de las orejas.
• Golpear suavemente la espalda y acariciarla. Para los perros es una señal de compañerismo, pues es en este punto donde les dan sus congéneres cuando juegan.
• Poner la mano abierta en la espalda y en el vientre y mantenerla un rato.

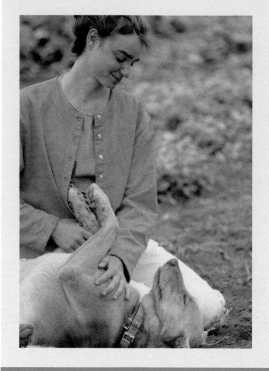

Etapas del cachorro

Cómo se desarrolla psicológicamente

Los estudios sobre el comportamiento canino llevados a cabo en los últimos veinte años han definido claramente los períodos más importantes del desarrollo psicológico del cachorro. A partir de este estudio, se puede determinar qué tipo de acciones son beneficiosas para su estado mental y cuáles son perjudiciales.

El desarrollo psicológico del cachorro se divide en varias etapas:

- Los primeros 20 días de vida
- Desde los 21 días hasta las 7 semanas
- Desde las 7 hasta las 12 semanas
- Desde las 12 hasta las 16 semanas
- Desde los 4 a los 12 meses

Los primeros 20 días
Período «vegetativo»

La actividad de los cachorros se limita a comer y dormir. Dependen totalmente de la madre, que los lame muy a menudo; no para limpiarlos, sino para estimular en ellos los reflejos de la micción y la defecación.

Durante las dos primeras semanas de vida aproximadamente, los pequeños no ven ni oyen. Los ojos y los conductos auditivos se empiezan a abrir a partir del décimo día, pero los cachorros no ven y oyen hasta los veinte días.

> Al principio Dios creó al hombre, pero al verlo tan débil le dio el perro.
>
> TOUSSENEL

Lógicamente, lo que ocurre a su alrededor no les afecta en este período. Su única percepción se produce a través del olfato y del calor producido por los cuerpos de la madre y de los hermanos.

Esta es la evolución física y psicológica del cachorro:

- **Día 0 a día 2.** Inicio del apego de la madre a sus cachorros.
- **Día 0 a 15.** Orientación táctil, reflejo de hurgar positivo (para mamar), reflejo labial positivo.
- **Día 0 a día 5.** Fase de flexión (predominio de los músculos flexores).
- **Día 5 a 18.** Fase de extensión (predominio de los músculos extensores).
- **Día 10 a día 16.** Abre los ojos, inicio del apego de los cachorros a la madre.
- **Día 16 a día 21.** Inician las vocalizaciones complejas.
- **Día 18 y más allá.** Fase de normotonía (tono normal).
- **Día 20 a día 25.** Orientación visual.

De 21 días a 7 semanas
Período de socialización

En este período el cachorro aprende a comportarse como un perro. Ya ve, oye y huele bastante bien, y la realidad externa le va llamando cada vez más la atención. Necesita indispensablemente a la madre y a los hermanos. Si se separa al cachorro de la camada antes de haber cumplido la séptima semana, cuando sea adulto la socialización con sus congéneres puede presentar algunas lagunas y puede que no sea capaz de interpretar a otros perros o que se muestre demasiado agresivo. En contrapartida, tendrá una gran dependencia del hombre. Puede ocurrir incluso que, al no reconocerse totalmente en sus congéneres, en el futuro tenga dificultades para aparearse. Una socialización deficiente también puede originar miedos, fobias o ansiedades.

En esta etapa los juegos y las peleas rituales sirven para establecer la jerarquía. Esta lucha por dominar a los congéneres se acentúa todavía más en el tercer período, como demuestra el hecho de que si se dejara una camada junta hasta las doce semanas, el grupo se acabaría dividiendo en ejemplares dominantes y ejemplares dominados, lo cual no sería la mejor opción para los futuros adultos. En consecuencia, es muy importante que el cachorro socialice durante las primeras siete semanas, pero tampoco hay que dejarlo más tiempo de la cuenta con la manada. Así pues, el momento idóneo para adquirir un cachorro es al finalizar la séptima semana.

La presencia del ser humano es igualmente importante. Es conveniente que el criador los toque un poco cada día. J. P. Scott, un estudioso estadounidense, demostró que se obtienen mejores resultados jugando con los cachorros por separado, ya que así se inicia la toma de conciencia individual.

Por otro lado, Scott sostiene que a partir de la sexta semana ya se puede enseñar al cachorro alguna orden fácil, como por ejemplo caminar de la correa o acudir a la llamada.

Este es su desarrollo durante este período:

- **Entre los días 21 y 25.** Reflejo de sobresalto positivo, audición funcional.
- **Día 21 a día 90-120.** Impronta: fuerte sentido de pertenencia social a la madre, identificación con la especie.
- **Entre las 3 y 5 semanas.** El cachorro es atraído por todos los seres vivos que encuentra, cualquiera sea la especie. Desarrolla apego a estos individuos. Después de las 5 semanas la atracción por los nuevos seres disminuye y, al mismo tiempo, empieza a sentir aversión por ellos.

- **Día 28.** Mueve la cola en situaciones agradables.
- **Día 30 a 35.** Principio de la adquisición de la mordida inhibida.
- **Día 40 a 45.** Busca husmeando el sitio de sus deyecciones precedentes.

De 7 a 12 semanas
Interacción con los humanos

Este tercer período es el más determinante en lo que se refiere a la socialización con el hombre. En esta época de la vida el cachorro aprende a respetar a los seres humanos. La base de su educación se concentra en esta etapa.

La relación entre el perro y el hombre debe estar basada en el juego y la complicidad. De esta manera, el cachorro se da cuenta de que vivir con el hombre comporta más ventajas que inconvenientes.

Por consiguiente, el animal canaliza el instinto gregario hacia la familia con la que vive y se somete de forma natural al dominio del dueño. El cachorro que en esta época de la vida permanece en el criadero necesitará atenciones individuales y afecto humano para que no se deteriore su relación con los hombres.

De 12 a 16 semanas
Afirmación de la propia individualidad

En el plano físico, coincide con la caída de los dientes de leche.

En estado natural, los cachorros de esta edad empiezan a comportarse con independencia o bien viven en compañía de algún hermano. Es la última oportunidad para conocer y relacionarse con el hombre. Los perros que no se han relacionado con el hombre antes de las 16 semanas se comportarán prácticamente igual que animales salvajes, lo cual les descarta para la vida doméstica.

Esta etapa es decisiva para determinar quién ocupa el puesto de líder: el hombre o el perro. En este sentido, la educación y el adiestramiento no son simplemente un juego, sino un medio para instaurar una disciplina.

En definitiva, entre los tres y los cuatro meses el perro se convierte en un individuo y aprende a confiar en sí mismo. Todo el trabajo bien hecho en este momento redundará en el futuro.

Es conveniente hacer que el perro tenga una infancia muy rica en experiencias positivas, llevarle a muchos sitios, estimular su curiosidad, no excitarlo inútilmente y jugar mucho con él. El cachorro que pasa muchas horas solo en el jardín o dentro de casa vive pocas experiencias enriquecedoras y el desarrollo de su inteligencia es limitado.

De los tres meses al año se produce el desapego de los machos, mientras que las hembras lo hacen al primer o segundo celo.

En el caso de perros que tengan menos de tres meses en el momento de la compra (nunca deberían tener menos de siete semanas, pues en esos momentos es cuando aprenden a relacionarse con sus congéneres) se les puede ayudar a integrarse con algunos trucos:

- **Fomente el apego a algún miembro de la familia.** Por ejemplo, impregne su sitio para dormir con el olor de esta persona.
- **Distraiga y estimule al perro con juguetes, juegos, personas y salidas al exterior.** Los perros deben salir desde un primer momento a la

calle, aunque si no tienen todas sus vacunas puede llevarlos en brazos para evitar que husmeen o laman orines de otros perros u otras sustancias que les puedan provocar alguna enfermedad.

• **Controle el juego.** Castigue el mordisco o evítelo gañendo como lo haría un cachorro; termine el juego cuando usted lo desee o permanezca indiferente si el perro se excita demasiado.

• **Haga que espere a que la familia termine de comer antes de ponerle su comida.**

• **A los cuatro o cinco meses, desapegue al perro de su amo.** Rechace los saltos sobre el amo y suprima de su sitio para dormir el olor del ser de apego. Favorezca el contacto con perros adultos.

Entre los 4 y los 12 meses
Etapa juvenil

En esta fase se empieza a desarrollar el carácter del animal. El dueño debe usar su autoridad para que el perro sepa el papel que ocupa en la casa y debe comenzar la educación. Es también el momento de quitarle los malos hábitos, ya que cuando llegue al año de vida será mucho más difícil.

Los perros deben salir a la calle, relacionarse con otros perros y otras personas, y hacer abundante ejercicio. Deben tener una rutina para que resulten más equilibrados.

En algún momento de esta etapa el perro puede volverse impertinente e incluso aparentar olvidar órdenes o hábitos que había aprendido anteriormente. Se trata de su adolescencia.

El perro tantea a su amo para saber quién es el jefe de manada. Es importante reafirmar la autoridad.

Programa de aprendizajes

Además del desarrollo físico, detallado anteriormente, el perro deberá familiarizarse con muchas cosas que serán nuevas para él:

• Dejarse coger por cualquier parte de su cuerpo.
• Dejarse limpiar y examinar: oídos, control dental, examen de patas, toma de temperatura...
• Conocer y confiar en su veterinario.
• Familiarizarse con los ruidos de la casa y con los electrodomésticos.
• Viajar en coche.
• Pasear por calles con tráfico intenso.
• Habituarse a coches, autobuses, trenes, escaleras, puentes, ascensores, y a la oscuridad.
• Respetar al cartero.
• Reconocer órdenes como «quieto», «sit», «ven»...

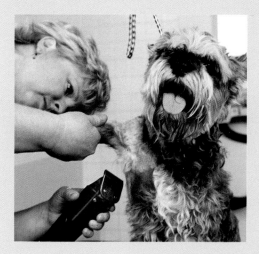

El perro empieza a ser autónomo entre los cinco y los seis meses. Debe aprender a ir atado a la correa, dar la vuelta, pararse y acudir junto a su amo cuando está suelto y éste le llama.

Aunque depende del desarrollo hormonal de cada perro, generalmente a partir del séptimo mes, el macho levanta la pata y la hembra tendrá su primer celo.

Elección del perro
Cómo escoger el más apropiado

Cosa extraña: se enseña la templanza a los perros, y no se le puede enseñar a los hombres.

La Fontaine

El perro no es una especie ornamental. La domesticación de sus antepasados y la cría selectiva a la que se vio sometido obedecía a unos fines muy concretos. Por todo ello, no está de más informarse acerca de las funciones para las que está capacitada la raza que nos hemos planteado comprar.

El consejo de un criador, de un veterinario o de un etólogo puede ahorrar al principiante desengaños y fracasos. La compra de un perro no consiste en escoger un perro cualquiera según su físico. La decisión tiene un fondo mucho más complejo: el cachorro que se elija definitivamente vivirá diez o quince años junto a su dueño, será la mascota de casa, un colaborador, un compañero de aventuras o de actividades deportivas. Por tanto, conviene evitar las decisiones impulsivas y dejar que se imponga la racionalidad. Para ello el futuro comprador debe preguntarse si desea un perro de compañía, de utilidad, de vigilancia, de caza, de defensa o de exposición; si prefiere un perro activo al que le guste el ejercicio o un perro tranquilo que no precise moverse demasiado...

A la hora de adquirir un perro, muchas personas no saben a ciencia cierta qué tipo de animal buscan. Han decidido que les gustaría tener un ejemplar grande o pequeño, de un color u otro, o de una raza en especial, pero poco más. En muchas ocasiones, se dejan llevar por el capricho o la moda, sin tener en cuenta la función que el animal deberá desempeñar, el carácter del animal o el espacio que tienen disponible en casa.

Cada raza está capacitada para unas funciones y debemos priorizar nuestras necesidades.

Líneas de trabajo y líneas de belleza

Pese a las diferencias individuales que siempre se pueden apreciar en los ejemplares de una misma camada, hay una serie de características que se transmiten de generación en generación. El hombre observó este fenómeno desde que empezó el proceso de domesticación y ha seleccionado sus perros cruzando animales cuyas características ha considerado más valiosas para cada tarea. En la actualidad, los criadores se ocupan de seleccionar a los reproductores para perpetuar unas características determinadas y mejorar otras. Los más importantes trabajan en las llamadas «líneas de trabajo» (familias seleccionadas por su aptitud para el trabajo) y «líneas de belleza» (cuya selección se basa principalmente en criterios morfológicos).

Otro aspecto a tener en cuenta es la composición de la familia en la que se integrará el perro (si hay ancianos o niños), así como la distribución de la casa y el espacio disponible.

Por último, un punto importante es la experiencia del futuro dueño en materia de perros y de psicología canina.

Perros de compañía

Es la función principal que desempeña el perro en la ciudad. El término «perro de compañía» no debe inducir al error. No hay que confundir un perro de compañía con un perro «faldero». En mi opinión, un perro de compañía podría ser cualquier perro, sin distinción de raza o tamaño. Es frecuente la idea según la cual un perro de compañía debe ser de una raza determinada (por ejemplo, Yorkshire, Caniche o Cocker) o de talla pequeña o mediana. Sin embargo, un perro grande (Golden Retriever, Bóxer, Pastor Alemán, Rottweiler, etc.) puede ser un perro de compañía excelente.

La diferencia es que los animales de talla grande suelen necesitar más ejercicio físico y, al mismo tiempo, cumplen otras funciones como guarda, defensa o salvamento.

Perros de utilidad

A diferencia de los perros de compañía (con un papel más bien pasivo porque dependen en cada momento del dueño), los de utilidad son activos, ya que desempeñan una función concreta y requieren unas determinadas características físicas y de carácter, según la actividad que deban realizar.

Vigilancia

El perro guardián debe tener una apariencia disuasiva y un carácter fuerte. La condición fundamental es el equilibrio y la seguridad en sí mismo.

Su misión es defender un recinto cerrado, que considera su territorio, de la intrusión de extraños. Si está bien entrenado, no tiene por qué atacar fuera del recinto. Las razas más utilizadas son el Pastor Alemán, el Bóxer, el Schnauzer Gigante o el Rottweiler.

Caza

Hay tres grupos diferenciados: perros de muestra, perros de rastreo y perros de cobro. En algunos casos estas características coinciden en una misma raza. El perro de rastreo destaca por su capacidad olfativa. No todos los perros son buenos para el rastreo, aunque sean de una raza destinada a esta función. Las más habituales son Sabueso, Pointer, Braco, Springer Spaniel, Cocker, Beagle, Labrador, Golden Retriever, Podenco ibicenco y cualquier cruce de mestizo de éstas.

Sin embargo, el olfato no es el único aspecto importante, ya que el perro también tiene que saber llevar bien la pieza, sin morderla ni destrozarla.

Un buen perro de rastreo exige un entrenamiento largo y exhaustivo, que puede durar muchos meses.

Defensa

Los perros que dan los mejores resultados en defensa personal son aquellos que muestran una cierta timidez, pero no agresividad, y en general son muy dependientes de su amo, porque se sienten seguros en su presencia. Esta combinación les proporciona estabilidad emocional cuando están con el amo y, por lo tanto, son capaces de defenderlo ante cualquier agresión externa cuando les da la orden. Sin el guía se sienten desamparados e inútiles y, en cambio, cuando se sienten apoyados por el amo se cre-

cen. Los perros de defensa personal deben ser entrenados por profesionales titulados que les enseñen a detener la agresión cuando se les da la orden correspondiente. Son animales que sólo actúan en caso de emergencia y requieren un amo responsable y equilibrado.

Las razas empleadas más comúnmente en defensa personal son el Dobermann, el Pastor Alemán, el Malinois, el Bobtail, el Pastor de Brie y el Airedale Terrier.

Razas caninas

Un perro para cada persona

Existen más de dos mil razas de perros en todo el mundo, las cuales se agrupan según su utilidad. Las razas surgieron para desempeñar trabajos que pudieran ayudar al hombre, pero en la actualidad el futuro de muchos perros pasa por ser perros de compañía.

Los perros pastores cuentan con razas muy polivalentes, como el Pastor Alemán y el Pastor Belga. Los perros pastores se desarrollaron en áreas localizadas, de ahí la gran variedad de razas. A medida que fue decayendo el pastoreo, se les fue usando para otras utilidades, entre ellas la detección de drogas o el salvamento.

Los perro tipo Spitz y primitivo, como los Husky, suelen ser los más difíciles de adiestrar por su extraordinaria independencia. Son perros fuertes, especialmente los Samoyedos, Alaskan Malamute y Huskies.

Los Terrier son perros de madriguera o ratoneros que debido a los cambios sociales se han convertido en perros de compañía. Estas razas activas pueden presentar la tendencia de que les guste excavar, lo que se puede solucionar cediéndoles un sitio concreto para hacerlo.

Los perros de caza suelen tener pelajes cortos bicolores o tricolores, y complexión atlética. Los sabuesos, como el Perro de San Huberto, cazan por el olfato. Entre los perros que ayudan al hombre en la caza se distinguen los perros de muestra, criados para rastrear una presa, indicar el blanco

> Qué gozo oír ladrar al perro guardián la bienvenida al llegar al hogar; saber que unos ojos aplaudirán nuestra vuelta y se van a iluminar.
>
> LORD BYRON

y traer la pieza abatida al cazador. Se incluyen los Spaniels, Setters, Retrievers y Pointers.

Los perros de cobro son los especializados en encontrar la presa abatida y traerla al cazador. Los levantadores son los que se acercan a las presas vivas lo suficiente como para que se espanten y se pongan a tiro del cazador. Entre los primeros destacan el Golden Retriever y el Labrador, y entre los segundos, el Cocker y el Springer Spaniel.

Entre los perros de compañía propiamente dichos se cuentan: Maltés, Caniche, Lhasa Apso, Chihuahua, King Charles Spaniel y Carlino.

Alaskan Malamute

Desciende del lobo ártico. Es un perro poderoso, de cuerpo y aspecto sólidos, que más que velocidad, tiene potencia. Es un perro popular para el tiro de trineo. Debe su nombre a la tribu de los malhemutes, pescadores y cazadores que viven en la región occidental de Alaska. Originariamente su trabajo consistía en tirar de las barcas llenas de pescado hasta los bancos de hielo.

Los canadienses lo han consagrado como el rey de los perros de trineo.

Es famoso por sus apariciones como protagonista en las novelas de Jack London y Rudyard Kipling.

CARACTERÍSTICAS:

Tamaño: 63 cm el macho; 58 cm la hembra.

Peso: de 35 a 40 kg.

Color: negro o tonalidades de gris, normalmente con máscara y parte inferior del cuerpo más claro. Las patas y el vientre son siempre blancos.

Pelaje: El pelo externo es áspero y erizado, más largo alrededor del cuello, en la espalda y en los muslos. Lleva la cola en reposo sobre el lomo como una pluma ondulante.

CARÁCTER: es cariñoso con los niños, dócil, juguetón y muy fiel. No aguanta bien el calor. Son perros activos que prefieren la vida en el exterior y necesitan dueños activos que les proporcionen movimiento. Si se aburren aúllan y escarban.

Tiene que ser educado con firmeza para que, ante un conflicto, no salga alguno de sus rasgos de carácter más conflictivos.

Basset Hound

Puede parecer torpe, poco ágil e indolente, pero el Basset Hound es un magnífico cazador que sigue la pista con una gran resistencia física. Su curiosa morfología es muy útil en terrenos desiguales. Tiene un gran olfato, que usa muy bien porque sus cortas patas le permiten tener la nariz cerca del suelo cómodamente. Es perfecto como perro de jauría, aunque no se distingue por su rapidez.

Era conocido en la Edad Media y tiene orígenes franceses. Su antepasado era el Basset de Artois, hoy extinguido. Su morfología actual se la debe a los ingleses que hace un siglo lo cruzaron con el Bloodhound, sabueso descendiente del perro de San Huberto. El rey Eduardo VII fue un apasionado de esta raza.

Shakespeare hizo que Teseo lo retratara en «El sueño de una noche de verano»:

«Mis perros son criados de tipo espartano:
con tanto belfo, tan arenosos; y sus cabezas cuelgan
con orejas que barren el relén de la noche:
de rodillas curvas y con papada como los toros de Tesalónica;
lento al perseguir, pero con una boca de campana».

CARACTERÍSTICAS:

Tamaño: 33 a 38 cm. Con 38 cm no es apto para competición.

Peso: 23 kg aprox.

Color: todos los colores de tipo Hound. Tricolor (negro, blanco y colorado) o bicolor (anaranjado y blanco).

Pelaje: corto y liso.

CARÁCTER: es un testarudo que debe ser educado con severidad. Si se es blando con él, las travesuras pueden ser interminables. Es un buen perro de compañía, dulce, tranquilo y muy fiel. Se aprovecha de su aire triste para dar pena... Hay que animarle y en cierta forma obligarle a hacer ejercicio para evitar que engorde. Le gusta jugar con los niños.

Beagle

Originario de Gran Bretaña, su historia no está muy clara. Desde siempre han existido perros pequeños de este tipo para la caza del conejo en las Islas Británicas. Es una mezcla de muchos perros.

Son empleados por cazadores, ya sea en solitario o en pequeñas jaurías.

En tiempos de Enrique VIII e Isabel I existían Beagles de pelo duro que eran muy pequeños. Algunos eran tan reducidos que se podían llevar en el bolsillo de la capa.

Son perros musculosos, compactos, bien proporcionados e infatigables. En Inglaterra su voz es muy apreciada en alusión a sus ladridos armoniosos (especialmente cuando cazan), por lo que son llamados «Singing Beagles».

CARACTERÍSTICAS:

Tamaño: de 33 a 38 cm o menos de 33 cm, según la variedad. Más de 38 cm descalifica, aunque en Inglaterra se admite hasta 40 cm. Antiguamente existía el Beagle Elisabeth, cuya estatura no superaba los 30 cm. Aun hoy en día nace alguno en alguna camada.

Peso: 9 a 15 kg.

Color: todos los colores de tipo Hound.

Pelaje: corto, liso y denso.

CARÁCTER: es un perro inquieto y vivaracho que puede ser un buen animal de compañía, aunque puede tener tendencia a ladrar demasiado. Precisa ejercicio porque puede llegar a ser demasiado bullicioso. No debe quedarse mucho tiempo solo.

Bobtail

Este antiguo perro de pastor inglés tiene un origen incierto. Entre sus antepasados figuran razas llegadas de Europa como el Lebrel Ruso, el Mastín Italiano o el Collie.

Es un excelente perro pastor y también sirve como perro de guarda, de trineo, de cobro y de compañía.

Su visión se ve dificultada por su pelaje, pero lo compensa con su olfato y oído. Su nombre oficial es «Old English Sheepdog» ('Perro viejo de pastor inglés'), pero es conocido como «Bobtail» porque antiguamente se le cortaba la cola para evitar que los cobradores de impuestos lo confundieran con un perro de lujo. Hoy en día la mayor parte de los cachorros nacen sin cola.

En Estados Unidos se le apoda «Nanny Dog» por su predisposición a cuidar y proteger a los niños tal como hacía con el ganado.

CARACTERÍSTICAS:

Tamaño: 61 cm el macho; 56 cm la hembra.

Peso: 30 a 40 kg.

Color: cuando nacen, los cachorros son blancos y negros. En el adulto, la cabeza, el cuello, el vientre y las extremidades anteriores son blancos, mientras que el resto del cuerpo es gris o azul mirlo.

Pelaje: Poblado, áspero al tacto, ondulado y sin rizos. Tiene un entrepelo impermeable. Necesita un cepillado regular. Se le puede cortar un poco el pelo en verano y para evitarle molestias, se le puede despejar el pelo de los ojos con un pasador.

CARÁCTER: es inteligente y dócil. Cuida bien de los niños y es muy cariñoso con su familia. Lleva mal ser alojado en una residencia durante las vacaciones o alejarse de los suyos. Es un buenazo, pero es un perro de fuerte carácter que requiere una educación precoz y autoritaria para evitar luchas por el poder.

Bóxer

El Bóxer es una versión más estilizada del antiguo Bullenbeisser ('Mordedor de toros') y con un carácter mejorado. El Bóxer surge de cruzar estos perros con Bulldogs ingleses.

El Bóxer moderno se presentó por primera vez en una exposición canina en Munich en 1895, con su actual aspecto armonioso, y fue homologado como perro utilitario en 1925.

Es un perro elegante y proporcionado que, además, es bueno y muy alegre.

En Alemania, su país natal, el Bóxer siempre ha sido un perro muy apreciado, en franca e igualada competencia con el Pastor Alemán. Es un trabajador robusto pero soporta mal el frío y el calor extremos.

Una leyenda cuenta que Dios decidió formar en arcilla a los diferentes perros. Mientras estaba modelando al Bóxer, decidió que sería el más bello de todos. Al oírlo, el Bóxer se puso tan impaciente que se lanzó contra un espejo para contemplar su imagen. El resultado es que se golpeó la nariz contra el espejo y como la arcilla todavía no se había secado se quedó con su característico hocico chato y cuadrado.

CARACTERÍSTICAS:
Tamaño: 57 a 63 cm los machos; 53 a 59 cm las hembras.
Peso: 25 a 30 kg.
Color: leonado o atigrado con o sin manchas blancas. Las manchas blancas no deben cubrir más de un tercio del perro.
Pelaje: corto y liso, pegado al cuerpo. Antifaz oscuro en el hocico.

CARÁCTER: de él dicen que da su vida a quien ama. Es un perro vivaz y sociable al que le gusta el ejercicio, los espacios abiertos y la libertad. Es cariñoso y hasta dulce, y es un buen compañero para los niños. Tiene un gran apetito y puede ganar peso con facilidad, por lo que hay que ser estricto en lo que se refiere a su alimentación. Hay que canalizar su extraordinaria energía en ejercicios de obediencia.

Bull Terrier

En 1830, en pleno auge de las batallas entre perros y toros, los aficionados decidieron crear un perro más ágil que el Bulldog, por lo que mezclaron éste con el Terrier Inglés y le añadieron algo de sangre de Sabueso Español. Algunos expertos sostienen que ha habido mezclas con Pointer, Greyhound y Whippet. La variedad blanca se obtuvo en 1850.

Su inconfundible aspecto algo cerduno y su cuerpo compacto y musculoso lo convierten en un perro muy original. En un principio se les cortaban las orejas, pero cuando se prohibió hacerlo en 1895 el perro perdió popularidad. Actualmente ya se han conseguido orejas erectas naturales.

CARACTERÍSTICAS:
Tamaño: 53 a 56 cm.
Peso: 26 a 31 kg.
Color: blanco absoluto, blanco con manchas negras o atigrado en la cabeza, atigrado, rubio, negro o tricolor.
Pelaje: corto, duro, liso y brillante.

CARÁCTER: los criadores modernos lo han amansado para convertirlo en un perro bueno, fiel, educado y obediente que, sin embargo, conserva su fuerza y agilidad. Su gran energía hace que precise una mano que lo eduque firmemente de cachorro. Le encanta jugar a pelota.

Ha sido empleado como guardián de ovejas, cazador de ratas, defensor de casas y personas, y perro de compañía.

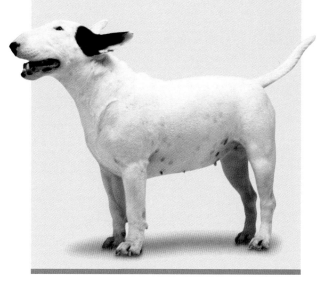

Bulldog Inglés

En 1630 estos perros ya eran conocidos como «Bulldog» ('perro de toro'), aunque antes se llamaban «Bandogge» (o 'Dogo de carnicero'). Descienden de la misma raíz que el Mastiff. En el pasado habían luchado contra toros, especialmente durante el reinado de Isabel I de Inglaterra.

Las luchas con toros fueron abolidas en 1835, y en 1864 unos cuantos aficionados a la raza salvaron al Bulldog de la extinción. Su cuerpo es rechoncho, musculoso y con fuerte torso. Su lomo es algo encarpado y, por esta razón y la curiosa disposición de sus patas, anda rígido y con pasos cortos. Pero lo distintivo del Bulldog es su hocico achatado, su mandíbula prognata y su cabeza compacta y enorme.

Debido a su hocico achatado muchas veces le falta el aliento y puede tener problemas respiratorios.

CARACTERÍSTICAS:
Tamaño: 30 a 40 cm.
Peso: 23 a 25 kg.
Color: leonado, leonado mosqueado, blanco o una mezcla de colores (blanco con manchas leonadas o leonado mosqueado), con o sin máscara. El hocico siempre es negro.
Pelaje: corto, apretado y liso.

CARÁCTER: Su aspecto gruñón esconde un perro muy casero y cariñoso adaptado a la vida en un piso. Está muy apegado a su dueño y le encantan los niños.
Por sus condiciones físicas es un perro al que no le va el ejercicio exagerado ni el estrés ni tampoco el calor. Debe hacer ejercicio diario pero con moderación.

Caniche

Es uno de los perros de compañía más extendidos, ya que, entre todos los pequeños, es uno de los que tiene un trato más fácil.

Es un perro con un buen olfato, por lo que puede usarse para la búsqueda de droga o de trufas.

El esquilado de «león» ya era practicado por los egipcios, pues permitía nadar a los antepasados del Caniche sin que su abundante pelo les estorbara. Si no quiere esta imagen tan sofisticada puede optar por el esquilado tipo cordero.

Su nombre proviene de «canichon», nombre del polluelo de pato que aún no ha perdido el plumón. El Caniche tiene aptitudes como cazador y se le usó para cazar jabalíes y venados. Debutó como perro de compañía en la corte de Luis XV de Francia. La raza se puso de moda en la época Imperio y en la corte de Napoleón III.

CARACTERÍSTICAS:
Tamaño: Hay varios tamaños: talla grande, entre 45 y 55 cm; mediano, de 35 a 45 cm; miniatura, igual o inferior a 35 cm; y Toy, menos de 28 cm.
Peso: 22, 12 ó 7 kg. (o menos según la talla).
Color: se admiten cinco colores: albaricoque, marrón, gris, negro o blanco, pero en todo caso tiene que ser uniforme.
Pelaje: su pelo es ensortijado, muy poblado y sedoso. Hay un Caniche de pelo cordado muy poco habitual.

CARÁCTER: es inteligente y fácil de adiestrar, pero es consciente de su encanto, por lo que no se debe tener el corazón demasiado blando con sus gracias. Sabe tocar la fibra sensible de su familia para conseguir lo que quiere, pero tratado con afectuosa firmeza es un excelente perro de compañía y muy fiel.
Además, a pesar de su aspecto delicado, es un perro al que le encanta el ejercicio, correr por el bosque y zambullirse aunque haga mal tiempo.

Carlino

Es un moloso en miniatura. Su cabeza es cuadrada, su cuerpo compacto y su osamenta fuerte.

La Compañía Holandesa de la China trajo el Carlino de China antes del siglo XVI. Guillermo I, Príncipe de Orange, fue un gran impulsor de la raza, y en su corte estos perros fueron muy apreciados. Cuando el protestante Guillermo II ocupó el trono tras desposeer a James II, el carlino viajó junto a este príncipe a Inglaterra, donde pronto fue también muy popular. Entre los entusiastas de este perro se contaron Madame Pompadour, María Antonieta y la duquesa de Windsor.

La variedad negra no se conoció hasta 1877, cuando Lady Brassey volvió de Oriente con una pareja de carlinos negros.

Su nombre proviene de un actor del siglo XVIII, Carlino Bertinazzi, intérprete de Arlequín, un personaje que, como el Carlino, lleva un antifaz negro.

Se cree que el carlino original era mayor. Por la morfología de su hocico, puede tener algunos problemas respiratorios. No se le puede dejar en lugares cerrados mal aireados y no le convienen tampoco los largos viajes en coche.

CARACTERÍSTICAS:
Tamaño: 22 a 28 cm.
Peso: 7 a 9 kg.
Color: albaricoque o leonado plata, con máscara negra, o negro.
Pelaje: corto y liso.

CARÁCTER: el lema de la raza es «Multum in parvo» ('mucho en un envoltorio pequeño'), pues es un perro de dimensiones reducidas que conserva el carácter de los perros grandes. Es tranquilo y reservado, aunque cariñoso con el dueño y amable con los extraños.

Tiene tendencia a engordar, por lo que hay que ser muy estricto en lo que se refiere a su alimentación.

Cavalier King Charles Spaniel

Los Cavalier King Charles fueron durante años los favoritos de la familia real inglesa. Se hicieron famosos gracias a Carlos II, al que deben su nombre.

Tras un cierto período de decaimiento, la raza volvió a ser relanzada en 1920 y registró un gran impulso en la década de 1960, cuando la princesa Margarita adquirió uno. A pesar de que en Estados Unidos no se han convertido en perros muy populares, Ronald Reagan tenía uno.

Son característicos en estos perros, que son pequeños Épagneuls, los ojos redondos y oscuros, muy separados, la cara chata y la nariz respingona, orejas largas y el rabo con penachos, que cae formando una graciosa curva.

CARACTERÍSTICAS:
Tamaño: de 25 a 35 cm.
Peso: de 5,5 a 8,2 kg.
Color: tricolor (Prince Charles, negro, blanco y fuego), negro y fuego, rojo sólido (Ruby) o blenheim (manchas castaño rojizas sobre fondo blanco)
Pelaje: es largo, lustroso y un poco ondulado. Tiene abundantes flecos.

CARÁCTER: es un compañero alegre, cariñoso, muy despierto y jovial. Es muy sociable y disfruta tanto de la compañía del hombre como de otros animales. Le gusta complacer a su dueño pero no soporta ser tratado con rudeza. Es fácil de adiestrar. Muchos conservan todavía reacciones de su pasado cazador.

Chihuahua

Este pequeño de origen mexicano (favorito absoluto de Xavier Cugat, quien acostumbraba a llevar uno en su brazo) tiene el honor de ser el perro más diminuto del mundo.

El Chihuahua desciende de un perro precolombino, el tichichi, criado hace más de 1500 años por los toltecas. Su nombre actual procede de una pequeña ciudad mejicana, que se cree cuna de la raza.

La nobleza los criaba para el culto religioso y el pueblo para comérselos. Cuando llegaron los conquistadores, estos perros se vieron relegados a pequeños poblados. Empezaron a salir de su ostracismo a mediados del siglo XIX, pues los indígenas vendieron ejemplares a los turistas. Los Chihuahuas viajaron a Estados Unidos y Europa.

Es un perro fuerte que padece pocas enfermedades. Sin embargo, hay que tener cuidado de que no sea demasiado pequeño: por debajo del kilo de peso sufre sincopes y no llega a viejo.

CARACTERÍSTICAS:
Tamaño: de 16 a 20 cm.
Peso: de 1 a 3,5 kg.
Color: se admiten todas las mezclas, aunque se prefieren los tintes uniformes: leonado, arena o marrón chocolate.
Pelaje: pelo lustroso, apretado y corto. Hay una variedad de pelo largo.

CARÁCTER: es un atento guardián de oído muy fino que ladra ante cualquier ruido. El Chihuahua, a pesar de su aspecto delicado con su cabeza redonda, su morro puntiagudo y corto, y sus enormes orejas y ojos, es un perro con mucho carácter que sufre si se lo trata como un juguete. Si se le mima en exceso o se le agobia con actitudes maternales, sufre ansiedad y padece trastornos digestivos. Es un perro muy inteligente y vivaracho.

Chow Chow

Es un bello representante de los Spitz asiáticos. Sus extremidades posteriores son rectilíneas, por lo que tiene un característico andar ampuloso.

Sus orejas, pequeñas, redondeadas y muy separadas, están colocadas en una posición adelantada, lo que hace que «frunza el ceño» de forma característica. Su cara está oculta tras una masa de pelo.

El origen de la raza se halla en el extremo oriente de Siberia, donde vivían los pueblos ainos, que empleaban a los antepasados del Chow Chow para cazar, pescar y tirar de los trineos. Estos perros nórdicos se cruzaron con los perros pastor de los nómadas mongoles. Fue introducido en China hace más de 2000 años, donde servía como perro de guardia, tiraba de carretas y guardaba rebaños o juncos.

Los primeros Chow Chow llegaron a Inglaterra en 1780 pero no se introdujeron en la cinofilia oficial hasta 1880.

Es el único perro que tiene la lengua, los labios y el paladar de un color azul violáceo.

CARACTERÍSTICAS:
Tamaño: 48 a 56 cm el macho; 46 a 51 cm la hembra.
Peso: 22 a 32 kg.
Color: colores sólidos como el fuego, rojo, crema, azul, negro, gris plata o blanco. Este último es muy raro.
Pelaje: algunos tienen aspecto de peluche, mientras que otros tienen un manto más corto.

CARÁCTER: es el perro de un solo amo por excelencia y es muy reservado con los extraños. Sólo reconoce el entorno inmediato de su amo.

No se deja adiestrar fácilmente, pues no es sumiso por naturaleza. Con él no vale la coacción ni la brutalidad; hay que ser sutil. Es un ser independiente que obedece cuando quiere.

Cocker Spaniel

El nombre del «Cocker Spaniel» proviene de cuando estos perros se usaban para levantar las presas ante la red. Los perros levantadores más pequeños se llamaban «Cocking Spaniels» ('levantadores').

Es un perro popular desde el siglo xix. El Cocker se hizo el perro más popular de Inglaterra en la década de 1930 y se mantuvo en este puesto durante veinte años.

CARACTERÍSTICAS:
Tamaño: 38 a 41 cm el macho; 37 a 40 cm la hembra.
Peso: 12 a 16 kg.
Color: varios colores sólidos o con blanco; a menudo con ruano.
Pelaje: es liso y sedoso. Tiene algunos flecos, pero no demasiado largos.

CARÁCTER: es un perro alegre, trabajador y obediente. Es un buen perro de compañía, muy adaptable, aunque necesita ejercicio. Conserva su instinto cazador.
Es preciso acudir a un criador serio. La demanda de Cockers ha producido individuos inestables y demasiado nerviosos.
Hay que educarle con dulzura y firmeza a la vez. Es un perro sensible al que no le gusta la dureza.

Collie

A este perro de cabeza puntiaguda y cuerpo ágil y musculoso se le sigue usando en su país de origen como perro pastor, mientras que en otros países es un animal de compañía.

En 1860, la reina Victoria visitó Escocia y se llevó varios ejemplares consigo. Posteriormente, los criadores afinaron su cuerpo y consiguieron el característico morro puntiagudo que luce en la actualidad. Es un perro que ha recibido premios por su valor y que tiene un extraordinario cariño a su familia.

El nombre «Collie», que se aplica a todas las razas de pastores que trabajan con rebaños bovinos, procede de «coalies» («coal» en inglés significa 'carbón'), término con el que se designaba a las ovejas de cara negra a las que debía cuidar.

Llaman la atención de los Collies sus expresivos ojos, que pueden ser almendrados, marrones oscuros o azules dependiendo del color del manto. Puede padecer enfermedades hereditarias de la vista.

CARACTERÍSTICAS:
Tamaño: 56 a 61 cm los machos; 51 a 56 cm las hembras.
Peso: 20 a 29 kg el macho; 18 a 20 kg la hembra.
Color: marta y blanco; tricolor; azul mirlo y blanco con manchas color fuego oscuras.
Pelaje: es largo y espeso. La cola es larga y festoneada, la lleva baja. Hay una variedad de pelo corto conocida como Smooth Collie.

CARÁCTER: es un perro con temperamento estable, guardián eficaz y calmoso. No se le puede tratar con dureza durante su aprendizaje porque es testarudo y los esfuerzos podrían ser en vano. Su talento lo hace apto para perro guía, rastreador, perro policía o perro de avalancha.
Tiene un oído y un olfato muy desarrollados.

Dálmata

La historia y origen de este perro no están nada claros. A pesar de que se consideró antiguamente que procedía de Dalmacia (Yugoslavia) y así lo aceptó la FCI, no hay huella alguna de él en esa región. Sí se ven Dálmatas en los frisos y bajorrelieves de la antigua Grecia y de Oriente.

Los niños ingleses llaman a este perro «plum-pudding-dog» debido a sus manchas. El Dálmata llegó a Gran Bretaña a finales del siglo XVIII y se convirtió en un perro de lujo que escoltaba las carrozas durante el paseo. También se usaron para abrir paso a los bomberos que se trasladaban en coches tirados por caballos. La fama le llegó con la película «101 Dálmatas» de Walt Disney, basada en un libro del mismo título publicado en Inglaterra.

Durante la guerra de los Balcanes sirvió de enlace, y también ha ejercido de perro pastor, perro policía y perro de invidente.

Los cachorros nacen completamente blancos y las primeras manchas empiezan a aparecer al cabo de varias semanas. Debido al factor blanco, un pequeño porcentaje de Dálmatas es sordo de nacimiento.

CARACTERÍSTICAS:
Tamaño: 55 a 61 cm los machos; 50 a 58 cm las hembras.
Peso: 22 a 25 kg.
Color: blanco con manchas negras o de color hígado bien definidas y distribuidas por todo el cuerpo. El Dálmata manchado de negro tiene la trufa negra, mientras que el de manchas marrones tiene el hocico marrón.
Pelaje: corto, denso y brillante.

CARÁCTER: es un perro activo, fiel, vigoroso y divertido. Debido a su historia, le gusta la compañía de los caballos y los jinetes. Es un perro muy resistente que precisa ejercicio regular. Es inteligente, dócil y cariñoso.

Dobermann

Impresiona por su aspecto elegante, su presencia que transmite fiereza y su pelo brillante. Es un perro estilizado y musculoso que posee una gran potencia de salto. Las orejas son semicaídas, y aunque antiguamente la costumbre era cortarlas, esta práctica se ha prohibido en muchos países.

Debe su nombre a Louis Dobermann, recaudador de impuestos de la alcaldía de Apolda, en Turingia (Alemania) que necesitaba un perro para «convencer» a los contribuyentes y, como no halló ninguno lo suficientemente agresivo, creó su propia raza en 1860. Entre los perros que dieron origen a esta raza se encuentran: Pinscher, Rottweiler, Braco de Weimar, Pastor de Beauce, Boyero, Dogo y Greyhound.

Sirvió en las dos guerras mundiales como rastreador, perro de patrulla, mensajero o sanitario. Las tropas de infantería le apodaron «Black Devil» (diablo negro) durante la Guerra del Pacífico. Es un perro ágil, poderoso, que corre muy rápido y es muy fibroso. Es muy raro ver un Dobermann gordo.

CARACTERÍSTICAS:
Tamaño: 65 a 70 cm el macho; 63 a 67 cm la hembra.
Peso: 30 a 44 kg.
Color: negro o marrón con marcas caoba en la garganta, mejillas, labios, contorno de las cejas, pecho y patas.
Pelaje: corto, liso y reluciente.

CARÁCTER: es el perro de ataque por excelencia. Su carácter se ha afinado para convertirlo en un perro más apacible y estable. Los criadores no aprecian los ejemplares demasiado agresivos y nerviosos. Es un perro valeroso, inteligente, leal, vivo, dominante y orgulloso que no acepta errores ni debilidades en su dueño. No es apto para todo el mundo. Las salidas deportivas deben combinarse con ejercicios de obediencia.

Dogo Alemán

Originario de Alemania, este enorme y estilizado perro es muy antiguo y prácticamente igual al antiguo Alano, aunque con prognatismo en la mandíbula inferior.

No es el perro más pesado, pero sí el más alto. Se le conoce también como Gran Danés, aunque no tiene nada que ver con Dinamarca.

Se le usó en luchas contra toros y también para cazar jabalís. En 1592, el duque de Branuschweig se presentó a una cacería de jabalí con una jauría de seiscientos machos de Dogo Alemán. El Dogo fue declarado perro nacional de Alemania en 1876.

Durante años se le cortaron las orejas, pero ahora es común verles con sus orejas caídas incluso en Exposición.

CARACTERÍSTICAS:

Tamaño: más de 75 cm el macho; 70 cm la hembra.
Peso: 50 a 70 kg. Puede pesar más e incluso llegar a los 90 kg.
Color: negro, azul, leonado, atigrado, arlequinado.
Pelaje: corto y liso.

CARÁCTER: Aunque sus grandes dimensiones pudieran dar a pensar lo contrario, el Dogo Alemán es un bonachón que se adapta bien a la vida en un piso y gusta de la vida familiar. Necesita salir con frecuencia. Sirve como perro guardián y de defensa, aunque es más disuasivo que agresivo pues es el más calmoso de todos los Molosos. Sin embargo, si ve peligrar a su dueño, se convierte en su feroz defensor.

No es un perro demasiado listo. Aprende lo justo, pero lo aprende bien porque es muy obediente.

Es amable, pero hay que tratarlo con cariño. Un exceso de severidad puede volverlo muy parado. Le gusta el sofá y es propenso a subirse sobre los muebles y las personas, por lo que hay que disuadirle desde pequeño con una educación tenaz.

Fox Terrier

Destaca por su silueta elegante y cuadrada y su cabeza rectangular, de larga y poderosa mandíbula y orejas semicaídas. Su rabo apunta hacia el cielo insolente.

Como todos los Terrier es un perro valiente. Posee grandes cualidades para la caza y su falta de miedo lo convierte en un perseguidor implacable que no duda en enfrentarse a un jabalí en su propia guarida. Su valor raya en la inconsciencia. También es un excelente perro de guardia.

El Fox Terrier se conoce desde el siglo XVI. Surgió de un cruce entre Foxhound, Beagle y Bull Terrier. La aristocracia inglesa, aficionada a la caza del zorro, promocionó la raza a finales del siglo XVII. Antiguamente, era más común el Fox Terrier de pelo liso, pero desde 1920 se impone la variedad de pelo duro.

En Francia se hizo muy popular la raza gracias a Milú, el listo compañero de Tintín.

CARACTERÍSTICAS:

Tamaño: 39 cm aprox.
Peso: 8 a 9 kg.
Color: predomina el blanco con placas leonadas o negras y leonadas.
Pelaje: duro o liso.

CARÁCTER: es un perro bullicioso y juguetón muy fiel a su propietario, por lo que puede mostrarse celoso. Es rebelde y testarudo, por lo que le cuesta algo obedecer; nada que no pueda solucionar un adiestramiento autoritario y firme. Es un perro duro que, sin embargo, tiene un aspecto muy elegante.

Es un perro con energía que necesita salir y correr. Tiene tendencia a cavar agujeros en el jardín, pero se puede llegar a un acuerdo con él si se le permite cavar en algunas zonas y se le prohíbe el resto. Le gusta jugar con los niños y es afectuoso con las personas de edad.

Galgo Afgano

Perro elegante donde los haya, es un animal muy resistente que no tiene problemas con el aire frío, la lluvia o el sol del verano.

Es una raza muy antigua, originaria del Sinaí, que ya se cita en los papiros egipcios de hace cinco mil años. Durante siglos se prohibió su exportación. No llegó a Europa hasta principios del siglo XX, cuando se introdujo de contrabando.

El capitán inglés Barff importó un hermoso ejemplar, Zardin, de Afganistan. En la exposición del Crystal Palace de 1907 triunfó.

Cuenta la leyenda que fue el perro que escogió Noé para el Arca. Su nombre original es Tazi. Su similitud con el Tasy de Rusia, que tiene el mismo anillo en la cola, hace pensar en un antepasado común.

CARACTERÍSTICAS:

Tamaño: 69-74 cm el macho; 62-69 cm la hembra.
Peso: de 25 a 30 kg.
Color: se admiten todos los colores. El blanco es indeseable en la cabeza.
Pelaje: el pelo es muy largo y sedoso. En la cara el pelo es corto, aunque largo en la frente. En la montura tiene que tener un pelo corto y diferente del pelo del resto del cuerpo. Es muy importante mantener su pelo desenredado.

CARÁCTER: es un perro orgulloso e independiente, equilibrado aunque no servil. Es jovial pero distante en muchas ocasiones, sobre todo con los extraños. A veces puede ser un payaso. Para comprender su temperamento, es importante recordar que este perro cazaba en las montañas cabras silvestres, leopardos y lobos, y guardaba los rebaños de los nómadas.

Para adiestrarlo son necesarias firmeza, comprensión y suavidad. No soporta la soledad. Se siente muy ligado a su dueño, pero no es un perro que se caracterice por sus grandes muestras de alegría.

Galgo Español

Desciende del Lebrel árabe (Sloughi), aunque posiblemente tuvo antepasados romanos.

Desde la Edad Media el Galgo Español ha sido el perro de caza favorito de la aristocracia española. Ha aparecido en numerosos retratos de nobles y en cuadros muy famosos, entre los que destaca «La partida de caza» de Goya.

Se usa como guardián de rebaños, perro de caza y corredor en canódromos.

Es un perro delgado y distinguido, aunque musculoso, que destaca por su noble cabeza, larga y estrecha y su larga cola que llega hasta el suelo cuando la lleva colgando. Sus ojos oscuros son muy vivos.

CARACTERÍSTICAS:

Tamaño: 65 cm el macho; 60 cm la hembra.
Peso: 25 a 30 kg el macho; 20 a 25 kg la hembra.
Color: canela, castaño rojizo, negro y blanco, y las diversas mezclas de estos colores.
Pelaje: corto, apretado y fino.

CARÁCTER: es un perro obediente y tranquilo que resulta ser un excelente animal de compañía. Le gusta mucho la vida de sillón, sobre todo cuando ha pasado su primera juventud, y aunque le encanta correr no precisa hacerlo durante demasiado tiempo. Es muy manso y dulce con su dueño, así como altamente resistente.

Se educa muy bien, pero necesita cariño y comprensión.

Golden Retriever

Este bonito perro de cobro, proporcionado, musculoso y de noble cabeza, surgió en la segunda mitad del siglo XIX. Lord Tweedmouth fue uno de los principales impulsores de la raza gracias a su escrupuloso control de genealogías que favoreció que se impusiera el color dorado y la capa ondulada, y que se mejorara el olfato y la potencia gracias a la introducción de Bloodhound.

Es un excelente cobrador y cazador que también sirve como perro para invidentes. Su gran especialidad es la caza en terrenos pantanosos y le encanta nadar. Es muy apreciado en Inglaterra y Estados Unidos. Se ha usado mucho en terapia asistida por animales de compañía por su gran bondad.

CARACTERÍSTICAS:
Tamaño: 56 a 61 cm el macho; 51 a 56 cm la hembra.
Peso: 25 a 32 kg.
Color: amarillo, crema o dorado en todos sus matices.
Pelaje: ligeramente ondulado o lacio. Entrepelo denso.

CARÁCTER: destaca por sus ganas de complacer y por su inteligencia. Requiere ejercicio porque tiene tendencia a engordar. Tiene mucha paciencia con los niños y le gusta compartir las actividades de la familia. Es más cariñoso que el Labrador, lo cual es mucho decir. No tiene instinto de guardián.

Husky Siberiano

Esta raza nació hace alrededor de tres mil años en una tribu de nómadas esquimales, los chukchis, que vivían al este de Siberia. El husky (que significa 'ronco' aludiendo a su particular voz) era perro de tiro, de caza y pastor. Fue el instrumento que usó esta tribu cuando llegó el gran frío para adaptarse al medio. La tribu vivía tierra adentro y tenía que desplazarse a muchos kilómetros para cazar los mamíferos que les servían como sustento.

Los chukchis trataban mejor a sus perros que otros pueblos esquimales, por lo que crearon una raza más pacífica y familiar, ya que era habitual que los cuidaran las mujeres y los perros estuvieran en contacto con los niños.

El Husky fue introducido en 1909 en el norte de América por un mercader de pieles ruso.

El Husky es más pequeño y ágil que los Alaskan Malamute, un perro muy vigoroso y fuerte. Se adapta bien al clima templado, pero sufre en verano y prefiere los climas de alta montaña.

CARACTERÍSTICAS:
Tamaño: 54 a 60 cm el macho; 51 a 56 cm la hembra.
Peso: el macho entre 20 y 27 kg; la hembra entre 15,5 y 22 kg.
Color: se admiten todos los colores. Son comunes grises, negros, rojos e incluso manchados, generalmente con sombreado claro alrededor de la cabeza y partes inferiores.
Pelaje: espeso y tupido. Supbelo denso.

CARÁCTER: es un perro independiente y altivo que puede ser testarudo. No admite que se le trate con brutalidad, pero necesita ejercicio, atención y disciplina para que no se vuelva terco. No es fácil de adiestrar, pero con paciencia y autoridad firme pero no excesiva se puede lograr. No es un sumiso que acepte la dominación indiscriminada, pero siente pasión por su dueño y si le demuestra que es el líder y en alguien en quien confiar se dejará adiestrar.

Labrador Retriever

Los Labradores, llamados así por la zona de la que eran originarios, viajaron a Inglaterra en barco hacia 1800. Posteriormente, las restricciones a la entrada de perros en Gran Bretaña contribuyeron a crear una raza local que se diferenció de los antiguos Labradores de Canadá.

El resultado es un perro robusto y poderoso, aunque no pesado. El rabo, no muy largo, se afina en la punta.

Una vieja leyenda canadiense asegura que el Labrador es fruto del cruce de un perro nórdico y una nutria. Evidentemente es imposible, pero su forma de nadar recuerda a la de este animal y el Labrador no vacila en lanzarse al agua incluso cuando está helada.

Es un perro apto para competiciones de obediencia, acompañante de invidentes, detector de drogas y levantador de aves.

CARACTERÍSTICAS:

Tamaño: 56 a 57 cm el macho; 54 a 56 cm la hembra.
Peso: 25 a 35 kg.
Color: negro, chocolate, dorado, crema, rojo.
Pelaje: corto y tupido. La doble capa es prácticamente impermeable.

CARÁCTER: es equilibrado, dulce y tranquilo, y se encuentra muy ligado a su familia. Es un perro muy inteligente al que le gusta hacer cosas por su dueño y que no soporta la soledad ni el sedentarismo. No sirve como guardián.

Se le puede adiestrar con paciencia y golosinas, (que le encantan porque es muy goloso) pero hay que tener cuidado de que no engorde.

Leonberg

Este coloso, llamado «león de montaña», es en realidad un animal gentil y entregado a su familia que tiene una procedencia no muy documentada. Al parecer procede del mítico Dogo del Tíbet y es heredero de los grandes perros de los Alpes. La Federación Cinológica Internacional lo admitió oficialmente en 1949 cuando se eliminó de su patrón todo lo que podía recordar al San Bernardo.

Su cuerpo es poderoso y robusto, y su cabeza es estrecha y con la depresión poco marcada. El morro, no demasiado largo, acaba en una hermosa trufa negra. Los ojos, en todas las gradaciones posibles del avellana al marrón oscuro, expresan dulzura.

Se han encontrado rastros del Leonberg en la corte de Metternich, aproximadamente en 1625.

Su crecimiento es espectacularmente rápido y no finaliza hasta los tres años de edad.

CARACTERÍSTICAS:

Tamaño: 72 a 80 cm el macho; 65 a 75 cm la hembra.
Peso: 60 a 80 kg.
Color: toda la gama de leonados con toques azabache. Tiene un antifaz oscuro.
Pelaje: largo, espeso y no demasiado suave. Puede ser liso o ligeramente ondulado. El pelo forma una abundante crin en el cuello y en el pecho, y calzones en los cuartos traseros.

CARÁCTER: tiene un gran instinto de protección y es un perro familiar y cariñoso. Es consciente de su fuerza y logra administrarla con sabiduría, incluso cuando pone las patas sobre su dueño al saludarle.

Es un perro tranquilo que puede ser indolente si hace calor. Es inteligente y fácil de adiestrar, pero a menudo hay que repetir las órdenes un par de veces. Además, aprovecha su simpatía para no obedecer.

Pastor Alemán

Se le considera el «perro» por excelencia y es uno de los animales más inteligentes, fuertes y versátiles. Fue creado en 1899 por el capitán de caballería Rittmeister Max von Stephanitz, que se propuso crear un perro pastor fuerte.

Cuando disminuyó la demanda de pastores, Stephanitz promocionó al Pastor Alemán en la policía y el ejército, donde ha demostrado ser muy útil. También suelen ser los mejores competidores en la pista de obediencia.

Hasta 1915 había tres tipos de capa: corto, largo y duro. El pelo duro ha desaparecido. Todavía nacen perros con capas largas pero son descalificados en las pistas de exposición.

El Pastor alemán se utiliza hoy en día para múltiples tareas: ejército, búsqueda, rescate, búsqueda de droga, búsqueda de fugas de gas y de petróleo, policía, guarda, guía de invidentes, etc.

Una curiosidad: los monjes de San Bernardo siguen criando perros San Bernardo por el atractivo turístico, pero las labores de salvamento las desempeñan Pastores Alemanes.

CARACTERÍSTICAS:
Tamaño: 60 a 65 cm el macho; 55 a 60 cm la hembra.
Peso: 30 a 40 kg.
Color: negro y fuego, marta, negro.
Pelaje: moderadamente corto, con abundante subpelo.

CARÁCTER: es un perro sensible y muy leal a su familia. De todas formas, es un perro con carácter, y humorísticamente se dice de él que «o lo tienes a tus pies o en tu garganta». Precisa confianza, autoridad y paciencia a partes iguales. Es sumiso en cuanto reconoce la autoridad de su dueño.

Sus dos cualidades estrella son la inteligencia y la valentía. Es un buen perro para los niños porque es muy paciente y participativo.

Pastor Belga

El primer estándar de este popular perro, elegante, robusto, ágil e inteligente se esbozó en 1891 y distinguía cuatro variedades. Anteriormente, existían todo tipo de Pastores Belgas recios y de tipo loboide sin que hubiera ningún orden y concierto.

El Groenendael y el Lakenois no pueden ocultar sus orígenes aristocráticos. El primer Groenendael nació en 1879 en el castillo del mismo nombre al sur de Bruselas. El Laekenois, el menos conocido y numeroso, guardaba rebaños de ovejas en el parque del castillo real de Laeken, a las puertas de Bruselas. Los orígenes del Tervuren se remontan a 1885 y su nombre proviene de un barrio de Bruselas. El Malinois proviene de la región de Malines, cuidad de la provincia de Anvers, donde fue seleccionado por sus dotes para morder. Las cuatro variedades se distinguen unas de otras por la longitud y el color del pelo.

Son perros versátiles que pueden ejercer trabajos de pastor, policiales, militares, de búsqueda y rescate, y de guía.

CARACTERÍSTICAS:
Tamaño: 56 a 66 cm.
Peso: 31 kg aprox.
Color: negro para el Groenendael; leonado o caoba con puntas negras para el Laekenois, el Malinois y el Tervuren.
Pelaje: medio-largo en el Groenendael y el Tervuren; duro, espeso y revuelto el del Laekenois; y moderadamente corto y espeso el del Malinois.

CARÁCTER: es un perro activo que necesita correr. Es algo nervioso y susceptible. Si compra un Malinois, infórmese primero: hay una línea de utilidad seleccionada por sus dotes para morder y una línea familiar. Los Groenendael pueden ser algo tímidos y son muy dóciles en familia. El Tervueren es apreciado, como el Groenendael, por su inteligencia.

Pekinés

Su forma es extraña y poco elegante, paticorto, con extremidades anteriores más cortas que las posteriores, cuerpo rechoncho, cabeza maciza y cara de gruñón. El estándar de la raza —según narró la emperatriz viuda T'Zu Hsi— pedía que las patas fueran arqueadas, de forma que «no pudiera vagabundear ni alejarse de los recintos imperiales».

Es un perro antiquísimo. En China hay vestigios de su existencia en bronces de más de 4000 años de antigüedad. Fue venerado por los emperadores chinos y recluido en el palacio imperial, lo que salvaguardó la raza y a la vez estuvo a punto de extinguirla porque en 1860, durante la invasión de la Ciudad Prohibida, numerosos pequineses fueron sacrificados para evitar que cayeran en manos sacrílegas. Sólo se descubrieron cinco ejemplares vivos, que fueron llevados a Inglaterra. Estos y otros perros que se exportaron de forma más normal son los orígenes de los actuales pequineses. Se piensa que el Pequinés es la última versión reducida de los perros lanosos del Tíbet.

CARACTERÍSTICAS:
Tamaño: 15 a 25 cm.
Peso: 2 a 6 kg.
Color: toda la gama de colores: rojo, negro, negro y fuego, leonado, arena, atigrado, blanco y particolor (dos colores repartidos por igual sobre el cuerpo): preferentemente con máscara negra y antifaz. Tiene que tener puntas negras en las orejas.
Pelaje: largo, liso y áspero.

CARÁCTER: es un perro de salón que precisa poco ejercicio, y que por su constitución y su morro chato no está hecho para las carreras. Es confiado, encantador e independiente, y muy fiel a sus amos. Es valeroso y se atreve a enfrentarse a perros más grandes. Posee un excelente oído y es un guardián atento, aunque no demasiado disuasivo...

Rottweiler

El impresionante, rechoncho (aunque es puro músculo) y duro Rottweiler es descendiente de los perros que acompañaban a las legiones romanas vigilando su ganado.

Estos Molosos, herederos de los perros del Tíbet, fueron abandonados en Argovia y en Würtemberg cuando los soldados volvieron a su patria. Los pastores los adoptaron como conductores de rebaños y perros de defensa, y los canes tomaron el nombre de la ciudad del Bajo Würtemberg: Rottweiler, un importante centro comercial.

El Rottweiler estuvo a punto de desaparecer en 1900 cuando se prohibió la circulación de los rebaños bovinos por las vías de comunicación, pero los criadores lo siguieron seleccionando y, dadas sus cualidades, fue enrolado en el ejército alemán en la Primera Guerra Mundial y en la policía.

Su cola es cortada de forma que sólo queda un muñón. En ese momento también se le cortan los espolones de las patas traseras.

CARACTERÍSTICAS:
Tamaño: 61 a 68 cm el macho; 56 a 63 cm la hembra.
Peso: 40 a 50 kg.
Color: negro con marcas leonadas en las mejillas, el hocico, sobre los ojos, en las patas y en el pecho.
Pelaje: pelo liso, duro y pegado al cuerpo, de longitud media.

CARÁCTER: es muy disciplinado si su dueño sabe educarlo con la firmeza necesaria. Precisa dueños con autoridad para dominar su carácter voluntarioso y algo terco: una mano que a la vez administre con suavidad y justicia. Es un perro al que le gusta sentirse útil y al que complace el trabajo bien hecho.

En familia es un perro tranquilo y razonable. Es fiel y muy afectuoso con su dueño. Es un guardián notable: imponente, fiero y alerta. Precisa ejercicio, pero no es un perro muy resistente.

Samoyedo

Este elegante perro blanco está emparentado con el Spitz Polar. Debe su nombre a sus domesticadores, los samoyedos, un pueblo nómada del centro-norte siberiano. Debido a las duras condiciones de vida, el Samoyedo se fue endureciendo, tanto en su físico como en su carácter, y no acepta que se le trate como a un súbdito sino como a un colaborador.

Los indígenas también usaban su pelo para hacerse ropas de abrigo. A partir de 1890 se le empleó en las expediciones al Ártico.

CARACTERÍSTICAS:

Tamaño: más de 52 cm el macho; más de 45 cm la hembra.
Peso: entre 20 y 30 kg el macho; entre 17 y 20 kg la hembra.
Color: blanco polar o galleta. Las orejas pueden ser crema y tener reflejos moteados en el hocico y las patas.
Pelaje: largo, liso y áspero con subpelo espeso. El rabo es muy poblado y lo lleva enrollado sobre el lomo.

CARÁCTER: es un perro bastante dócil que precisa espacio y actividad. No tiene miedo a nada ni a nadie, y para tratar con él es mejor convencerle que intentar someterlo a gritos.

Los cachorros son juguetones, bulliciosos, propensos a cometer tropelías y algo difíciles de educar.

Al contrario de lo que ocurre con otros perros nórdicos, no tiene tendencia a escaparse.

Precisa ejercicio y grandes espacios abiertos, y detesta la soledad.

San Bernardo

Los monjes de San Bernardo, un hospicio fundado en los Alpes por el santo de ese nombre para ayudar a los peregrinos que se dirigían a Italia, se dedicaban también a rescatar a las víctimas de los aludes y a los viajeros perdidos.

En el siglo XVIII los monjes empezaron a confiar en perros para que les guiaran en sus rescates, e iniciaron la cría de su propia raza, los Molosos Alpinos. Un cuadro hizo famosas su estampa, su dedicación y su barrilito de brandy que, en realidad, fue añadido por el pintor, Edwin Landseer.

Uno de los San Bernardo más famosos, Barry, salvó 41 vidas. Su 41ª misión terminó en tragedia cuando la víctima, presa del pánico, le mató.

En 1810 la raza se conocía como Barry Hounds y los perros no eran tan grandes. En las siguientes décadas, los monjes cruzaron los perros con animales más grandes hasta que dieron con el actual San Bernardo.

El perro más grande de la historia fue un San Bernardo llamado Benedictine que pesó 152,5 kg.

CARACTERÍSTICAS:

Tamaño: más de 70 cm el macho; más de 65 cm la hembra.
Peso: 55 a 100 kg.
Color: blanco y rojo, o amarillo y marrón. Presenta antifaz negro separado por una franja blanca que cruza su cabeza.
Pelaje: Hay dos variedades: corto y liso, o medio-largo.

CARÁCTER: de pequeños son bolas de pelo adorables, por lo que se puede caer en la tentación de ser demasiado tierno con ellos; no es conveniente, pues este gigante precisa adiestramiento y disciplina. Es sociable, tranquilo y dulce. Es absolutamente devoto de su dueño y su familia.

Schnauzer

El Schnauzer proviene de los antiguos Pinscher que se cruzaron para obtener un perro de capa dura.

El Schnauzer seguía a los carromatos de proveedores de cerveza y otras carrozas. Su misión era alertar de la presencia de bandidos en los caminos y provocar su huida.

Fue reconocido por los cinófilos alemanes en 1880 y fue introducido en Francia en 1900, año en que apareció la variedad miniatura, y unos años más tarde, la gigante, mediante el cruce con Dogos Alemanes y Boyeros de Flandes.

Esta raza tiene la misma morfología en todas las variedades de tamaño. Es un perro sólido con extremidades de fuerte musculatura, cuello largo y característica cabeza larga, cejas enmarañadas y barbas y bigotes poblados.

Requiere ir a la peluquería dos o tres veces al año para no convertirse en una bola de pelo enredado.

CARACTERÍSTICAS:

Tamaño: hay tres tamaños. Gigante: de 60 a 70 cm. Estándar: de 45 a 50 cm. Miniatura: de 30 a 35 cm.

Peso: gigante: de 60 a 70 cm. Estándar: de 45 a 50 cm. Miniatura: de 30 a 35 cm.

Color: negro puro o sal y pimienta. En miniatura también hay perros negro y plata y, excepcionalmente, blancos. El antifaz tiene que ser negro.

Pelaje: duro, espeso y apretado.

CARÁCTER: el carácter de las tres variedades es muy similar. Son perros vivos, decididos y valerosos. Son resistentes a la fatiga y muy inteligentes. Antes de obedecer, necesitan comprender. No les va la sumisión porque sí y pueden ser algo testarudos.

Son excelentes compañeros de los niños, incluso de los más pequeños. La variedad miniatura también tiene un excelente carácter, y en cuanto al gigante, es muy buen guardián y perro de defensa.

Setter Irlandés

Los perros de tipo Setter descienden de una mezcla de perros muy difícil de determinar, entre ellos los Sabuesos y los Molosoides. Se extendieron por todas partes adonde fueron los celtas: Francia, el sur de Alemania, Holanda, Irlanda y Escocia. Los primeros perros del tipo, llamados «agachados» («espanir» significa 'agacharse' en francés y de él derivó el nombre «spaniel») se agachaban y se arrastraban al oler las aves, lo que permitía al cazador echar las redes y cazar muchas aves a la vez. Estos perros evolucionaron hasta los actuales Setters y Spaniels.

Las primeras representaciones de perros tipo Setter datan de la Edad Media en Europa. La existencia del Setter Irlandés está documentada en Irlanda desde el siglo XVIII, cuando se cazaba con halcón. El Setter Irlandés es más antiguo que el Setter Inglés y el Setter Gordon, otras dos variedades.

CARACTERÍSTICAS:

Tamaño: 63 a 68 cm.

Peso: 30 a 35 kg.

Color: caoba o castaño rojizo.

Pelaje: semilargo, liso y lacio.

CARÁCTER: Este perro grande y atlético necesita mucho ejercicio y disciplina. Es sensible y no se le puede adiestrar con dureza. También es testarudo y nervioso. Hay que combinar sutilidad y firmeza en su educación.

Shar Pei

En este perro con aspecto noble lo más característico son las arrugas de su piel, muy pronunciadas en los cachorros, pero no tanto en los perros adultos, que concentran los pliegues en la cabeza y en el cuello. Es un pequeño moloso de cuerpo cuadrado y extremidades sólidas.

Aunque sus orígenes no están muy claros, se piensa que la historia de esta raza china empezó con la dinastía Han.

En las regiones del sur de China vigilaba los templos, las casas y el ganado, y cazaba jabalís y mangostas.

Estuvieron a punto de desaparecer con el régimen comunista, que los consideraba un bien superfluo y decadente. Un financiero de Hong Kong, Matgo Law, rescató los últimos ejemplares en el sudeste asiático y luchó por reconstituir la raza hacia 1973. Llegó a Europa a principios de la década de 1980.

CARACTERÍSTICAS:

Tamaño: 40 a 45 cm.

Peso: 17 a 24 kg.

Color: negro, azul, marrón o leonado en varias tonalidades (beige, fuego y crema).

Pelaje: su nombre significa 'perro del manto de arena' porque su pelaje recuerda el color y el tacto áspero de la arena. El pelo es corto, erizado y poco apretado.

CARÁCTER: es un perro fiel muy apegado a su dueño, aunque no es muy dado a las grandes manifestaciones de cariño.

Es casero, plácido e incluso flemático en casa. No es juguetón, aunque le gustan los niños y los toma bajo su protección. No soporta la soledad.

El adiestramiento de este animal algo testarudo debe iniciarse pronto, pero sin brutalidad ni brusquedad. Es importante que se relacione con otros perros desde pequeño para que de mayor no sea demasiado dominante.

Stafford Americano

El origen de este perro se halla en el cruce que hicieron en la región inglesa de Staffordshire entre Bulldogs y varios Terriers. Cuando viajó a Estados Unidos, en el período entre la Primera y la Segunda Guerra Mundial, los criadores americanos aumentaron su peso y le dieron una cabeza más poderosa para que fuera más apto para las peleas de perros.

Este perro es más grande y pesado que su primo el Bull Terrier. Cuando se prohibieron las peleas de perros, en 1936, los criadores americanos dulcificaron su carácter para convertirlo en animal de compañía.

Es un perro musculoso y compacto, pero ágil y muy fuerte. Los ojos son negros y redondos. La cabeza se caracteriza porque es muy ancha.

CARACTERÍSTICAS:

Tamaño: 46 a 48 cm el macho; 43 a 46 cm la hembra.

Peso: de 25 a 30 kg.

Color: se admiten todos los colores, pero el blanco no debe sobrepasar el 80 % del manto.

Pelaje: corto, apretado y brillante.

CARÁCTER: seleccionado como perro de guarda, caza y compañía, su valor es legendario y tiene un gran instinto de protección. Es un perro inteligente, aunque algo testarudo por su herencia Terrier. Precisa un dueño paciente, firme y buen psicólogo.

Los machos pueden mostrarse agresivos con sus congéneres. Es un perro con mucha energía que precisa ejercicio. Gracias a los últimos cruces se ha convertido en un perfecto animal de compañía.

Téckel

La variedad de Téckel es enorme, pues hay tres colores, tres tamaños y tres pelajes.

Es un perro de característico cuerpo largo, pero muy robusto y ágil, a pesar de sus pequeñas extremidades. Es un excelente perro de caza conocido en Alemania como «Dachshund», pues fue criado por los alemanes para la caza del tejón. Es un excelente perro de madriguera por su valentía y poca altura, y tiene un olfato extraordinario.

Por su morfología y la tendencia a padecer hernia discal, que puede paralizar las patas de atrás, es mejor no hacerle subir y bajar escaleras ni enseñarle a subirse sobre dos patas.

CARACTERÍSTICAS:

Tamaño: hasta 35 cm.

Peso: Estándar: inferior a 9 kg. Mediano: inferior a 4 kg. Enano: inferior a 3,5 kg.

Color: en las variedades de pelo corto y pelo largo puede ser uniforme (del amarillo al leonado rojo), bicolor (negro, marrón o gris, con placas de fuego) o arlequín (fondo de manto claro, gris claro o blanco con manchas marrones, leonadas o negras desigualmente repartidas). El Téckel de pelo duro puede ser de multitud de colores: sal y pimienta, gris negruzco, marrón amarillento...

Pelaje: tres variedades: corto, largo o duro. El Téckel de pelo corto tiene el pelo tupido y brillante; el de pelo largo, sedoso, suave y ligeramente ondulado; y el de pelo duro, áspero, denso y con entrepelo espeso.

CARÁCTER: todas las variedades son parecidas en carácter, pero los de pelo corto y pelo largo son más reservados y tranquilos que los de pelo duro, que llevan inquieta sangre Terrier en sus venas.

Como perro de compañía es activo, inteligente y divertido; aunque un poco posesivo con su dueño. Es consciente de su atractivo y simpatía, y lo utiliza para conseguir lo que quiere.

Terranova

A pesar de su hermosa apariencia es un perro rústico, cuyo denso pelo sólo está perfecto cuando se acaba de peinar. Necesita ejercicio, por lo que no es apto para sedentarios. También es un perro algo baboso.

En el siglo XVII los barcos europeos que visitaban Terranova llevaban perros duros y resistentes, como Perros de Agua portugueses o Montaña del Pirineo, que se cruzaron entre ellos. Los primeros Terranova ayudaban a los marineros. Rescataban tanto a personas como embarcaciones, y ladraban cuando había peligro de chocar contra los arrecifes. También colaboraban con los marineros nadando de barco a barco llevando cuerdas, acercando las redes a la orilla o «rescatando» objetos que habían caído al agua.

A partir de 1815 estuvieron a punto de desaparecer de Terranova, pues había demasiados perros. Los marineros británicos lo introdujeron en Inglaterra en el siglo XIX, desde donde fue exportado al resto de Europa.

CARACTERÍSTICAS:

Tamaño: 68 cm como mínimo el macho; 63 cm la hembra.

Peso: 50 a 70 kg.

Color: negro con reflejos azulados. Hay ejemplares con manchas de color bronce o blancas en pecho y pies.

Pelaje: muy espeso y algo grasiento. Subpelo lanoso. El pelo es impermeable y le protege del frío.

CARÁCTER: le gusta formar parte de la vida familiar. Es conocido como «el amable gigante», aunque es un perro valeroso e intrépido. Dada su pasión por el agua, debería poder nadar a menudo. Está tan adaptado al agua que tiene dedos palmípedos. Es independiente y testarudo, por lo que le convienen los ejercicios de obediencia.

White Terrier

Es un animal de apariencia simpática y afable, al que comúnmente se le conoce como «Westie». En contra de lo que puede pensarse por su apariencia, no es un perro de salón y le gusta mucho el campo.

Es un perro de compañía muy apreciado por su vivacidad y alegría. Destacan sus ojos oscuros y su mirada penetrante.

Es originario de Escocia y se trata de una variedad de color blanco del Cairn Terrier. Inicialmente, el manto blanco se consideraba una anomalía de los Cairn, pero estos perros fueron seleccionados a mediados del siglo xix por el coronel Malcolm de Poltaloch.

La leyenda cuenta que se decidió a potenciar esta raza cuando mató por error en una cacería a un perro oscuro confundiéndolo con una pieza. Juró que sólo llevaría de cacería perros de manto claro.

El primer club de la raza se fundó en 1906.

CARACTERÍSTICAS:
Tamaño: unos 28 cm.
Peso: de 6 a 8 kg.
Color: blanco puro.
Pelaje: un pelaje exterior duro y largo sobre el cuerpo, y subpelo ligeramente más corto, suave y espeso.

CARÁCTER: es un perro robusto y fuerte capaz de hacer kilómetros en un paseo y que se lo pasa muy bien en el campo. Es independiente y entusiasta.

Es atrevido, inquieto y alegre, y nació para la caza en madrigueras. Se adapta muy bien a la vida en la ciudad y en un piso, pero agradece una terraza o un pequeño jardín.

Yorkshire Terrier

Este pequeño es en realidad un perro muy fuerte y activo. Procede del mismo distrito que el Airedale Terrier y apareció por primera vez en 1850. El primer Yorkie fue Huddersfeld Ben y era una mezcla de varios Terriers. Los Yorkies tuvieron mucha demanda entre las familias adineradas de Yorkshire, pero también fueron perros ratoneros en viviendas modestas. La raza empezó a conocerse como Yorkshire Terrier en 1870.

Son perros muy valientes. Durante la Segunda Guerra Mundial, un soldado americano encontró a una Yorkie, Smokey, en un cráter de Granada cerca de las líneas japonesas. La adoptó y la perrita vivió junto a él 150 ataques aéreos y 12 misiones de rescate en el mar. Animaba a las tropas con sus gracias e incluso colaboró con el Cuerpo de Comunicaciones llevando cables por tubos.

CARACTERÍSTICAS:
Tamaño: 23 cm.
Peso: inferior a 3,5 kg.
Color: azul y fuego.
Pelaje: largo, liso, brillante y sedoso.

CARÁCTER: a pesar de su tamaño es un perro con personalidad y muy seguro de sí mismo. No es un perro al que haya que mimar, pues no es ningún muñequito y si se le trata como tal puede sufrir trastornos de carácter.

Es un perro gracioso, sensible y vivaz que necesita un adiestramiento firme.

Deportes caninos
Espectáculo con la habilidad

La obediencia no se reduce a la ejecución mecánica de una serie de ejercicios. Esta disciplina ha evolucionado hacia una tendencia en la que prima la sumisión del perro a través de la alegría. Para lograrlo, el dueño no debe caer en el recurso fácil de la sumisión constrictiva, sino que debe encontrar el equilibrio justo entre sumisión y alegría por parte del animal. Tanto es así, que en los ejercicios de concurso el dueño no puede regañar ni animar al perro.

La suma de las puntuaciones de cada ejercicio da el cómputo total.

Los concursos de obediencia están reservados a perros de las razas reconocidas por la Real Sociedad Canina.

Concursos de obediencia

Este disciplina es la aplicación práctica de las actividades que desde hace mucho tiempo los clubes caninos proponen a sus usuarios: la conducción sin correa, la llamada, el envío hacia delante, el *apport* y la inmovilidad a distancia del dueño y con distracción.

De hecho, estos ejercicios son el fundamento de una correcta educación canina.

El «agility dog»

Esta actividad consiste en un trazado de 100 a 200 m con obstáculos, de mayor o menor dificultad, según el nivel de la prueba. El conductor, que guía al perro sin correa, no puede tocar ni el animal ni los obstáculos. El perro debe completar el trazado superando los obstáculos en el orden propuesto, dentro de un tiempo estipulado previamente por el juez (TRS o tiempo de recorrido estándar). Las faltas técnicas (específicas de cada obstáculo) y el exceso de tiempo se penalizan.

Los obstáculos son: las vallas, el muro, el viaducto, el salto de longitud, los caballetes, la mesa, la rueda, los túneles (rígido y ciego), la empalizada, la pasarela y el balancín.

Un perro equilibrado no tiene dificultades en aprender a superar los obstáculos (los que entrañan más dificultad son el túnel ciego y los que tienen zonas de contacto obligatorio). Sin embargo, el nivel que se exige en los concursos de *agility* requiere una gran compenetración entre el conductor y el perro para encontrar el equilibrio justo entre la calidad técnica y la velocidad.

Categorías

Los equipos de *agility* participan en las categorías Clase I y Clase II según la dificultad técnica del trazado, la longitud y el tiempo impuesto para completar el recorrido.

En las competiciones homologadas, existen dos modalidades en función de la talla de los perros: *Agility mini*, reservada a equipos con perros de talla inferior a 40 cm, y *Agility estándar*, para equipos con perros de talla superior a 40 cm.

En la modalidad *Agility mini* las medidas de algunos obstáculos (vallas, muro, mesa y rueda) son menores, para adaptarlas a la talla de los participantes.

Otras modalidades

• **Jumping:** igual que el agility, pero sin obstáculos de contacto.

• **Jumping por relevos:** igual que el *jumping*, pero por equipos de dos o más perros.

• **K.O.:** competición por equipos que se corre en dos trazados paralelos, sin obstáculos de contacto.

Los deportes de defensa

En estas disciplinas se utilizan perros perfectamente equilibrados. Los ejemplares agresivos no son aptos para este tipo de deporte.

El espíritu de los deportes de defensa es la mejora del equilibrio y del carácter de las razas. La participación está abierta a casi todos los Perros de Pastor y Boyeros (primer grupo); Schnauzer y Molosoides (segundo grupo); y Terrier (tercer grupo). Para participar es obligatorio estar inscrito en un club canino. Allí se dispone del campo de entrenamiento con las instalaciones adecuadas, se siguen las enseñanzas de un especialista y se cuenta con los servicios de un hombre de ataque (o figurante).

El trabajo de este último, pese a su espectacularidad, es imprescindible en la sección de ejercicios de defensa. El hombre de ataque no inflige un mal trato al perro, sino que usa una serie de técnicas para excitarlo, esquivarlo, defenderse o intimidarlo con disparos.

Cuando el animal consigue morder la manga, que es lo que más desea, el figurante lo golpea en el lomo pero sin causarle lesiones (no hay que olvidar que es un profesional que ama a los perros, que juega con ellos y que pasa muchas horas en su compañía). Según el comportamiento del animal, los jueces valoran el carácter y la calidad de cada animal mordiendo.

En ring francés y en *campagne* el perro muerde en brazos y piernas, mientras que en RCI sólo lo hace en el brazo.

Los concursos caninos potencian las aptitudes de cada raza.

El ring francés

El ring es una disciplina muy técnica, perfeccionista y espectacular. El perro de ring debe ser físico, rápido y valiente, y al mismo tiempo equilibrado y sensible para reaccionar en décimas de segundo.

Los ejercicios de ring se dividen en dos categorías: obediencia (conducción con y sin correa, *apport*, rechazo de cebos, posiciones «sentado», «tumbado», «en pie», llamada, envíos, salto de valla, salto de foso y empalizada) y ejercicios de ataque.

Los ataques son contra el figurante, que huye y en un punto determinado se encara amenazadoramente contra el perro con el bastón o un revólver. El perro debe morder y luego inmovilizar al hombre, que utiliza una serie de recursos para defenderse e intentar la huida. Cuando el conductor da la orden, el perro debe interrumpir la acción instantáneamente.

Según el nivel de dificultad, las pruebas se dividen en Ring I, Ring II y Ring III.

Las razas más apreciadas son el Malinois y el Pastor Alemán.

Tanto las razas admitidas como las más apreciadas son las mismas que en el ring.

Existen tres niveles: iniciación, campagne a 350 puntos y campagne selectivo.

RCI

El Reglamento de Concurso Internacional (RCI). Tiene su origen en un programa de selección elaborado por los criadores alemanes para mejorar las cualidades de sus razas, si bien en la actualidad se practica en muchos otros países. El RCI es un programa completo que favorece el desarrollo de la percepción sensorial, la valentía, la obediencia y la sociabilidad del perro. Se divide en tres secciones: rastreo, obediencia y defensa, y según el nivel de dificultad se distingue entre RCI I, RCI II y RCI III.

La pulka nórdica

Es una modalidad menos conocida por el gran público que se practica con un solo perro o con un grupo de uno a cuatro perros, con arnés en fila simple, arrastrando la pulka, una especie de barqueta de poliéster y fibra de vidrio montada sobre esquíes.

La pulka nórdica es un deporte físico y técnico a la vez, que requiere técnica de esquí fondo y, naturalmente, control del animal. El pulkista va sujeto a la barqueta de la que tira el perro, pero sin dejarse remolcar.

El peso total (sumando pulka, ejes, arneses, cuerdas más peso adicional) es de 20 kg para un perro, 40 kg para dos y 55 kg para tres. A partir de ahí, se añaden 10 kg por cada perro de más, y se restan 5 kg por cada hembra.

«Campagne»

Las pruebas de «trabajo práctico en campo» se practican principalmente en Francia, en donde se conoce con el nombre de *campagne*. Incluye ejercicios de obediencia, de rastreo, de defensa y de trabajo en el agua.

A diferencia del ring y del RCI, los ejercicios de *campagne* no se desarrollan en un campo delimitado, sino en plena naturaleza, con obstáculos naturales y situaciones menos previsibles, por lo que su dificultad es mayor que en estas pruebas.

Al contrario de lo que pueda parecer, los perros que se destinan a esta disciplina no son exclusivamente nórdicos. De hecho, estos perros no son los más idóneos para trabajar solos. Los Huskies son buenos para la pulka, pero los preferidos son el Braco Alemán y los denominados *Greyster* (un cruce de Braco y Greyhound). También se utilizan otras razas, como por ejemplo el Schnauzer gigante, el Pointer, el Pastor Alemán y el Labrador.

El rastreo

La condición indispensable para iniciarse en el rastreo es dedicar mucho tiempo a pasear con el perro, independientemente de las condiciones climatológicas. Por esta razón, el rastreo es especialmente atractivo para aquellas personas que aman la naturaleza y la soledad.

En el «rastreo libre» el perro trabaja sin correa, ejecutando las órdenes del dueño, quien espera en la línea de salida. En el «rastreo con correa», en cambio, el dueño trabaja junto al perro, al que lleva con un arnés y una correa especial para rastreo.

Según los niveles, los rastros son más o menos complejos, incluyen un número reglamentado de ángulos rectos y agudos, de rastros falsos que cortan el bueno y de objetos que el perro debe encontrar. Al finalizar el trazado se hace la prueba de la «identificación», que consiste en señalar a la persona que ha marcado el rastro entre un grupo de tres personas.

El trazador debe ser siempre una persona ajena al perro para no influir en su comportamiento a la hora del rastreo.

Las carreras de trineos

Este medio de locomoción utilizado tradicionalmente en los hielos polares ha dado origen a uno de los deportes más apasionantes, que se desarrolla en plena naturaleza y perpetúa la utilidad específica de las razas nórdicas.

Las competiciones se dividen en diferentes categorías en función del número de perros. Por lo que respecta a las distancias, las modalidades son: velocidad o *sprint* (mangas de 6 a 20 km), media distancia (de 40 a 10 km) y larga distancia (más de 100 km por manga, más de 160 km si consta de una única manga). Los tiros pueden ser de cuatro, seis, ocho perros o ilimitado (aunque con un mínimo de siete perros).

Según el tipo de reglamento aplicado se admiten sólo perros de raza o bien todo tipo de perros.

El Husky de Alaska es, sin duda, la raza preferida (40 % de participantes); no en vano ha sido seleccionada por los criadores de Alaska por sus cualidades físicas y mentales.

El Husky Siberiano es otra de las razas de carreras por excelencia. Junto con las otras razas nórdicas (Groenlandés, Malamute, Samoyedo), representa aproximadamente el 60 % restante.

Estos perros son tranquilos y buenos con los niños, pero conservan instintos muy atávicos y un sentido de la jerarquía muy marcado (propio del tipo primitivo), razón por la cual necesitan un trato firme. Además, necesitan mucho espacio y la posibilidad de hacer ejercicio a diario. Son muy independientes con respecto al hombre, y poseen un fuerte instinto venatorio que les induce a escaparse.

El reglamento de la Real Sociedad Canina Española

Reglamento de la Real Sociedad Canina Española para pruebas básicas de trabajo.

El objetivo de este reglamento, instaurado en 1997, es fomentar la utilidad con perros de raza pura entre los aficionados, que acuden a las pruebas organizadas por la RSCE para conocer, por un lado, su mecánica; y por otro, las posibilidades reales de sus ejemplares. La finalidad no es sólo competitiva, sino también la promoción de estas actividades y la creación de un marco en el que jueces y clubes puedan adquirir experiencia.

Representan un trampolín de acceso a las pruebas de categoría internacional RCI, y por esta razón se rigen por la misma filosofía.

Las pruebas básicas se dividen en los siguientes dos niveles:

• La prueba de aptitudes naturales (PAN).
• La prueba de aptitudes naturales compleja (PANC).

La PAN incluye los siguientes ejercicios: obediencia con correa, sentado, tumbado con llamada, y coraje y valentía. Dado que el carácter de esta prueba no es competitivo, se da la calificación de apto o no apto junto con un comentario sobre las posibilidades del animal.

La PANC incluye dos grupos de ejercicios: obediencia (salto por encima de una valla de matorrales de 80 cm y de 1,50 m de ancho y tumbado con distracción) y defensa (similares a los de RCI I, aunque con algunas variaciones). Las calificaciones carecen de puntuaciones, pero se otorgan los calificativos de no apto, apto bueno, apto muy bueno y apto excelente, basándose en los valores otorgados en RCI para cada uno de los ejercicios.

Las exposiciones
Premiando el mejor ejemplar

La cinofilia oficial agrupa a buena parte de los aficionados a las razas de perros de toda Europa y América. Desde los primeros certámenes celebrados en el Reino Unido en el último cuarto del siglo XIX se han registrado muchos cambios. Actualmente no se valora sólo la belleza del animal según el estándar fijado por cada club, sino que se han desarrollado pruebas de trabajo y deportes, en los que participan el perro y su dueño (o, en su defecto, un presentador o handler profesional). Para inscribirse en los concursos caninos se debe cumplir con ciertos requisitos establecidos por la Federación Cinológica Internacional y sus organizaciones afiliadas o los Kennel Club de cada país.

Los perros que participan en las exposiciones caninas deben respetar el estándar exigido de cada raza. Requieren una alimentación y unos cuidados especiales, ya que la pigmentación y el pelaje han de estar en perfectas condiciones.

Un aspecto fundamental es que deben tener un carácter sociable, ya que si provocan algún altercado o incidente serían expulsados de la competición. No necesitan una educación completa, pero sí un adiestramiento básico de obediencia.

Para un criador que se precie, las exposiciones de belleza son citas ineludibles, ya que son ocasiones únicas para mostrar el trabajo de selección realizado y compararlo con el de los otros criadores que se dedican a la misma raza.

> Si no hubiese perros, no me gustaría la vida.
> ARTHUR SCHOPENHAUER

No tiene ningún sentido decir que un perro es magnífico si no se demuestra su valor con la homologación de uno o varios campeonatos.

Existen diferentes tipos de certámenes:

• Las **exposiciones caninas regionales** están abiertas a todas las razas. Su objetivo es propiciar el encuentro entre aficionados. En ellas se inician los perros jóvenes y los aficionados deseos de acumular experiencia. No se concede ningún certificado de aptitud para el campeonato.

• En las **exposiciones caninas nacionales** se concede un CAC (Certificado de Aptitud para el Campeonato nacional) para cada raza y sexo.

• En los **certámenes de rango internacional**, además del CAC, se otorga para cada raza y sexo un CACIB (Certificado de Aptitud para el Campeonato Internacional de Belleza), válido para la obtención del Campeonato Internacional.

• Las **monográficas** son manifestaciones dedicadas a una sola raza o grupo de razas afines.

Están organizadas por el club de la raza o por una asociación especializada. Para cada raza y sexo se concede un CAC (Certificado de Aptitud para el Campeonato), válido para la obtención del título de Campeón de España.

• Las **muestras especiales** son certámenes que se celebran en el marco de exposiciones nacionales o internacionales.

Los perros se juzgan atendiendo a la raza, el sexo y la clase en la que compiten.

Las razas autóctonas españolas e hispanoamericanas

Aunque buena parte de las razas criadas por los aficionados españoles y latinoamericanos son de procedencia inglesa, francesa, alemana o italiana, existen otras autóctonas de gran calidad y de gran prestigio internacional. Las más representativas son las siguientes.

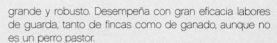

• **Catalán o Gos d'atura.** Es la raza autóctona catalana por excelencia. Su manto es bicolor (blanco y negro o gris y negro). Sus dimensiones reducidas no deben engañarnos: es un animal lleno de energía, muy atento y responsable que soporta largas caminatas. No en vano, es un excelente perro ovejero.

• **Dogo Argentino.** Seleccionado a principios del siglo xx para la caza de pumas y jabalíes, es uno de los perros de presa más temibles. A causa de su carácter fiero, su naturaleza agresiva y su complexión fuerte, requiere un trato muy especial, por lo que sólo podrán ocuparse de él los aficionados más experimentados. Actualmente la raza está considerada como una de más peligrosas, debido sobre todo a cruces poco cuidadosos y a adiestramientos aberrantes llevados a cabo por personas irresponsables.

• **Galgo Español.** Su talla y su complexión (extremadamente delgada) hacen de él uno de los perros de caza más rápidos y aptos para la persecución y cobro de las piezas. Por desgracia, no recibe toda la consideración que merecería.

• **Mastín Español o Leonés.** Su aspecto físico es imponente. Guarda un cierto parecido con el Mastín de los Pirineos, aunque es mucho más

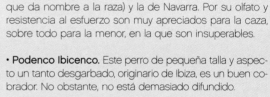

grande y robusto. Desempeña con gran eficacia labores de guarda, tanto de fincas como de ganado, aunque no es un perro pastor.

• **Mastín de los Pirineos.** Oriundo de las zonas montañosas de Huesca y Navarra, su porte fuerte y su carácter decidido lo convirtieron en una de las razas de guarda y pastoreo más eficientes.

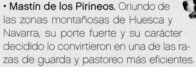

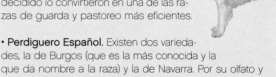

• **Perdiguero Español.** Existen dos variedades, la de Burgos (que es la más conocida y la que da nombre a la raza) y la de Navarra. Por su olfato y resistencia al esfuerzo son muy apreciados para la caza, sobre todo para la menor, en la que son insuperables.

• **Podenco Ibicenco.** Este perro de pequeña talla y aspecto un tanto desgarbado, originario de Ibiza, es un buen cobrador. No obstante, no está demasiado difundido.

• **Presa Canario.** Como su nombre indica, procede de las Islas Canarias. Es muy utilizado por los campesinos como guarda en el campo y son excelentes guardianes para la casa. De un tiempo a esta parte, goza de cierta mala fama a causa de su utilización para las peleas clandestinas.

• **Sabueso Español.** Originario de las comarcas cántabras y asturianas, es uno de los perros con olfato más fino que se conocen. Da muy buenos resultados en las labores de rastreo de caza menor. Si se los adiestra convenientemente, pueden convertirse en buenos cobradores.

Además de estas razas existen otras menos difundidas como, por ejemplo, el Pastor Vasco o el Perro de Presa Mallorquín, que por lo general sólo pueden verse en algunos certámenes de sus regiones de origen.

Comprar un cachorro

Acertar desde el primer día

Un perro jamás olvidará la miga que de usted recibió, aunque usted le tire cien piedras a la cabeza.

Sa'Di

Hay que tener en cuenta que el perro es algo más que un compañero de juegos con el que se transcurren ratos agradables. Ante todo es un ser vivo —con todas las ventajas e inconvenientes que ello comporta— que pasará a formar parte de la familia y requerirá buena parte de nuestra atención, además de una cierta suma de dinero, ya que habrá que incluir en el presupuesto mensual los gastos generados por el pienso, las visitas al veterinario, los tratamientos y todos los accesorios necesarios (comedero, caseta, juguetes, etc.).

Durante los primeros meses, el cachorro exige tantos cuidados como un bebé: es preciso velar constantemente por su salud e integridad física, y habrá que enseñarle todas las normas de comportamiento, necesarias para que el animal pueda desenvolverse con plena seguridad tanto en casa como en la calle. A pesar de que su desarrollo es bastante rápido (a los nueve meses ya se puede considerar que un perro es adulto desde el punto de vista físico), nunca alcanza el grado de madurez propio de los animales habituados a la vida salvaje.

Antes de llevar un perro a casa debemos preguntarnos si realmente podremos dedicarle el tiempo necesario y si seremos unos buenos amos. La adquisición de un cachorro comporta grandes responsabilidades que no todas las personas pueden afrontar.

En consecuencia, desde el principio tendremos que adoptar una actitud responsable y procurar que nuestro perro sea limpio y se atenga a ciertas normas de comportamiento, y más aún si vivimos en una ciudad.

Por otra parte, no hay que olvidar que actualmente la esperanza de vida de un perro se sitúa entre los diez y los doce años. La familia que esté dispuesta a acogerlo deberá tener muy presente que no podrá prescindir de él cuando se canse.

Por todo ello, antes de tomar una decisión de la que podríamos arrepentirnos, lo mejor será sentarse y reflexionar acerca de las siguientes cuestiones.

Dónde adquirirlo

La compra de un perro es mucho más compleja de lo parece a primera vista. En principio, no se trata de llevarse a casa una mascota cualquiera. El perro, por sus características físicas y de carácter, está sometido a reglamentos oficiales que deben contemplarse siempre. Incluso en los casos en los que se prescinde de ciertos aspectos, como el pedigrí o los títulos de competición, hay que cumplir una serie de trámites administrativos que alargarán notablemente el proceso.

Por otra parte, y dado el alto precio que suele pagarse, conviene acudir a establecimientos solventes que ofrezcan plenas garantías. Aunque afortunadamente cada vez son menos los casos, más de un propietario ha pagado una suma considerable por un cachorro enfermo, débil o con defectos morfológicos que posteriormente le han impedido competir en exposiciones.

Documentación necesaria

Para inscribir una camada en el LOE es necesario aclarar que sólo se pueden inscribir en el LOE cachorros hijos de perros que ya se encuentran inscritos. Para ello se precisa:

1. Certificado de salto: firmado por los propietarios del macho y de la hembra.
2. Número de LOE del padre.
3. Número de LOE de la madre.
4. Detalle de la camada, características de la misma, número de individuos, nombres, afijo del criador, etc.

En el caso de que el padre de la camada sea un perro inscrito en un Libro de Orígenes de otro país, los requisitos son los siguientes:

1. Certificado de salto de su país, firmado por el propietario.
2. Fotocopia del pedigrí del padre.
3. Número de LOE de la madre.
4. Detalle de la camada.

Criadores profesionales

Si se desea comprar un perro con pedigrí y en buen estado de salud, la mejor opción es acudir a un criadero profesional. Allí se podrá conocer a los padres del cachorro, ver las instalaciones donde se crían las camadas, consultar la documentación necesaria y recabar cuanto deba saberse acerca de las características de la raza y los cuidados imprescindibles.

Al entregar el cachorro, el criador deberá facilitar al cliente la cartilla de vacunaciones y el certificado de inscripción de la camada en el Libro de Orígenes Español (LOE), expedido por la Real Sociedad Canina Española (RSCE). Este último documento no debe confundirse con el certificado de pedigrí, que deberá ser tramitado por el dueño cuando el perro haya cumplido noventa días de vida.

La compra en un criadero profesional sólo presenta un inconveniente: el desembolso es más elevado. De todos modos, el gasto se compensará con la calidad. Tengamos en cuenta que, a pesar de que el presupuesto inicial sea más elevado, nos aseguraremos de adquirir un animal sano física y psicológicamente.

La mejor manera de contactar con un criador profesional es solicitar directamente la relación de criadores reconocidos de la raza que nos interesa en la delegación de la RSCE o a través del club de la raza.

Criadores aficionados

Debemos tener cuidado con esta opción, ya que no todos los aficionados poseen los conocimientos suficientes como para llevar a cabo una selección respetuosa con las líneas de sangre. Muchos anuncios ofrecen cachorros de raza sin serlo y lamentablemente no son raros los casos en los que un cliente ha comprobado que su perro, una vez adulto, no se corresponde con lo que él esperaba.

¿Cómo podemos saber si un criador cumple con los requisitos mínimos? En primer lugar, acudiendo a las instalaciones y observando personalmente dónde viven los perros. Un buen criador suele criar muy pocas razas (dos o tres como mucho), nunca tiene muchas camadas y siempre expone los títulos que alguno de sus ejemplares ha obtenido en una exposición. Si además se aprecia un interés sincero por sus animales y por la cinofilia en general, no cabe duda de que se trata de un criador responsable.

Sólo en este caso se le podrá comprar un cachorro. El precio seguramente será un poco más bajo, pero tengamos en cuenta que habrá que compartir con él los gastos de inscripción en el LOE, así como los que se derivan de la vacunación y la desparasitación del animal.

El pedigrí

Muchas personas piensan que el pedigrí es innecesario cuando se desea adquirir un perro de compañía. Están en lo cierto: si no quieren entrar dentro del mundo de la cinofilia oficial, no es preciso que su perro esté registrado en el LOE. Sin embargo, si el propietario quiere que su ejemplar se reproduzca, necesita estar en posesión del certificado correspondiente, ya que es el único modo de garantizar que los cachorros de la camada cumplen con todos los requisitos del estándar. El propietario de un perro sin pedigrí tendrá dificultades para encontrar una pareja para la reproducción, porque los propietarios de perros de raza pura nunca aceptan apareamientos con ejemplares sin pedigrí. El motivo es claro: los cachorros que nacerían no tendrían derecho al pedigrí, ya que no basta con que uno de los progenitores lo tenga y carecerían de valor comercial.

La importancia del pedigrí

El pedigrí de un animal es un documento que refleja sus datos de nacimiento, propiedad y su genealogía. Al comprar un perro, debemos exigir del vendedor este documento o, por lo menos, el resguardo que acredite que el animal ha sido registrado e inscrito en el LOE (Libro de Orígenes Español), cuya depositaria es la Real Sociedad Central Canina. El pedigrí lleva un número que equivale al número de DNI del perro. Este número es necesario para participar en exposiciones caninas y para inscribir la descendencia del ejemplar en el LOE.

El tráfico de animales

El tráfico de animales es uno de los negocios ilegales más lucrativos. La policía ha descubierto redes dedicadas a la importación y exportación de especies protegidas, y a su posterior comercialización a través de intermediarios. El mundo de la cinofilia no es ajeno a él: no son raros los casos en que personas desaprensivas se encargan de vender animales robados, enfermos o con pedigríes falsos. Quien desee adquirir un perro hará bien en evitar los mercados ambulantes, los establecimientos que no ofrecen garantías suficientes y los anuncios colocados en la calle o en publicaciones no especializadas, pues de lo contrario corre el peligro de ser estafado. A veces, en este tipo de ventas se habla de supuestos pedigríes internacionales que en realidad no existen. Lo único que existe es un reconocimiento internacional de los pedigríes por parte de la Federación Cinológica Internacional, que cuenta con más de cuarenta países afiliados, que reconocen los libros de orígenes respectivos.

La cuestión del pedigrí, no obstante, tiene una segunda lectura. Cuando alguien quiere un perro de una raza determinada es porque le gustan las características psíquicas y físicas de aquella raza. Y no se puede estar seguro de encontrar dichas características en un ejemplar sin pedigrí, porque no será el resultado de un proceso de selección orientado a conservar y mejorar unas cualidades muy concretas.

Las tiendas de animales

Estamos ante un caso similar al de los criadores aficionados: debemos distinguir entre los establecimientos que seleccionan adecuadamente sus cachorros (procedentes de criaderos o de particulares, pero siempre con pedigrí) y las tiendas en las que los perros son simple mercancía, sin atender demasiado a los controles veterinarios ni al pedigrí.

A la hora de comprarlo, conviene asegurarse de la seriedad y profesionalidad del establecimiento, así como de la procedencia del cachorro, exigiendo los documentos que acrediten su condición y que informen del protocolo de vacunas llevado a cabo.

La legislación actual ampara al comprador en el caso de que el cachorro que ha adquirido carezca de pedigrí o si en un plazo de tiempo relativamente breve presenta síntomas de padecer el moquillo (o enfermedad de Carré), la parvovirosis o la tos de las perreras.

Si durante el trámite de compra se sospechase alguna irregularidad, es preferible no firmar ningún resguardo ni dar paga y señal alguna, hasta que se tenga la completa seguridad de que todo está en orden. No obstante, aunque el cachorro tenga un aspecto inmejorable, habrá que llevarlo siempre al veterinario para que certifique su estado de salud.

Identificación del perro

La legislación española obliga a los propietarios a tener a sus perros identificados mediante tatuaje o microchip. Además de responsabilizar a los dueños, es una medida útil contra el abandono, el extravío y el robo. Asimismo, dificulta la falsificación de pedigríes y de títulos por parte de las mafias de traficantes de animales.

El criador debe indicar el número de cada cachorro nacido en un plazo que va de los treinta días a los seis meses a partir de la fecha del nacimiento, para que pueda constar en la solicitud de inscripción en el LOE o RRC. La RSCE, a través de la Comisión de Razas Españolas, indica la clave de tatuaje o microchip de cada uno de los cachorros de la camada.

El tatuaje y el microchip

Los cachorros se vacunan y se tatúan a partir de las siete semanas. La identificación mediante tatuaje o microchip es imprescindible para el cambio de propietario, tanto si se trata de una

Consejos para la compra de un cachorro

No debe comprarse nunca un perro a particulares desconocidos, en mercados ambulantes, por correo o en establecimientos que no ofrezcan las suficientes garantías. Siempre es mejor contar con el asesoramiento de un profesional del sector que pueda ayudar al cliente a decidir cuál es la raza y el ejemplar más acorde con su estilo de vida.

Para valorar el estado de salud del animal debemos examinar atentamente las distintas partes del cuerpo.

Empezando por la cabeza, comprobaremos que las orejas estén limpias y que no emanen mal olor. En general el cachorro tiene que oler «a perro», pero este olor nunca debe resultar ofensivo. El hedor de las orejas puede estar causado por la presencia de ácaros.

La expresión de los ojos ha de ser alegre y vivaracha. Es importante que los ojos estén limpios. La secreción lagrimal abundante siempre indica algún problema: si la secreción es líquida puede tratarse de una conjuntivitis, y si forma una legaña seca es más preocupante porque podría ser un síntoma de moquillo. Las mucosas han de tener una buena pigmentación. Tengamos en cuenta, sin embargo, que hasta los dos meses la pigmentación no se habrá completado. Los cachorros muy jóvenes pueden tener todavía alguna manchita rosada.

El cachorro no tiene la dentadura definitiva, sino la de leche, y por tanto no se puede saber a ciencia cierta si será completa. En cambio, sí se puede

apreciar si los maxilares encajan correctamente, tal como indica el estándar de cada raza.

La barriga hinchada puede ser síntoma de parásitos intestinales. No obstante, un cachorro puede tener el vientre hinchado simplemente porque haya acabado de comer. Ante esta eventualidad habrá que repetir la observación pasadas unas horas. La piel del vientre es lisa y rosada, y no debe presentar irritaciones.

El cachorro tiene el pelo suave y brillante El hecho de que le encontremos alguna pulga no debe preocuparnos en exceso, ya que es prácticamente imposible eliminar absolutamente todas las pulgas de una camada, sobre todo si vive en un criadero. En cambio, la presencia masiva de estos parásitos constituye un problema sanitario importante, ya que puede causar problemas de salud importantes, como por ejemplo anemia.

Las nalgas del cachorro deben estar limpias. Las manchas amarillentas alrededor del ano son signo de diarrea y, por tanto, de trastornos intestinales.

A los dos meses los cachorros machos deben tener los testículos dentro del escroto. La falta de un testículo (monorquidia) o de ambos (criptorquidia) es una tara hereditaria. Los perros que padecen esta anomalía no pueden participar en exposiciones y deben ser descartados para la reproducción. Por lo tanto, su compra no es en absoluto aconsejable porque la retención de los testículos también puede causar problemas al propio perro, ya que el testículo retenido dentro del abdomen recibe un exceso de calor que puede favorecer la formación de tumores.

venta como de una cesión, para la inscripción de los cachorros en el Libro de Orígenes y la entrega de los Certificados de Nacimiento. El tatuaje se puede realizar con dos técnicas distintas: mediante una pinza de tatuar o con un dermógrafo. En el primer caso se hunden los moldes de cada letra o número impregnados con una tinta especial en el cartílago de la oreja. El tatuaje con pinzas se utiliza en animales muy jóvenes (porque no requiere anestesia) que van a ser vendidos y por tanto lo necesitan obligatoriamente. El inconveniente de este tipo de tatuaje es que no siempre se ve bien cuando el animal es adulto. El tatuaje realizado con un dermógrafo es nítido e imborrable. Su principal inconveniente es que requiere anestesia general. Se utiliza, por tanto, para animales de más de dos años.

El tatuaje se practica preferentemente en el pabellón auditivo derecho, aunque puede hacerse en el belfo o en la parte interna del pliegue del muslo.

Actualmente se está imponiendo el microchip, que de hecho ya ha sido adoptado en muchos países que se implanta debajo de la piel, detrás de la oreja. La introducción del chip es indolora y se realiza sin anestesia. El chip es invisible, no causa rechazo y tiene una duración ilimitada.

La lectura del código de cinco letras y cinco cifras que posee se hace mediante un lector, un emisor de ondas electromagnéticas que hacen que el chip emita el código. El lector se conecta a un ordenador, a donde pasa toda la información.

Las ventajas que ofrece el microchip son la facilidad de uso, la rapidez de implantación y el hecho que no requiera anestesia.

Animales abandonados

Por desgracia, no todos los perros son tratados con la consideración que se merecen. Algunos propietarios desaprensivos, incomodados por las atenciones que deben prestar a un animal adulto que ha «perdido» todos los encantos de un cachorro, deciden deshacerse de él. Cada año, cuando llega el período de las vacaciones estivales, miles de perros son abandonados en calles, plazas, parques o, lo que es peor, en carreteras y autopistas.

Las asociaciones protectoras de animales y los servicios municipales acogen buena parte de estos perros, a los que desparasitan, curan, vacunan y alimentan en sus instalaciones.

Si un posible comprador decide acudir a uno de estos centros, deberá tener mucha precaución, ya que se desconoce el pedigrí del perro y, lo más importante, si ha sufrido malos tratos

que le haya dejado secuelas psicológicas. Por otra parte, el hecho de que el perro sea adulto no significa que esté educado o adiestrado. Sin embargo, las personas que se ocupan de este tipo de animales suelen profesar un gran amor por los perros y su ayuda es inestimable a la hora de elegir el ejemplar que se adapta mejor a las circunstancias familiares y a la habilidad del posible comprador.

Quien toma la decisión de dar un nuevo hogar a estos huérfanos debe ser consciente de que deberá trabajar duramente para conseguir que se adapten a una vida normal.

Para asegurar el éxito en la adopción, el perro debe acostumbrarse a la presencia de su futuro dueño progresivamente. Una buena manera de hacerlo consiste en visitarlo durante algún tiempo y pasear con él. Ésta es la única manera de asegurarse la aceptación y el respeto del animal. De lo contrario, es muy posible que se den reacciones de rechazo. Además, es preciso tener en cuenta que los primeros meses no serán nada cómodos. Vencer los miedos y la desconfianza requiere su tiempo y, desde luego, no es de recibo adoptar alegremente un perro y devolverlo en cuanto surja el primer problema.

Si se produce un buen entendimiento desde el principio, es muy gratificador comprobar cómo un perro que ha pasado por un sinfín de sufrimientos vuelve a ser feliz.

¿Es mejor un cachorro o un ejemplar adulto?

Por lo general, la mayor parte de los aficionados prefiere adquirir cachorros antes que ejemplares adultos, ya que su carácter es más moldeable y pueden adiestrarse con mayor facilidad. Aunque la elección es muy acertada, existen algunos inconvenientes que cabe tener en cuenta.

El cachorro requiere más atenciones que el adulto, por lo menos durante los primeros seis o siete meses de vida. Durante todo este tiempo habrá que ocuparse constantemente de él, por lo que no se dispondrá de tanto tiempo libre ni se podrá salir de casa con tanta asiduidad como antes. No obstante, la experiencia que supone educarlo y los buenos ratos que pasaremos con él bien valen este sacrificio.

Por el contrario, quienes acudan a un criadero con la intención de adquirir un perro adulto generalmente tendrán la ventaja de llevarse a casa un animal al que no es necesario enseñarle dónde debe hacer sus necesidades, que conoce las normas de comportamiento y convivencia, y que no requiere demasiados cuidados en lo que a salud y alimentación se refiere.

No obstante, cabe tener en cuenta que un cambio de vivienda es un factor de estrés que tanto el perro como el dueño deberán superar. Los hábitos que ha adquirido el animal en el criadero no serán aplicables al nuevo hogar, y necesitará un cierto tiempo para sentirse a sus anchas, sobre todo si debe acostumbrarse a la vida en la ciudad. La reeducación es un proceso lento y gradual porque el perro, al tener un carácter formado, considera que merece un lugar determinado en su nueva manada y esto conlleva una serie de dificultades en el trato. Por todo ello, la adquisición de un perro adulto sólo puede recomendarse a personas avezadas en el trato con animales.

¿Cuándo se debe tener en cuenta el sexo del perro?

Las cualidades de machos y hembras son equiparables, pero en algunas razas los animales poseen ciertas características en función del sexo que pueden hacer que el futuro dueño se decante por unos u otras. Por otro lado, en algunas labores suelen ser más aptos los ejemplares de uno u otro sexo.

• Casos en los que es mejor un macho

Los machos, por su mayor tamaño y fortaleza, son más recomendables que las hembras a la hora de realizar actividades como la caza, la defensa o el rescate de personas. Asimismo, aunque en las exposiciones caninas no se valora el hecho de que un ejemplar pertenezca a un sexo u otro, es mejor participar con un macho, sobre todo si se desea participar en pruebas de trabajo.

• Casos en los que es mejor una hembra

Dejando de lado la función reproductora, en la que el propietario de la hembra tiene derecho a quedarse con toda la camada, hay otros casos en los que conviene decantarse por una hembra. Si en la familia hubiese personas mayores o niños que requieren ciertas atenciones, una perra sería mucho más conveniente que un perro, ya que es más dócil y atenta (como demuestra el hecho de que la mayor parte de los perros lazarillo sean hembras). Por otra parte, también son convenientes en el caso de que se desee tener un perro primitivo o nórdico (Alaskan Malamute, Husky Siberiano, Samoyedo, Chow Chow, Akita Inu, etc.), ya que son menos independientes y prestan más atención a sus dueños.

¿Es preferible comprar un macho o una hembra?

La elección de un ejemplar de uno u otro sexo es una cuestión que depende de las preferencias de los futuros compradores. Aunque por lo general las diferencias no suelen ser determinantes, no estará de más tener presentes ciertas particularidades inherentes a cada sexo.

Una de las razones de más peso a la hora de decantarse por un perro o una perra es la reproducción. Sin embargo, el hecho de tener una perra en casa no significa a la fuerza que deba reproducirse alguna vez en la vida. De hecho, las hembras no ansían ser madres, ni tampoco se traumatizan si no tienen una camada.

Mestizos y bastardos

El perro bastardo tiene uno de los padres de raza pura, mientras que el mestizo es hijo de padres que eran asimismo mestizos o bastardos. Cómo es lógico, no existe un modelo que describa las características físicas de los perros que no son de raza. Sin embargo, se pueden clasificar en tres grandes grupos, en función del tipo: los parecidos a los perros de pastor, los que tienen rasgos de perros de caza y los que se asemejan a los Terrier.

Según el tópico, estos perros son más avispados que los de pura raza. En realidad, lo único que les podría llegar a distinguir es la vivacidad y el ingenio, cualidades necesarias para la supervivencia. Podríamos añadir que quizá la mezcla de sangre les haya hecho más resistentes a las enfermedades que los congéneres de raza pura. Sea como fuere, necesitan tantos cuidados y tanto afecto como los demás perros.

Las perras entran en celo dos veces al año. Durante esos períodos, habrá que procurar que no se le acerque ningún macho, ya que puede sufrirse más de un sobresalto. No es la primera vez que dos o tres perros se acercan con vehemencia a una perra y comienzan a acosarla.

Por otra parte, hay que tener en cuenta ciertos trastornos propios de las hembras como, por ejemplo, las dolencias que puedan afectar al aparato reproductor, la conveniencia de someterlas a una operación para esterilizarlas o la aparición de falsas gestaciones (el «embarazo psicológico»). En cualquier caso, el régimen de visitas veterinarias será el mismo que para un macho.

Las ventajas, no obstante, saltan a la vista: por lo general, las hembras son menos jerárquicas que los machos y muestran un carácter más afable, por lo que son idóneas si hay niños o personas mayores en la casa. Además, el instinto maternal les induce a proteger a las personas que consideran a su cargo.

Si, por el contrario, se prefiere un macho, el propietario deberá saber que tendrá que habérselas con un animal de carácter más fuerte e impulsivo y con un gran sentido de la territorialidad, que sólo obedecerá si se le trata con la firmeza y la autoridad que él espera de un líder de manada. Su comportamiento, no obstante, es más infantil e impetuoso que el de las hembras, y sus ganas de jugar les hacen cometer travesuras.

En cualquier caso, a partir de los seis meses de edad comienzan a apreciarse las virtudes del perro. Si está bien adiestrado, puede convertirse en un buen perro de trabajo y desempeñar tareas de vigilancia, defensa, pastoreo o salvamento, según la raza.

¿Es mejor que el perro sea de raza pura?

En principio, un perro que no sea de raza puede ser tan buen compañero como uno de raza. Poseer un perro de raza no garantiza una convivencia mejor. La belleza estética no hace que un perro sea más o menos bueno.

De hecho, la única diferencia importante es su aspecto físico. El perro de raza es el producto de una cría controlada mediante la cual se han fijado unas características morfológicas y de carácter concretas. La persona que adquiere un cachorro de raza tendrá plenas garantías de que cuando el animal sea mayor mantendrá los rasgos físicos típicos de la raza, propugnados por el estándar.

Y cuando alguien quiere un perro de una raza concreta es porque no sólo le gustan las características estéticas, sino también sus cualidades psíquicas. Por tanto, es difícil estar seguro de encontrar dichas cualidades en un ejemplar sin pedigrí, porque no será el resultado de un proceso de selección que tiene por objeto mantener y mejorar las cualidades en cuestión.

Sin embargo, los perros mestizos y bastardos suelen ser muy avispados, menos delicados y en muchos casos poseen más experiencia. Por ejemplo, los perros callejeros suelen ser mestizos y bastardos, ya que la proporción de abandonos de perros que no son de raza es mayor por su escaso valor comercial. La situación los obliga a afrontar una serie de vicisitudes que un perro casero no suele vivir, que les hace desarrollar un instinto de supervivencia. Por consiguiente, la ley de la ciudad o la naturaleza interviene en el proceso de selección. El animal que logra sobrevivir tiene un cúmulo de experiencias y asociaciones mucho más rico que cualquier perro doméstico.

¿Cuál es la mejor raza?

No hay razas mejores que otras. Lo importante es escoger la que se ajusta mejor a las necesidades y al estilo de vida del propietario.

La elección no debe basarse nunca en motivos meramente estéticos. Sería absurdo no tener en cuenta el carácter y los rasgos de comportamiento generales, ya que una decisión de este tipo podría resultar catastrófica en la futura convivencia familiar y podría acabar en el abandono del animal en el que se habían depositado tantas ilusiones.

No conviene dejarse llevar por las modas: un perro es un ser vivo y no un simple objeto de decoración. Plantéese el espacio que tiene disponible para elegir el tamaño del perro; el tiempo que puede dedicarle; si hay posibilidades de correr y andar donde vive, para escoger un perro más o menos activo; si hay muchas escaleras, para adquirir un perro con patas de tamaño «normal», etc. De este modo haremos la elección adecuada.

¿Es conveniente recoger un perro?

Adoptar un perro abandonado es la forma de salvarle de un destino bastante siniestro. Aunque se desconocen los antecedentes del animal, a la hora de informar sobre las características y temperamento del perro, pueden ser de ayuda los cuidadores que lo han acogido en la protectora de animales.

No hay que pensar que un perro abandonado es sinónimo de un mal perro. Al contrario, en muchas ocasiones equivale a un amo poco responsable que lo ha abandonado porque en su nuevo domicilio no se admitían perros, porque iba a tener un hijo, porque su pareja no lo aceptaba, porque no sabía qué significaba tener perro, porque llegaron las vacaciones y el perro molestaba o, incluso, por enfermedad y muerte del amo.

Testimonio recogido por AMAI (Asociación Amor a los Animales)

Además de mostrar la emoción por salvar a un perro, este testimonio describe a la perfección el ambiente de una protectora:

«En una carretera de la provincia de Madrid nos desviamos por un camino de tierra... Objetivo: llegar al Albergue de la Sociedad Protectora de Animales de Alcalá y adoptar un perro. A medida que llegamos, oímos cientos de ladridos.

Carlos nos enseña las instalaciones y ¿qué es lo que vemos? Pues más de cien huérfanos de cuatro patas; todos ellos de pie en la puerta de su jaula, alterados, nerviosos, moviéndose sin parar. A medida que nos acercábamos, nos daban lametones en las manos, nos hacían muecas, se movían locos de contentos, mirándonos con los ojos llenos de esperanza.

Todos los perros sabían que había una pareja paseando por allí con la intención de adoptar a uno de ellos...

Era impresionante, cada huérfano nos hacía señas, ladraba, empujaba a su compañero de jaula para hacerse sitio y que le viéramos mejor, como queriendo destacar... Si pudieran hablar seguramente nos habrían dicho: «¡Eh! Elígeme a mí!».

Mientras mi pareja buscaba pacientemente con el fin de elegir —ardua tarea—, yo andaba despacio, alucinado, pensando en cómo era posible que fuéramos tan bárbaros en este mundo. Todos los perros allí presentes tenían algo en común: su cara de tristeza. ¿Por qué? Muy fácil: todos habían sido abandonados por sus dueños o apaleados por mala gente; otros simplemente habían sido «tirados» por sus dueños porque quizás habían llegado las vacaciones y sus amos no podían llevarse al

animal al hotelito o a la playa, o incluso porque ya se habían cansado del «regalo de cumpleaños o de las Navidades»; otros habían nacido en la cuneta de alguna carretera... Pero ¿qué era lo peor y más triste? Pues que estaban sin amo, y un perro no encuentra razón de vivir sin amo... Pero allí estábamos nosotros, dispuestos a llevarnos a uno para quererlo y cuidarlo; en definitiva, para darle amor.

Todos los huérfanos que estaban en el albergue estaban atendidos y muy cuidados. En cuanto a razas y tamaños... ¡Qué más da si nos aportan todo lo que podemos desear, o sea, compañía, cariño, fidelidad y agradecimiento eterno!

De repente, mi pareja se fija en Tula... Estaba en su jaula, junto a dos mastines tipo Morrosko de Cestona que no la dejaban ni acercarse a la reja de la puerta, no fuera a quitarles protagonismo...

Paseamos a Tula en un área reservada a los padrinos y comprobamos que es realmente cariñosa... ¡Caímos enamorados en el acto!

Tula no había salido en casi cuatro años del albergue y desconocía «nuestra querida civilización», el asfalto, el ruido de los coches, los bancos, las guerras... Sólo el albergue y a sus abnegados voluntarios, impagables salvo por su satisfacción y coraje personal. Olé a todos ellos».

Evidentemente, tienen más salida los perros jóvenes y los de raza que los que ya tienen ciertos años. Los cachorros suelen salvarse, por ejemplo. Sin embargo, quedarse con un perro adulto tiene sus ventajas, y es que tendrá ya algunas normas de comportamiento aprendidas y el resto, si no las sabe, no tardará en aprenderlas. Es recomendable que opten por la adopción aquellas personas que ya tienen experiencia con perros, aunque no es una condición sine qua non. De hecho, la Fundación Affinity ha llevado a cabo programas de adopción de animales para ancianos que viven solos, muchos de ellos sin experiencia con mascotas, con mucho éxito.

Normalmente, un perro recogido es sinónimo de un perro agradecido y muy fiel.

Los perros que salen de perreras están normalmente esterilizados, desparasitados interna y externamente, y en buenas condiciones físicas. En caso contrario se especifica, ya que también hay perros en adopción que pueden estar enfermos o presentar deficiencias físicas. Es necesario hacer un desembolso de dinero por los tratamientos a los que se ha sometido al animal. Normalmente las protectoras de animales tienen recursos muy limitados y se ven desbordados por la gran cantidad de animales que se abandonan cada año.

El establecimiento que entregue al perro querrá garantías de que éste estará bien atendido, por lo que se interesará por el espacio que tendrá, la familia con la que convivirá y otros puntos que pueden influir en que sea más recomendable una raza que otra.

En Internet hay muchas páginas dedicadas a la adopción de perros en las que se pueden ver fotografías de los animales y se explican sus características. Aunque el perro a adoptar esté en otra comunidad autónoma es posible transportarlo por un precio módico. En el cuadro aparecen algunas direcciones.

Nuevas oportunidades

Se estima que en España hay 4.300.000 mascotas, entre perros y gatos. De estos, sólo 800.000 están identificados con un microchip, que sirve para poder encontrar al amo en caso de pérdida, pero también para prevenir el abandono. Sin embargo, la normas sobre el bienestar de los animales, que datan de 1883, están totalmente anticuadas. El abandono está catalogado como falta leve y las sanciones previstas son multas que van de los 30 a los 1500 euros, aunque se aplican muy pocas veces.

Alemania se está convirtiendo en un paraíso para los perros y gatos españoles que han sido abandonados. Cada año se adoptan allí unos setecientos animales, mitad perros y mitad gatos, procedentes de España, que son preferidos por su

Direcciones de Internet

ESPAÑA
• http://es.groups.yahoo.com/group/adpca/
Lista de la Asociación para la Defensa y Prevención de la Crueldad contra los Animales. Tienen un refugio con 170 perros abandonados. Además, están en contacto con otros refugios. Tienen sede en Zaragoza.

• http://www.altarriba.org/
Completa web en la que se puede adoptar animales, acogerlos temporalmente o ayudarles económicamente. También denuncia maltratos a animales. Tiene una gran bolsa de adopción de animales.

• http://www.perrosygatos.org/index.htm
Asociación situada en Alcorcón (Madrid). Tiene un albergue con unos 80 perros.

• http://boards1.melodysoft.com
Foro en el que se ofrecen o se buscan mascotas.

• http://groups.msn.com/PERROSBUSCANDOHOGAR
En esta página se pueden encontrar fotos de animales, perros y gatos principalmente, que están en algunas protectoras y necesitan un hogar, animales que se encuentran perdidos, mascotas de particulares que se dan en adopción, casos urgentes, casos especiales, foro, citas, links...

• http://www.anaaweb.org/
Asociación Nacional de Amigos de los Animales (ANAA). Tiene un programa de adopción de animales on-line.

• http://communities.msn.es/ECOREFUGI
Asociación que ofrece la adopción o apadrinamiento de perros y gatos sin hogar.

MÉXICO
• http://www.alrescateperruno.org/
Adopciones de perros y artículos sobre etología y convivencia con animales.

ARGENTINA
• http://usuarios.oeste.com.ar/maia/Principal/Home.htm
Adopción de perros abandonados y denuncias de maltrato.

Adoptar
un animal
abandonado
puede aportar
muchas
satisfacciones.

carácter alegre y decidido, que a los alemanes les recuerda a los españoles que conocieron en sus vacaciones y que contrasta con su seriedad. Sin embargo, es una cifra insuficiente, ya que según un informe de los Verdes de la Comunidad de Madrid, al año se abandonan en España unos 400.000 animales.

Los animales viajan a Alemania por carretera por iniciativa de asociaciones como ALBA (Asociación para la Liberación y el Bienestar Animal, http://www.albaonline.org/), que logró colocar trescientos animales en su primer año de existencia.

SOS Galgos

La entidad SOS Galgos acoge galgos desechados por canódromos o cazadores de toda España, y cuida de ellos hasta darlos en adopción. En dos años han dado un hogar a cuarenta perros. Su secretaria es la veterinaria sabadellense Emi Pérez Troya. (Tl.: 607 216 896).

La dirección de la página de Internet es la siguiente: http://www.sosgalgos.com/

En contra de lo que se pueda pensar, los galgos jubilados son perros muy tranquilos, que se adaptan muy bien a la vida en el hogar y a los que les encanta gandulear.

La segunda oportunidad de Rosi

La responsable de AMAI, una asociación que tiene un albergue en Alcorcón (Madrid), narra de forma conmovedora cómo adoptó a Rosi, una perrita pequeña y peludita: «Antes de empezar quisiera hacer las presentaciones: me llamo Raquel y en aquella época trabajaba como voluntaria de una protectora de animales llevando el tema veterinario. Tere era una encantadora mujer francesa que pasó un verano con nosotros cuidando a nuestros animales, y Rosita era una cachorra de un año que se moría. Ahora lleva tanto tiempo a nuestro lado que parece que siempre haya sido así, pero a veces, en mitad de la noche, llora y tiembla con tanta fuerza que nos despierta, recordándonos que su vida no siempre fue fácil.

En la época en que Rosita llegó (verano) entraron muchos perros a la vez. Alguno de ellos vino enfermo y se propagó una terrible epidemia; no dábamos abasto pinchando, curando, hidratando... Una mañana, Tere me dijo: «Raquel, la Rosita se muere». Se había contagiado de hepatitis. Cuando entré en su jaula y me miró, vi que las cosas iban muy mal. Tere no paraba de llorar y yo sentía que poco se podía hacer ya; sin embargo, en ese momento tomé la decisión que cambió mi vida: cogí a la perra y me la llevé a casa.

A mi madre casi le dio algo cuando me vio aparecer en casa con la perra. Debo aclarar que yo había prometido no meter animales en casa, pero en esta ocasión rompí mi promesa.

«¿Para que traes eso a casa? ¡Pero si es un pingajo!» Lo cierto es que tenía razón... y no pensaba que fuera a pasar de esa noche, pero lo hizo. Durante varios días, mi hermana y yo nos turnamos para alimentarla con jeringuilla y poco a poco fue recuperándose. La veterinaria me dijo que era un milagro, que no sabía cómo lo habíamos conseguido...

En fin, Rosi ya estaba curada y según el trato que había hecho con mi madre la perra debía volver a la protectora, pero una noche que yo estaba sola en casa alguien intentó entrar en casa y Rosi, con sus ladridos, hizo que huyera. Cuando mis padres llegaron y se lo conté, mi padre dijo: «La perra se queda».

Y desde aquella frase han pasado ya nueve años... ¡Cómo pasa el tiempo! Nueve maravillosos años de juegos, besos, mimos... Cuando la miro tumbada a mi lado recuerdo con una sonrisa las trastadas que hacía los primeros años. Ahora, con la serenidad que da la madurez, la vida a su lado se ha vuelto deliciosa.

Sé que su vida antes de conocernos no debió ser fácil; pequeños detalles a lo largo de estos años, como sus miedos, sus lloros o su sumisión, así lo demuestran. Pero ahora creo que es feliz; sus ojos dicen tanto cuando me mira... Ojalá todos los que como ella han sido abandonados puedan tener una segunda oportunidad. Para mí es un ser mágico, lleno de luz que me ha iluminado y me ha hecho mejor persona.

Gracias, Rosi, por entrar en mi vida».

La historia de un galgo ex corredor

El amo adoptivo de Petite, describe así su experiencia: «A finales del mes de julio de este año, y ya pensando en unas vacaciones, se me ocurrió la idea de buscar algún perro abandonado para adoptar. La idea no era nueva, pero al acercarse las vacaciones y con la relajación que eso conlleva, decidí darme una vuelta por la red. Buscaba un Cocker, ya que al tener ya a uno me hacía gracia la idea de buscarle un compañero. Pero, sin saber cómo, encontré varias páginas donde descubrí las atrocidades que se cometían en nuestro país con los galgos. Francamente, había oído las barbaridades que hacen los cazadores para acabar con sus propios perros después de la temporada de caza, pero nunca me había planteado qué ocurría con los galgos de carreras. Descubres que esos maravillosos perros dejan de ser útiles a los cuatro años (con suerte), y eso significa muchos años de incertidumbre para un perro bastante longevo.

Los galgos son una de las razas más puras que existen y su existencia se remonta a la época de los Faraones Egipcios. ¿Sabéis que es el único perro nombrado en la Biblia? ¿Sabéis que durante la Edad Media un noble era más reconocido cuanto más nobles eran sus galgos? Y así podríamos seguir durante horas hablando de las excelencias de estos animales. Pero en nuestro país ya no son tratados como dioses o como símbolos de alta cuna, sino que son obligados a correr incluso varias veces al día, con lesiones que les pueden dejar cojos de por vida; obligados a permanecer en pequeñas jaulas, sin casi poder moverse y teniendo que sentarse sobre sus propias necesidades, sobre superficies duras y frías, produciéndose llagas y heridas en sus articulaciones, esperando a que les toque el turno de su carrera, y esperando hacerlo bien, ya que si no su vida puede ser muy corta. Además, tenéis que saber que los galgos que corren en el Canódromo de Barcelona (el único que queda en nuestro país tras el cierre del resto por el maltrato a sus animales), son casi todas hembras y son Greyhounds. Los Greyhounds son los galgos originarios de Irlanda y aunque muy similares al Galgo Español, el utilizado en caza en nuestro país, son más fuertes y con más potencia para las carreras, por lo que son importados de Irlanda o cruzados con nuestros galgos autóctonos. Lógicamente, nunca vienen grandes campeones de Irlanda, por lo que los Greyhounds que llegan aquí, a muy bajo coste, generalmente no son los más indicados para correr. Así que la vida que les espera en España no es nada halagüeña.

¿Y si conseguís adoptar algún galgo o Greyhound del canódromo? Tendréis una mascota como ninguna otra. Petite, nuestra Greyhound adoptada, vive feliz su retiro. Contrariamente a lo que la gente cree, los galgos no necesitan mucha actividad física; incluso se convierten en verdaderas «patatas de sofá», siempre buscando un sitio blandito donde poder reposar. Tampoco comen más que cualquier otro perro de su tamaño y son verdaderamente buenos y dulces en casa. Además, si alguno de vosotros tiene ya un Cocker Spaniel, puede ser el contrapunto perfecto, ya que un perro tranquilo como el galgo también nos apetece alguna vez, ¿no?

Piensa, además, que puedes encontrar galgos ya mayores, de seis, siete u ocho años, y que cuanto más mayor, más agradecido es por la oportunidad que le has dado de vivir una auténtica vida. ¿Por qué no pones un galgo en tu vida?».

La llegada de otro perro

A más de un aficionado le gustaría tener otro perro en casa. La decisión parece sencilla de tomar: si hay espacio suficiente, si el presupuesto lo permite y si el resto de la familia está de acuerdo, el problema está aparentemente resuelto. Sin embargo, queda por ver las objeciones que podría plantear el primer perro, que ya se habrá hecho un lugar en su «manada».

Antes de dar un paso tan importante, habrá que tener en cuenta la posible reacción de nuestro amigo. ¿Con qué compañero congeniará mejor? ¿Con uno de su edad, de su mismo sexo, de su misma raza o bien todo lo contrario?

Si ambos son cachorros o jóvenes, es poco probable que surjan roces. Al crecer y desarrollarse juntos, en las mismas condiciones y con un trato igual, ellos mismos definirán poco a poco la jerarquía mediante el juego (y sin peleas), y uno de los dos quedará supeditado al otro. Si no son del mismo sexo y no se desea que en el futuro procreen, habrá que esterilizar a uno de los dos.

Si el perro es adulto y se trae un cachorro a casa, no habrá que mimarlo ni darle privilegios, ni tampoco habrá que establecer diferencias en el trato. Los perros adultos suelen aceptar bien a los cachorros, ya que los ven como compañeros de juegos. Las hembras, además, suelen acogerlos como crías.

También puede darse la situación inversa. En más de una ocasión, el propietario de un cachorro se ha visto tentado a aceptar la oportunidad de llevarse a casa un ejemplar adulto. La adaptación en general es buena. Todo depende del carácter del perro adulto.

Si ambos animales ya son adultos y tienen el carácter formado, se evitarán conflictos si no son del mismo sexo.

Cuando se trata de dos machos adultos, la adaptación es problemática y en muchos casos imposible. No obstante, la convivencia puede ser buena si se toleran desde el primer momento. Si la relación no es amistosa y espontánea, es preferible desistir, porque podrían producirse enfrentamientos graves (peleas, demarcaciones de territorio en la casa, etc.). Si, por el contrario, uno de los dos adopta un comportamiento sumiso, quedará establecida la jerarquía y ambos aceptarán el lugar que les corresponde.

La convivencia entre hembras es bastante mejor, si bien en algunos casos se dan algunos roces. Antes de tomar una decisión habrá que comprobar que pueden convivir sin problemas.

Acoger otro animal

¿Es posible acoger a otro animal doméstico cuando ya hay un perro en casa?

La llegada de una nueva mascota a casa puede ocasionar algunos problemas. No todos los perros reaccionan de la misma manera ante un compañero nuevo. Si durante la fase de imprinting el cachorro se ha acostumbrado a la convivencia con otros animales, es muy posible que no haya ningún problema. No obstante, habrá que procurar que el perro no se sienta desplazado, sobre todo durante los primeros días.

¿Y si es un gato?

A pesar de las malas relaciones que suele haber entre perros y gatos, no todos los casos son problemáticos. Aunque lo deseable sería que establecieran lazos amistosos, basta con que se respeten o se ignoren. Si se posee un perro adulto y algún miembro de la familia desea un gato, la solución más adecuada es comprar un cachorro. Quizá el perro, al verlo, lo observará con cariño (una reacción bastante habitual si se trata de una hembra) o simplemente lo ignorará. La situación cambia cuando el adulto es el gato y el cachorro es el perro. La convivencia será más difícil, ya que el gato intentará hacerle la vida imposible. Si, por el contrario, ambos animales son adultos y nunca han convivido con otras mascotas, lo mejor será olvidarlo porque todo esfuerzo será vano. La solución más efectiva es, sin duda, llevar un gatito a casa antes de que nuestro cachorro haya crecido.

El perro y los animales ajenos a la familia

El perro aprende en casi todos los casos a convivir con los otros animales de casa. Pero esto no significa que nuestro perro se convierta automáticamente en amigo de todos los gatos. Cuando vea uno rondando por el jardín, probablemente lo perseguirá y no reparará en ningún momento en el parentesco del gato desconocido con el gatito de casa.

Para acostumbrar al perro a no cazar gatos, gallinas, palomas o conejos habrá que empezar desde cachorro, amonestándolo severamente cada vez que se manifieste el comportamiento predador, y felicitándolo efusivamente cuando los ignore.

Criterios de elección

Una vez tomada la decisión de acoger un perro en casa, habrá que tener en cuenta también el antecedente genético y el carácter del cachorro.

El antecedente genético

El perfil genético del cachorro determina todos los rasgos morfológicos y de carácter que el cachorro ha heredado de sus ascendentes. El equilibrio en las características genéticas garantiza en gran medida un desarrollo satisfactorio del animal. La cría selectiva, pues, no obedece al capricho o a un purismo teñido, en cierto modo, de prejuicios raciales, sino que es una necesidad, ya que de lo contrario se perdería buena parte de las características que hacen que cada raza esté específicamente preparada para ciertas labores. Por otra parte, si se desea participar en las exposiciones oficiales, habrá que poner especial atención a las líneas de sangre

La relación con el amo determina el carácter del animal.

del cachorro. Un hijo de campeones con un buen pedigrí tendrá más posibilidades de obtener galardones a lo largo de su carrera que otros ejemplares que provengan de estirpes más discretas. No obstante, hay que observar bien los cachorros antes de escogerlos, pues unos padres perfectos desde el punto de vista del estándar pueden tener hijos con algún defecto. En cambio, es muy improbable que perros mediocres puedan crear un perro de gran calidad.

El carácter del cachorro

Existe una serie de pruebas que nos ayudarán a formarnos una idea del carácter que tendrá un cachorro en el futuro. El test de Campbell es con toda seguridad la prueba más conocida para determinar cuál es el perro más adecuado para cada actividad y para cada persona.

Conviene advertir que si bien estas pruebas nos dan una información apreciable, ello no significa que el comportamiento del animal no sea modificable a causa de la intervención de factores externos o de la relación con el propio amo.

Es recomendable que el test sea realizado por el futuro propietario o por una persona que el animal no conozca, lo cual excluye al criador.

El test de Campbell

Cuando el perro tenga entre cinco y siete semanas, el propietario deberá acudir al criadero para realizarle el test de Campbell. Para ello, deberá ir a un lugar que el cachorro no conozca (un lugar tranquilo o un local en el que sólo puede haber una persona y sin mobiliario) y donde estén libres de influencias externas.

Durante el test no hay que hablarle ni felicitarlo; simplemente se le tratará con cariño.

Si se eligiese entre varios cachorros, la prueba se hará individualmente y sin que los demás animales estén presentes.

Se asigna una puntuación para cada parte del test en función de la reacción del animal. Según los resultados finales obtenidos, se establecen tres tipos de carácter: dominante, sumiso e indiferente.

Conocer el carácter del cachorro es de gran utilidad para adoptar una estrategia educativa u otra. Por ejemplo, un perro sumiso deberá ser educado por una persona tranquila y paciente, mientras que un animal dominante necesitará una persona que sepa hacer valer su autoridad.

El examen consta de cinco pruebas, a saber:

- Atracción social
- Seguimiento
- Respuesta a la obligación
- Dominio social
- Resistencia al levantamiento

La valoración del carácter del cachorro se establece a partir del número de respuestas iguales de uno u otro tipo. Si los resultados son muy dispares, es necesario repetir el test.

Test de Campbell

1. ATRACCIÓN SOCIAL

En un recinto cerrado o apartado del resto de las instalaciones, el examinador coloca al cachorro en el centro y se aleja unos pasos en dirección contraria a la entrada. A continuación, se pone de rodillas y da unas palmadas para llamarle la atención. Según la rapidez con que acuda, recibirá una puntuación.

- Viene rápidamente con la cola alta, da saltitos y muerde las manos .... md
- Viene rápidamente con la cola alta y nos rasca las manos con las patas .... d
- Viene rápidamente con la cola baja .... s
- Viene indeciso con la cola baja .... ms
- No viene de ninguna manera i

2. SEGUIMIENTO

El examinador se sitúa al lado del cachorro y, tras asegurarse de que el animal observa sus movimientos, comienza a caminar a paso normal. Según la respuesta del animal, se anotará una puntuación u otra.

- Nos sigue inmediatamente con la cola alta, se pone entre los pies y los muerde .... md
- Nos sigue inmediatamente con la cola alta y se pone entre los pies .... d
- Nos sigue inmediatamente con la cola baja .... s
- Nos sigue indeciso con la cola baja .... ms
- No nos sigue o se va hacia otro lugar i

3. RESPUESTA A LA OBLIGACIÓN

El examinador se agacha y coloca el cachorro boca arriba, forzándolo a permanecer en esa posición durante treinta segundos.

- Se revuelve violentamente, forcejea y muerde .... md
- Se revuelve y forcejea .... d
- Se revuelve y se calma .... s
- No se revuelve y lame las manos .... ms

4. DOMINIO SOCIAL

El examinador se arrodilla junto al cachorro y comienza a acariciarlo desde la cabeza hasta la grupa. Según su aceptación, podrá verse hasta qué punto su carácter es sumiso o dominante.

- Salta encima, rasca con las patas, gruñe
  y muerde . . . . .md
- Salta encima y rasca con las patas . . . . .d
- Se gira y lame las manos . . . . .s
- Se tumba boca arriba y lame las manos . . . . .ms
- Se va y permanece alejado i

5. RESISTENCIA AL LEVANTAMIENTO

El examinador pasa las manos por debajo del tórax del cachorro y lo levanta a unos veinte centímetros del suelo durante medio minuto.

- Se revuelve violentamente, gruñe y muerde . . . . . . .md
- Se revuelve violentamente . . . . .d
- Se revuelve, se calma y lame las manos . . . . .s
- No se revuelve y lame las manos . . . . ms

(**md** = muy dominante; **d** = dominante; **s** = sumiso; **ms** = muy sumiso; **i** = inhibido).

VALORACIÓN DE LOS RESULTADOS

Dos o más respuestas MD, con respuestas D en otras partes del test: perro muy vivaz, agresivo en potencia, poco apto para niños y personas ancianas, y no indicado para convivir con otros perros del mismo sexo. Requerirá un adiestrador experto.

Tres o más respuestas D: será un perro fácil de adiestrar, pero con método. Este tipo de perro también es más adecuado para vivir entre adultos y en un ambiente tranquilo.

Tres o más respuestas S: se adaptará bien a cualquier ambiente y será un buen compañero para niños y ancianos. Carecerá de carácter para trabajar la defensa, aunque dará buenos resultados en obediencia.

Dos o más respuestas MS, especialmente si se acompañan de alguna respuesta I: perro muy sumiso, apto para niños responsables pero no para los más pequeños, que podrían tratarlo con demasiada brusquedad y ocasionarle problemas de carácter. Este tipo de perros necesitan un trato muy bondadoso.

Dos o más respuestas I, especialmente si una de ellas se da en la prueba de dominio social: perro difícil de socializar y de adiestrar, no recomendado para niños muy pequeños porque podría morder por nerviosismo, sobre todo si en otras pruebas ha dado una respuesta MD o D. No será un buen perro de defensa porque morderá por miedo.

Otros test sirven para valorar cualidades más específicas, como por ejemplo la capacidad para las tareas de guardián, de defensa o la valentía

Test de vigilancia
(para el futuro perro guardián)

Este test permite saber si un perro tiene cualidades para ser un buen guardián. Puede realizarse a partir de los cuatro meses de edad. Se empieza jugando con el perro y, pasado un tiempo, el dueño pone la correa al cachorro y se sienta o se tumba en el suelo, fingiendo la intención de dormir. Al cabo de diez minutos, una persona que el perro nunca ha visto se aproximará al lugar viniendo desde lejos. Si el perro detecta inmediatamente su llegada, significa que es un perro muy atento que, adiestrado convenientemente, puede llegar a ser un buen guardián personal. No importa que reaccione ladrando o moviendo la cola, lo importante es que reaccione rápidamente. Cuanto más tarde en reaccionar, menos aptitudes poseerá para la guarda.

Test de valentía

Este test se realiza entre los cuatro y los siete meses de edad. Mientras el cachorro pasea junto a su amo (en un lugar aislado, sin distracciones y con la correa puesta), una persona que el perro desconoce se acerca y sin prestarle atención, estrecha la mano al dueño, deja caer un objeto, lo recoge y se marcha. El perro puede reaccionar de varias maneras:

• El **perro mordedor y valiente** adopta una conducta hostil desde el primer instante, intenta morder o gruñe cuando el extraño estrecha la mano a su amo o cuando recoge el objeto del suelo.

• El **perro mordedor y miedoso** adopta una conducta igualmente hostil, pero busca la protección de su amo (se esconde gruñendo detrás de sus piernas).

• El **perro no mordedor y valiente** se comporta con indiferencia y recibe al extraño meneando la cola.

• El **perro no mordedor y miedoso** esconde el rabo entre las patas y no se aproxima a la persona extraña.

Test de aptitud
(para la defensa)

Este test es muy fácil de llevar a cabo porque solamente se requiere la presencia del perro y de su dueño, y aporta una información valiosa sobre la aptitud del perro para defender a su dueño. La edad idónea para realizarlo es a los ocho meses.

En un espacio abierto y seguro se suelta al perro, que en esta situación podrá comportarse de diferentes maneras.

• El perro permanece junto a su amo o vuelve rápidamente a su lado después de una breve carrera. Éste es el comportamiento de un perro que está demasiado sometido al hombre por su propio carácter o por culpa de errores cometidos en su educación, y al que le falta curiosidad y valentía. Por consiguiente, su aptitud para la defensa es escasa.

• El perro se aleja inmediatamente de su due-ño y permanece lejos, o bien corre describien-do círculos cada vez más amplios hasta desa-parecer del campo visual del dueño. Se trata de un perro muy poco sometido al hombre, de temple fuerte, pero falto de docilidad. Posee una aptitud para la defensa es más bien esca-sa, pero puede mejorar si mejora la relación que su amo.

• El perro se aleja del dueño, luego vuelve a su lado, se aleja nuevamente y las trayectorias que describe parten siempre del hombre. Se trata de un perro que aprovecha los momentos de liber-tad y que siente curiosidad por explorar lo que le rodea, pero que a la vez mantiene al hombre en el centro de su atención. Su relación con el hombre es correcta y tiene muy buena aptitud para la defensa.

Podemos descubrir las aptitudes de nuestro perro en la playa.

Estructura familiar

Qué lugar ocupa nuestra mascota

La futura mascota debe adaptarse a todos los miembros de la familia, sobre todo si en casa hay niños o personas ancianas. Un perro muy fuerte y de grandes dimensiones podría lastimar involuntariamente a alguien y, en el otro extremo, un perro muy pequeño podría hacer tropezar a una persona que no ve bien.

Si la familia que decide adquirir un perro tiene un bebé, lo mejor será esperar hasta que el niño haya cumplido cuatro o cinco años, ya que no podrá ocuparse del cachorro como se merece.

En cambio, si el niño nace cuando el perro ya forma parte de la familia, habrá que hacer lo necesario para que lo acepte como uno más. Nunca debe apartarse al animal, ya que al verse desplazado podría sentir celos por el «nuevo cachorro». Antes de que el bebé llegue a casa, pueden dejarse algunas de sus prendas en el comedor o en el salón para que el perro comience a reconocerlo y a aceptarlo. Ante cualquier duda, habrá que consultar a un experto en conducta canina. Antes de que nazca el bebé, se puede acostumbrar al perro a los sonidos de los niños, grabando un bebé llorando o riendo y poniéndolo en casa para que lo oiga. También se puede poner en el capazo del perro algunas prendas del niño pequeño para que el perro se vaya acostumbrando a su olor.

La compañía de un perro es muy buena para el desarrollo psíquico y social del bebé, ya que

> El gran placer de un perro sobreviene cuando te pones en ridículo ante él. No sólo no te censurará, sino que también se pondrá en ridículo.
>
> SAMUEL BUTLER

ambos se benefician de la convivencia. Los dos aprenden a ser más responsables y maduros, pues deben cuidar de su compañero de juegos.

No obstante, conviene tomar algunas precauciones higiénicas. El médico de cabecera y el veterinario pueden proporcionarnos indicaciones útiles al respecto.

El niño y el perro

Actualmente, la integración del perro en la sociedad presenta una importante contradicción. Por un lado, se considera beneficioso para el desarrollo de los niños el contacto con animales, mientras que, por otro, se dan casos alarmantes de perros que escapan al control de sus propietarios y atacan a personas. Y en muchos casos las víctimas son niños. ¿A qué se debe esta contradicción?

En primer lugar, hay que dejar claro que no a todos los perros no les gustan forzosamente los niños. Los perros defienden y protegen exclusivamente a los niños de su familia, pero no se sienten obligados a querer a todos los demás.

El perro y
el niño se
benefician
mutuamente de
la convivencia.

Eso es así porque el perro considera al niño como un cachorro. ¿Y cuál es la relación entre adultos y cachorros en estado natural? Los adultos protegen solamente a los cachorros de su manada, hijos del líder, que es el que monta a las hembras. Si los trataran con agresividad, podrían estar matando a su propia descendencia, lo cual no sería natural.

Sin embargo, en los perros la inhibición de la agresividad contra el cachorro desaparece por completo cuando se trata de cachorros que no pertenecen a la manada porque no sólo no son sus descendientes, sino que probablemente son hijos de un posible enemigo que podría hacer peligrar la manada.

Por consiguiente, el hecho de que los perros acepten a los niños —que es lo que normalmente hacen— es porque el perro es un animal bueno y porque su amo lo ha educado y sabe que no puede perseguir a los niños.

A todo ello hay que añadir que muchos niños no conocen las reglas caninas de relación social y se comportan de manera que pueden poner nervioso al perro más pacífico del mundo. Además, los niños suelen ser muy ruidosos y se mueven. El problema es que el perro no puede advertirles de otra manera que no sea gruñendo y, si no se le hace caso, el paso siguiente es morder, aunque en la mayoría de ocasiones sea sólo para avisar.

Los padres deben enseñar a sus hijos que el perro no es un juguete, que es un ser bondadoso y sensible y que, al igual que todo el mundo, en determinados momentos no quiere ser molestado. Además, los niños tienen que se conscientes de que los perros son sensibles y sufren, por lo que no pueden practicar algunos juegos bruscos con ellos.

Hay otro factor importante que interviene en las reacciones agresivas por parte del perro: el instinto predatorio, cuya existencia muchos padres desconocen, pero que interviene en casi todos los sucesos dramáticos relacionados con niños.

Todos los perros conservan, en mayor o menor medida, el instinto de caza de sus antepasados. Dicho instinto le hace perseguir —y en algunos casos morder— todo lo que tiene el aspecto de una presa y se comporta como tal; es decir, todo aquello que es más pequeño que él y que huye con rapidez, emitiendo sonidos agudos. Esto explica por qué un gato, una gallina o un niño son estímulos que desencadenan el reflejo de persecución. Es evidente, pues, la necesidad de enseñar a los niños a no escapar y a no chillar a los perros.

Pero, en general, los perros se acostumbran a la compañía de los niños. Aunque hay razas más predispuestas que otras, habrá que tener siempre en cuenta el carácter de cada ejemplar. Los rasgos generales de conducta, pese a considerarse propios de cada raza, no son determinantes ni excluyentes de cada individuo. Por ejemplo, hay Pastores Alemanes, Rottweiler o Dobermann muy afables. Sin embargo, también se han dado casos de perros mal adiestrados o con desórdenes de conducta han atacado a niños.

Para que el niño y el perro se conozcan y se respeten mutuamente lo mejor es que crezcan juntos: así ambos se sienten miembros de la misma familia. Del mismo modo que el perro debe respetar y obedecer a todos los miembros de la familia, los niños también deben aprender cómo tratar adecuadamente a su mascota.

Muchos perros de talla mediana y grande cumplen la mayoría de estos requisitos, ya que su tamaño les confiere seguridad en ellos mismos (conocen su fuerza y no ven al niño como una amenaza), no suelen morder por miedo, y son protectores y juguetones por naturaleza.

Los perros pequeños también pueden ser excelentes compañeros de juego pero, por regla general, suelen ser más asustadizos con los niños y se retiran por miedo a los pisotones.

Jugar sin molestar

Como ya hemos dicho, entre los niños y el perro se establecerá una buena relación si se trata de un ejemplar sumiso, que será fácil de educar y tendrá más aguante. De todos modos, nunca deben dejarse solos a un perro y un niño hasta que no se tenga la certeza de que ninguno de los dos puede alterar el ánimo del otro.

Es fundamental enseñar al niño a no molestar al perro, explicándole claramente qué es lo que nunca debe hacer.

El niño no debe mirar al perro fijamente a los ojos, ni soplarle en el rostro, molestarlo mientras come, darle sustos por la espalda o acercarse a él

con un palo en la mano. Si se respetan estas prohibiciones, podrán correr y saltar hasta la extenuación. Lo importante es que no se creen momentos de tensión o de incomprensión por parte del perro que, al tener mucha memoria, podría no olvidar alguna trastada y no apreciar su compañía.

La compañía del perro potencia la seguridad

La convivencia con un perro es muy beneficiosa para el desarrollo del niño. En el caso de los hijos únicos es realmente importante la relación que establecen con «su mascota», puesto que los hijos únicos suelen pasar más tiempo solos y, en general, echan en falta a un compañero de juegos.

A los niños con disminuciones físicas o psíquicas el perro les da confianza en ellos mismos, ya que el animal no entiende de disminuciones y es igual de amistoso y participativo.

El primer contacto

Se evitarán muchos problemas enseñando a los niños las normas elementales para acercarse a un perro desconocido:

• No correr directo hacia el perro, sino caminar tranquilamente, porque podría sentirse amenazado.
• Una vez a su lado, no mirarle directamente a los ojos, porque el perro podría interpretar la mirada como un desafío.
• Ponerse a su altura, para evitar parecer una sombra amenazadora.
• Dejarse oler la mano para darse a conocer. Mejor con la palma hacia arriba porque les transmite mejores vibraciones.

Si después de las presentaciones el perro no da muestras de rechazo, el niño podrá acariciarlo, aunque ello no le dará derecho a hacerle travesuras.

Una mascota
a la que cuidar
puede ser el
mejor remedio
contra la
soledad.

Los perros y la soledad

Hay etapas de la vida en las que la separación, el alejamiento o la pérdida de seres queridos genera un vacío.

No hace falta llegar a la vejez para sentirse solo. Actualmente, los momentos de soledad se producen en muchas otras circunstancias. Cuando un hogar que estaba formado por varios miembros (padres e hijos) pasa a ser una familia de sólo dos miembros (padre y madre), puede aparecer un sentimiento de carencia por parte de los dos cónyuges. Los hijos se han independizado y tienen su propia vida, y los padres no saben a quién dedicar el tiempo y las atenciones que han ocupado parte de sus vidas. Estas personas, para sentirse útiles, seguirán sintiendo la necesidad de cuidar y de ocuparse de alguien.

Aunque no se puede comparar un perro con un hijo, una buena solución para paliar esta soledad consiste en acoger a una mascota a la que brindar todo tipo de cuidados.

Un perro también es un buen compañero en caso de separación de una pareja. Si los ex cónyuges van a vivir solos, un perro puede ayudarles a superar la pena o la rabia, a acostumbrarse a su nueva situación y a no sentir tanto el peso de la nueva soledad.

Los perros y las personas ancianas

Se trata de un caso parecido a cuando los hijos dejan el hogar, pero con el agravante de que puede tratarse de una persona que no tiene ningún familiar cercano o ningún amigo íntimo con el que relacionarse.

Cuando una persona se hace mayor, es más fácil que se sienta sola y que incluso pueda llegar a sentirse marginada socialmente, por haber quedado excluida del mundo del trabajo. Por otro lado, los hijos hacen su propia vida. Se tra-

Un caso real

A principios de septiembre de 1999 decidí tener un cachorro de perro en casa. Tanto mi hijo como yo queríamos un Labrador Retriever macho. Antes de tomar una decisión, contacté con muchos criadores de perros. Todos coincidieron en que el Labrador o el Golden Retriever eran las razas más apropiadas para mi situación y carácter.

El hecho de preferir un macho antes que una hembra es bien sencillo: no sabría qué hacer con las camadas. Me veía incapaz de vender los cachorros y dudaría mucho a la hora de regalarlos, pues sólo podría hacerlo si estuviese completamente segura de que sus futuros dueños fuesen conscientes de la responsabilidad que supone cuidar un perro.

Después de ponerme en contacto con varios criadores españoles, me dirigí al Reino Unido. Tras buscar concienzudamente conocí a un criador, el señor Carter, que me indicó que tendría una camada de Labradores Retriever a finales de octubre de aquel año. Los padres eran dos labradores retriever de color yellow (blanco amarillento), eran Augustus Sandy, de cuatro años de edad, y Bouncing Bell Girl, de cinco, y ambos poseían un excelente pedigrí.

El 20 de octubre de 1999, Bouncing tuvo una camada de cuatro machos y tres hembras. Cuando recibí la noticia del nacimiento, le pedí al señor Carter que me reservase un cachorro macho, a ser posible el más listo, juguetón y bonito. Pensaba llamarlo Benjie y como tal lo registré a la hora de comprar el billete de avión.

> Los **Labradores Retriever** son idóneos para personas que padecen trastornos físicos o psicológicos importantes. Quien sufre alguno de estos problemas experimentará una gran mejora si decide tomar un animal a su cargo. La sensación de estar haciendo algo bien y de compartir con otro ser unos momentos de complicidad le aportarán un beneficio insospechado.

Llegué al Reino Unido a mediados de diciembre. El día 19 me presenté en el establecimiento dèl señor Carter, en Londres. Antes de entrar al recinto donde correteaban los cachorros estuve hablando con el señor Carter durante un buen rato. Nada más entrar, vi que la camada estaba reunida. Pronuncié el nombre del cachorro y uno de ellos, el que estaba más alejado, se acercó meneando el rabo y lo cogí en brazos.

El resto de los perritos no hizo caso. Poco después el señor Carter me comentó que ése era el perrito que me había escogido. Ése fue mi primer contacto con él. Lo dejé en el establecimiento, aunque iba a verlo todos los días. Mientas tramitaba los permisos y certificados de pedigrí. De vuelta a Barcelona, llevé a Benjie al veterinario para que le hiciese los exámenes de rigor. No hubo ningún contratiempo.

Cuando Benjie contaba cinco meses de edad, contacté con el señor Hofer para que lo adiestrase. El trabajo comenzó en mi casa. Desde el primer momento el señor Hofer me hizo participar en las sesiones para que el perro fuese consciente de mi papel. Comenzamos por enseñarle a comportarse bien y a hacer sus necesidades en un sitio apropiado. Nada más aprender estas primeras normas, salimos a la calle. Benjie se acostumbró a caminar a mi lado sin tirar de la correa, a familiarizarse con otros perros y a jugar con ellos.

El **entrenamiento** se hizo a diario, en sesiones de veinte minutos. En poco tiempo estuvo preparado para obedecer cuantas órdenes se le daba. A los seis meses de edad ganó el primer premio de su categoría del concurso nacional canino. Se lo comenté al señor Carter, quien lo inscribió en el Kennel Club (la organización británica que otorga el pedigrí) con el nombre de «Spanish hero Benji» ('Héroe español Benji'). Son muchos los buenos momentos que he compartido con Benji —y los que aún quedan. Por eso no puedo menos que decir: «Gracias, Benji, por estar ahí».

Pilar Palomés Caseres

ta, sin duda, de una época en la que se necesita mucho cariño y compañía.

Un perro puede ser muy útil en esta situación, ya que impone una serie de obligaciones que ocupan un cierto tiempo y obliga a salir de paseo, actividad muy beneficiosa para la salud y que fomenta la relación con otras personas. En definitiva, el perro ayuda a pasar el tiempo y permite establecer cierta complicidad con alguien que recompensa con creces los cuidados que se le dispensan.

De todas formas, no hace falta llegar a la vejez para sentir la necesidad imperiosa de llenar un vacío y brindar a un animal de compañía el cariño que se necesita expresar.

La disponibilidad de tiempo y espacio

Antes de adquirir un cachorro, conviene reflexionar acerca del tiempo y del espacio libres de los que disponemos.

Si trabajamos muchas horas al día, tenemos diferentes ocupaciones y apenas compartimos algunos momentos con la familia, lo mejor será olvidarnos del perro, ya que la vida que llevaría un animal con un amo de estas características: en primer lugar estando todo el día encerrado y en segundo lugar, con el amo siempre ausente, no sería demasiado agradable. Un paso previo importante es pedir la opinión al resto de la fa-

Un perro obliga a pasear, lo que ayuda a relacionarse con otras personas.

milia, porque no es de recibo delegar todas las responsabilidades en los demás. Hay que tener en cuenta que un perro exige un mínimo de dos horas de paseo diario más el resto de atenciones. Aunque hubiese alguien dispuesto a hacerse cargo de él, habría que preguntarse qué sentido tiene querer ser propietario de un animal que a fin de cuentas acabará cuidando otra persona.

Además, su educación también requiere buena parte de nuestro tiempo. Enseñar al perro a caminar con correa y a obedecer a distintas órdenes no es un mero capricho, sino una necesidad. El perro es un animal social que debe vivir en un entorno en el que las normas sean claras y precisas. El adiestramiento es una manera de inculcar unas normas de comportamiento y, a la vez, de enseñar al animal que existe un líder (en este caso, el propietario) que debe ser respetado y obedecido en todo momento.

Ahora bien, el tiempo tampoco lo es todo; la calidad de la comunicación es otro elemento fundamental. Si el perro disfruta de unos pocos momentos con su amo, pero con sensaciones agradables y demostraciones de atención y cariño, se sentirá menos solo.

Es fundamental tener conciencia del compromiso que se adquiere cuando se acoge un perro en casa. Si no es posible planificarlo con la familia, habrá que desestimar rotundamente la compra de un perro. Jamás hay que regalar, o regalarse, un cachorro. Por desgracia, no son pocos los ejemplares que, adquiridos de manera impulsiva y caprichosa en Navidad, son abandonados en agosto, cuando ya han crecido y no sólo han perdido todo atractivo para sus propietarios, sino que además se convierten en un problema a la hora de planear las vacaciones.

El perro no es un juguete ni un peluche vivo con el que pueden pasarse buenos ratos. Es un animal que vivirá con su nueva familia durante doce o trece años y que tiene pleno derecho a vivir dignamente, recibiendo las atenciones y el afecto que necesita.

El espacio también es un factor muy importante cuando se valora la posibilidad de comprar un cachorro, aunque quizá no es tan determinante como el factor tiempo. Un perro mediano o grande de una cierta corpulencia (un Bóxer o un Pastor Alemán, por ejemplo) puede vivir perfectamente en un piso, siempre y cuando se le brinde la atención suficiente y no le falten sus paseos diarios.

Muchos propietarios creen que los perros grandes son muy adecuados para casas o fincas de superficie importante, mientras que los pequeños conviene tenerlos en pisos. Aunque la idea no deja de tener su lógica, lo cierto es que el tamaño y el espacio no siempre son proporcionales. El carácter del animal es mucho más decisivo.

No creamos que un perro que vive siempre fuera de la casa, o que se queda solo durante toda la semana en la finca, disfruta mucho porque puede correr a sus anchas. Es más, seguramente no será un perro feliz. En la mayoría de los casos padecerá la soledad e incluso llegará a deprimirse. No olvidemos nunca que el perro es un animal social y que, como tal, necesita un entorno vivo y dinámico que realimentará su sentimiento gregario. Hay razas pequeñas o medianas, como por ejemplo el Fox Terrier, que deberían conformarse perfectamente con el espacio de un piso. Sin embargo, suelen ser un manojo de nervios y su hiperactividad necesita de un gran desgaste energético, a veces incluso superior al que genera un perro grande. Hay que sacarlos a pasear a menudo, porque de lo contrario surgen problemas de convivencia, como destrozos en el mobiliario, ladridos continuos, etc.

Como ya se ha dicho, no debemos fijarnos tanto en el aspecto externo de cada raza, sino en el carácter del cachorro o del perro adulto. No debemos abusar de nuestro fiel amigo sabiendo que es tan bondadoso que, si por él fuera, se conformaría estando en una pequeña terraza. Un perro doméstico conserva sus instintos salvajes. Estando encerrado, se le impide cumplir con su obligación de defender el territorio en ausencia de su amo, lo cual le ocasiona una cierta frustración. El perro debe poder circular libremente por la casa (que es su territorio) aunque, eso sí, respetando una serie de normas y teniendo muy claro cuál es su sitio en la casa.

Un dueño para cada perro, un perro para cada dueño

Lo ideal sería que cada futuro propietario hiciera un ejercicio de reflexión sincera para intuir de qué manera se relacionará con el perro, y así elegir una raza que pueda adaptarse a su carácter y al tipo de educación que presuntamente le impartiremos. Campbell, autor del célebre test de carácter para los cachorros, también estableció una clasificación referida a los dueños, que transcribimos a continuación.

• El físico
Quiere a toda costa que su perro obedezca y para lograrlo recurre a menudo a la fuerza. Le convendrá una raza «dura», aunque esto no significa que no tenga que controlarse.

• El escandaloso
Logra que el perro obedezca a fuerza de gritos. Un animal temeroso y bueno no se ajusta a sus características, porque viviría completamente aterrorizado. En cambio, con este tipo de persona puede encajar un animal testarudo, que no se impresione fácilmente.

• El seductor
Este amo cede fácilmente a las peticiones del animal, al que mima y excusa de todo con tal de lograr algo. Su perro ideal ha de ser obediente por naturaleza, y que no busque relaciones de fuerza.

• El intratable
No atiende a ningún consejo. Cuando tiene problemas se bloquea y no encuentra la solución adecuada.

• El permisivo
Es el dueño que, por temor a perder el amor de su perro, elude la disciplina. Es imprescindible que esta persona se dé cuenta de sus defectos, porque va directa al fracaso.

• El paranoico
Interpreta el comportamiento de su perro como si éste tuviera una mentalidad humana, y le atribuye emociones que no son propias del perro. Los problemas surgen inevitablemente.

• El ambiguo
El perro no consigue saber lo que está bien hecho y lo que no lo está, porque un día se le permite jugar con el zapato, y al día siguiente no.

• El lógico
Se comporta con sentido común.

• El inocente
Entiende poco de perros y sigue los consejos, pertinentes o no, de todo aquél que dice saber de perros. Necesita una buena referencia e información fiable. Si es hábil, puede aprender y convertirse en un buen propietario.

• El niño
El perro nunca verá a un niño como superior jerárquico y puede ser la causa de numerosos problemas cuando se les confiere una responsabilidad excesiva sobre el perro.

El perfil del amo

Aunque a primera vista pueda parecer una tontería, a cada tipo de amo le corresponde un tipo de perro. Como reza el tópico, los amos se parecen a sus perros y viceversa.

El carácter de la persona y su ritmo de vida son determinantes en el momento de hacer una elección.Si llevamos una vida muy tranquila, casera y sedentaria, es evidente que no sería una buena elección comprar un perro atlético y nervioso como el Bóxer, el Fox Terrier o el Golden Retriever, sino que más bien nos correspondería un perro de unas características similares a las nuestras (Basset Hound, Bulldog Francés, Collie, etc.).

En cambio, si nos gusta la montaña, los deportes al aire libre, las excursiones, etc., nos convendrá un perro activo y muy participativo como, por ejemplo, un Pastor Alemán, un Bóxer, un Schnauzer, un Setter, un Husky Siberiano, etc.

El cachorro en casa

Un nuevo miembro en la familia

> Todos los hombres son dioses para su perro. Por eso hay tanta gente que ama a sus perros más que a los hombres.
>
> ALDOUS HUXLEY

prohíbe subir a las camas y a los sofás (algo que debe inculcársele desde que es cachorro), basta con que uno de los miembros se lo permita para arruinar los esfuerzos de los demás.

Felicitaciones y castigos

En algunas ocasiones, cuando el perro actúa de manera equivocada, un miembro de la familia lo riñe y otro inmediatamente lo disculpa y lo consuela. Estas actitudes confunden al animal, ya que se siente castigado y premiado a la vez, lo cual da lugar a discusiones familiares que necesariamente crean una atmósfera de tensión. A pesar de ello, los castigos, siempre y cuando sean pertinentes y moderados, son necesarios. Si no causan dolor, el perro no los considerará como un acto de crueldad y no sentirá ninguna animadversión por su dueño. Muchas personas creen que puede dársele un papirotazo en el hocico con un periódico enrollado. Se trata de un castigo directo y, como tal, estamos totalmente en contra de él. Los castigos directos no

La llegada del perro a la casa es un momento de gran satisfacción. Durante los primeros días habrá que prestarle toda la atención que sea necesaria y comenzar a enseñarle las primeras normas de comportamiento.

Es muy importante que las normas se apliquen de común acuerdo con el resto de los miembros de la familia y de modo coherente y sistemático. Las normas deben ser pocas pero claras, ya que de lo contrario el animal se desorientará y olvidará todo lo que se le enseña. Si, por ejemplo, se le

Decálogo del amo responsable

• Fije las reglas inmediatamente y sea consecuente con ellas.

• Evite las situaciones que promuevan un comportamiento inadecuado.

• Observe su animal doméstico y proporciónele el cuidado que necesita para ser atendido.

• Supervise a su mascota, atiéndale sin ceder en su entrenamiento, y restrinja el acceso del animal a un área limitada de la casa hasta que el entrenamiento sea completo.

• Anime el buen comportamiento con alabanzas, caricias y alguna golosina por sorpresa.

• Corrija los malos comportamientos y proporcione alternativas positivas.

• No lo castigue o fuerce físicamente,; esto puede conducir a conductas como morder o la agresión.

• No lo anime a la agresión y no juegue a morder. Puede disuadirle de morder, parando el juego en cuanto lo haga: así verá que morder no es divertido.

• Relacione sus animales domésticos con la gente, los animales, y los ambientes donde usted quiere que vivan.

• Consulte con el etólogo o experto en conducta canina si existen problemas serios o sin resolver del comportamiento.

son recomendables porque el animal los asocia con su propio amo y, tarde o temprano, responderá a la agresión con un mordisco, un desplante o una huida. Hay que procurar que las amonestaciones parezcan ajenas al amo, de manera que el perro crea que cada vez que desobedece o se marcharse lejos de su guía ocurre algo que le sorprende o le da miedo. El amo se convertirá entonces en un referente y una garantía de que no sucederá nada desagradable.

¿Qué hacer cuando el cachorro protesta?

Si un cachorro se ha acostumbrado a solicitar imperiosamente cualquier tipo de atenciones, puede llegar a convertirse en un pequeño tirano que, en un momento u otro, intentará disputar a su propietario el rango de líder de la manada. A pesar de sus gestos y ladridos, lo mejor es ignorarlo. Es muy posible que se canse y desista al ver que sus tretas no surten efecto. Si persistiese, habrá que contestarle con un

«¡no!» enérgico y lanzarle un objeto que haga ruido para distraer su atención.

Reconocer la casa

Los primeros días debemos dejar que huela e investigue todos los rincones de la casa para que se familiarice poco a poco con su nuevo hogar. No conviene estar todo el día encima del cachorro, llamándolo constantemente y acariciándolo, porque necesita dormir bastantes horas y debe aprender a estar solo durante algún tiempo.

Hay que tener cuidado con los cables, enchufes y plantas del suelo. Asimismo es preciso retirar de su alcance los productos de limpieza, pinturas y similares. Tampoco es bueno que haya papeles u objetos por el suelo porque los cachorros suelen morder o comer cualquier cosa que encuentren. El papel de aluminio puede ser fatal para ellos.

No conviene que se suba a los sofás o a la cama. De lo contrario, será muy difícil erradicar el vicio.

La manta y la cesta

Aunque en el mercado existen actualmente una gran variedad de modelos de camas, de formas y colores diferentes, al principio puede utilizarse una manta vieja, ya que generalmente los cachorros suelen destrozarla, bien por ganas de jugar, bien por nerviosismo. Esto ocurre con bastante frecuencia en animales que pasan muchas horas solos y no están acostumbrados a la soledad.

La manta o el lecho debe ser fácil de lavar para que no se convierta fácilmente en un nido de pulgas.

Si el perrito tiene que pasar muchas horas solo, es conveniente que cerca de él tenga siempre algún objeto cuyo olor le recuerde al amo. Una buena manera de conseguir este objetivo consiste en dejar una camiseta vieja ya usada (no limpia) en su manta o capazo.

También se le puede dejar un juguete o un objeto que no sea peligroso por su forma o tamaño y con el que jueguen él y el amo.

A pesar de que muchos propietarios suelen dar a sus cachorros zapatos o zapatillas viejos para jugar, no es conveniente hacerlo, pues se corre el riesgo de que el perro crea que todos los zapatos sirven para lo mismo, y en otra ocasión puede decidir mordisquear un zapato nuevo. De hecho, para un cachorro, cualquier objeto es susceptible de convertirse en un juguete.

El perro, tanto si es cachorro como adulto, deberá tener un lugar asignado en casa, un rincón tranquilo donde descansar y dormir. Además, sólo podrá circular por donde se le permita: algunas habitaciones de la casa, como los dormitorios, la cocina o el cuarto de baño, deberán estarle vedadas. Algunos perros, cuando llegan a casa, eligen ellos su lugar preferido. A pesar de que parezca una concesión exorbitante, esto sería lo mejor para que se sintiera menos extraño y más protegido. Procuremos respetar su elección en la medida de lo posible, si no es un lugar comprometido o prohibido.

Las primeras noches puede ocurrir que el cachorro gimotee porque se siente solo en un lugar extraño. Para intentar sustituir a la madre y evitar que se meta con nosotros en la cama, podemos ponerle una bolsa de agua caliente y una mantita que conserve el olor de la madre. De este modo, tendrá una sensación parecida a la de su camada y se tranquilizará en gran medida.

Por otra parte, para que los llantos, arañazos y demás travesuras no afecten el orden de la casa es conveniente colocar el lecho en un lugar donde pueda tolerarse algún que otro desperfecto. Seguramente dejará de hacerlo si no le prestamos atención, que es lo que en realidad pretende. Si se queja y le hacemos caso sucumbiremos a su voluntad. Aunque esto no garantiza que desaparezca el vicio, cada vez será menos intenso.

¿Qué hacer si persiste el problema?

Si el perro araña con insistencia la puerta, la abriremos, proferiremos un «¡no!» rotundo y enérgico y seguidamente lanzaremos una botella de plástico o agitaremos una lata llena de monedas haciendo el ruido necesario para reprimir la mala acción y cerraremos nuevamente la puerta. Es importante no acceder a estas peticiones, ya que de lo contrario, lo tomará como una costumbre y será muy difícil convencerle para que no lo haga.

Cómo ganarse su respeto

El amo debe ganarse el respeto del animal desde el momento en que éste entra en casa. No debe caer en el error de disculparlo cuando comete un fallo por el hecho de tratarse de un cachorro, ya que las consecuencias pueden ser graves. El respeto debe ser mutuo puesto que el propietario también debe educar al animal sin abusar de su superioridad.

Todo lo que se le permita cuando es cachorro será difícil de rectificar cuando el animal se haga mayor, ya que el perro lo relacionará con algo correcto y cada vez tendrá el vicio más acentuado. Por esta razón es aconsejable educarlo desde el primer momento, pues el aprendizaje será más rápido y completo. No debemos tener reparos en utilizar un tono un poco autoritario, ya que el perro asocia la dominación con el respeto. Una cosa debe quedar clara: si no hay dominio, no hay respeto. Para educar al perro es necesario que éste reconozca la autoridad del dueño; de lo contrario, lo manipulará según sus conveniencias.

Siempre debe tener presente que un perro es un animal que funciona por jerarquías: su dueño es su jefe y, por tanto, no debe tener ningún reparo en mandarle y en demostrárselo.

La comida

Las necesidades nutricionales varían en cada etapa de la vida del perro. La alimentación también depende de su talla definitiva, ya que las curvas de crecimiento son diferentes para cada raza. Si nos regimos por la intuición, difícilmente daremos una alimentación equilibrada al perro. No cuesta nada consultar con el veterinario o con un experto para que nos aconseje la dosis y el tipo de pienso más adecuado para nuestro perro.

¿Está mal alimentado?

- El perro está gordo. En un perro normal las costillas tienen que verse o poderse palpar.

- El perro adelgaza.

- Las heces escasas, negras y fétidas indican que ha comido demasiada carne.

- Las heces demasiado abundantes son signo de que los alimentos que ha comido son de escaso valor nutritivo.

- Las heces de color claro y duras son debidas a una ingestión excesiva de huesos.

- Las diarrea es debida a que el perro ha tomado demasiada leche o una cantidad excesiva de vísceras.

La necesidad de un horario fijo

Es muy importante administrar la comida al perro siempre a la misma hora y en el mismo lugar. De este modo no nos pedirá comida a todas horas.

El comedero no debe estar todo el día a disposición del perro, sino que se le retirará una vez haya terminado de comer. En cambio, siempre tiene que tener a su alcance un cuenco lleno de agua limpia y fresca.

Es necesario que el cachorro se acostumbre a las caricias mientras come, a que se le retire el comedero o a que se le toque la comida. No debe permitirse bajo ningún pretexto que gruña o defienda la comida, por muy gracioso que parezca.

Tampoco se le debe dar agua o comida inmediatamente después de haber corrido durante un buen trecho, realizado un ejercicio intenso o cuando esté muy acalorado. En estos casos habrá que esperar unos minutos hasta que el perro se haya relajado. Sus jadeos no deben tomarse como un síntoma preocupante: tan sólo sirven para recuperar la temperatura normal. Cuando el animal está ya calmado, se le podrá dar un poco de agua para beber.

Si el perro bebe cuando está acalorado o excitado puede sufrir un corte de indigestión o, lo que es peor, una torsión de estómago que podría tener consecuencias fatales.

¿Hay que retirarle el plato si no come?

Si el perro es mal comedor, se le puede dar un margen de quince o veinte minutos. Una vez transcurrido este tiempo, se le retirará el plato, sin darle absolutamente nada más hasta la próxima comida. De este modo, el animal comprenderá que aquella es su comida y que debe comer en momentos determinados del día. No creamos que aplicando esta vía corremos el riesgo de perjudicar al animal por falta de alimento. Los perros no se mueren de hambre si tienen comida. Lo que no haremos bajo ningún concepto es proponerle la alternativa de otro tipo de comida, porque el animal no desperdiciaría la ocasión de hacernos claudicar a sus caprichos.

¿Podemos darle más pienso?

No, ya que propiciaríamos que el animal padeciese de obesidad y sufriría un grave desequilibrio orgánico. Aunque el perro lo pida y nos dé pena, no debemos ceder.

Si el animal se muestra un día inapetente, no habrá que obligarlo a comer. Tal vez se trate de una indigestión. Si la falta de apetito persiste al cabo de tres días, lo mejor será acudir al veterinario.

Los excrementos

Tan problemático es que el perro padezca estreñimiento como diarrea. Ambos trastornos son indicios de una mala alimentación. Observando los excrementos sabremos si un perro está bien alimentado o no, y veremos si tiene parásitos o no. En algunos casos, se puede dejar al perro en ayunas algunos días, sobre todo si se trata de perros sobrealimentados, ya que en esos casos puede haber problemas de indigestión.

Si vemos que el perro come hierba en el jardín, no hay que asustarse. Los perros suelen purgarse con ellas.

En cambio, si vemos que devora sus propios excrementos, se deberá probablemente a un exceso de acidez, provocado por una alimentación con un exceso de carne. También suelen hacerlo los ejemplares que tienen el instinto depredador muy marcado, pues de este modo evitan que sus posibles presas los detecten por el olor. A pesar de que se trata conductas naturales, habrá que llevarlos al veterinario.

Adaptación a la caseta

Si queremos que el perro viva fuera de la casa cuando sea adulto, debemos trasladarlo progresivamente, de manera que no suponga un trauma para el animal. La caseta deberá ser lo más adecuada y cómoda posible según el tamaño del perro. Cuando el animal se va haciendo mayor, se le llevará periódicamente a la caseta para que investigue y reconozca el territorio, procurando siempre que lo considere como un juego. Poco a poco le iremos dejando la comida o algunos de sus juguetes; de este modo, el hecho de permanecer dentro de la caseta no le supondrá ningún problema.

Aunque se instale en su lugar, lo más correcto es que se le permita entrar en la casa y disfrutar de la compañía de la familia, ya que el perro es un animal social por naturaleza y si carece del contacto con el ser humano, se siente aislado e infeliz.

Los accesorios del perro

Aparte de la cesta, la manta, los recipientes para la comida y el agua, el perro necesita otros accesorios como, por ejemplo, el collar, la correa, los cepillos, algunos útiles de aseo, el botiquín básico, el bozal, el transportín y, sobre todo si se trata de un cachorro, algunos juguetes.

El collar

El mercado ofrece una gran variedad de collares. La forma y el tamaño dependen de la raza y de la labor que desempeña el perro (guarda, defensa, tiro, rescate, etc.).

Los hay de nailon, cuero o metal. Los collares de nailon o cuero son muy adecuados para perros de compañía o de caza. Los metálicos, en cambio, suelen utilizarse para los entrenamientos. Se dividen en dos tipos: los de eslabones (estranguladores) y los de púas (de castigo).

Los collares de púas y de eslabones se emplean en determinadas fases de la educación o bien para dominar a perros muy corpulentos, fuertes o de mucho pelaje ya que, en esos casos, los collares de cuero no serían efectivos, pues nos cansaríamos de estirar y no obtendríamos ningún resultado.

Este tipo de collares debe ser de buena calidad. Las puntas de las púas deben estar bien redondeadas y acabadas, porque su cometido no es pinchar ni arañar, sino sólo ejercer presión sobre el cuello del animal.

Por otra parte, los perros que se han acostumbrado a llevar collares metálicos no pueden llevarlos después de cuero, ya que su desarrollo muscular habrá sido mucho mayor y serán menos sensibles a los tirones de corrección. Por ese motivo, lo más recomendable es que el cachorro lleve un collar de cuero hasta el quinto mes, para no impedir su desarrollo muscular y poder trabajar mejor en un futuro.

El arnés

Este complemento no sirve para educar, puesto que el perro aún tirará más del amo si lleva un arnés. Sólo es recomendable para aquellos perros que desarrollan actividades de tiro y únicamente en las sesiones de entrenamiento o durante la competición. El arnés reparte el tirón de la correa por todo el cuerpo del animal y evita, de este modo, que el cuello pueda sufrir algún tipo de lesión. Además, impide que el pelo del cuello del animal se estropee a causa de la fricción. El arnés no debe utilizarse en todos los momentos del día, porque el perro no dejaría de tirar impetuosamente, ya

La correa

Hay muchos modelos de correas en el mercado.

La correa larga, de adiestramiento, tiene un metro y medio de longitud, de modo que permite al perro moverse con libertad, pero sin desmandarse, ya que el adiestrador o el propietario en todo momento tienen la posibilidad de dar un tirón firme para que aprenda a caminar a un determinado compás.

Las correas extensibles, denominadas también «flexis», tienen de diez a quince metros, y son muy adecuadas para las fases de entrenamiento de las órdenes a distancia. Por ejemplo, si un perro no acude a la llamada o tiene intención de huir, podrá ser llamado al orden mediante un tirón. En cambio, no son recomendables para pasear, ya que el perro camina con menos naturalidad y puede enredarse fácilmente. Además, es más difícil recuperarlo en caso de que sea necesario. Lo mejor es educar al perro de manera que pueda andar suelto por el parque y en aquellos lugares donde no moleste a nadie. En la mayoría de municipios es obligatorio que los perros vayan atados. Si no está seguro de que su perro acuda a su llamada inmediatamente, por muchas distracciones que haya, no lo suelte en lugares en los que puede ser un problema. Las correas deben fijarse con mosquetones. Los mosquetones simples son seguros, aunque para abrirlos hay que presionar con el pulgar. Es el más tradicional y simple, pero también el más seguro ya que los mosquetones de tijera se abren automáticamente cuando el resorte se ha aflojado por el uso.

que apenas notaría la resistencia que pudiera hacer el dueño.

Un perro, aunque esté acostumbrado al arnés, debe aprender a ser menos impaciente cuando lleva el collar y la correa. Para ello, el dueño deberá mostrarse enérgico y dar algunos tirones. A los pocos días, habrá aprendido a comportarse debidamente.

Útiles de aseo

Es indispensable un champú especial para perros, ya que el de uso humano, al tener un pH diferente, puede ser perjudicial. En los establecimientos especializados puede encontrarse una amplia gama. Uno de los más recomendables es el que posee efectos desengrasantes y suavizantes.

Si lavamos a nuestro perro en casa, debemos acostumbrarlo desde cachorro.

Los cepillos

La longitud y el tipo de pelo varía según la raza. Algunas, como el Beagle, lo tienen corto y duro y apenas requieren cuidados; otras, como el Galgo Afgano, lo tienen muy largo y exigen unos cuidados casi diarios. Un buen cepillado evitará los enredos, la acumulación de polvo y suciedad y la caída constante de pelos.

En el momento de adquirir el cachorro, no está de más preguntar al criador por los cuidados necesarios. No todas las razas necesitan un cepillado frecuente. De hecho, en algunas, el pelo es tan recio y corto que es imposible que se enrede. El tipo de cepillo debe escogerse según las características del perro. Hay perros que requieren muchos más cuidados que otros: unos se cepillan a diario y otros tienen suficiente con un peinado semanal. Todo depende del pelaje y la raza.

En el mercado existe un sinfín de cepillos (cardas, con púas de distinto grosor y separación, con cerdas, etc.) adaptados a cada tipo de pelo y a cada técnica de trabajo. Uno de los modelos más prácticos es el que permite cepillar por un lado y estirar el pelo por el otro.

También hará falta un buen desparasitador para combatir la presencia de pulgas y garrapatas, un cepillo de dientes, un tubo de pasta dentífrica con acción antisarro, un cortaúñas y todo lo necesario para una buena limpieza de ojos y orejas.

Si se baña al perro en casa, habrá que secarlo enseguida para que no se resfríe ni su pelo huela mal. Por otro lado, sería conviene acostumbrar al animal desde pequeño, ya que de lo contrario no aceptará de buena gana que lo mojen.

Medicamentos

Es preciso tener preparado desde el primer día un botiquín de primeros auxilios compuesto por suero fisiológico, alcohol, agua oxigenada, vendas o gasas, yodo, gotas para las orejas, colirios, vaselina para las almohadillas y una jeringuilla para administrarle los jarabes. Los medicamentos sólo deberán adquirirse por prescripción veterinaria.

Juguetes

El perro juega durante toda su vida, por lo que es conveniente que disponga de algunos juguetes. En el mercado existe una gran variedad de modelos, entre los que procuraremos elegir el más recomendable en función de la raza y la edad del animal. Es conveniente adquirirlos de un tamaño y un material que evite accidentes o reacciones alérgicas. Son muy buenos los huesos de nylon especiales para la limpieza de la boca, ya que además de entretener al animal ayuda a evitar la formación de sarro e impide que muerdan otros objetos. Muchos perros disfrutarán con mordedores o con pelotas tras las que puedan ir corriendo y jugar en cualquier momento.

Bozal

Al contrario de lo que mucha gente cree, su uso no está reservado sólo para perros mordedores. De hecho, conviene emplearlo en situaciones estresantes en las que el animal se pueda sentir intimidado o molesto. Conviene colocárselo cuando acuda a la consulta del veterinario para vacunarse o cuando se deba emprender un viaje. Existen modelos de diversos materiales como tela, nailon o cuero que se ajustan a todos los ejemplares.

La normativa sobre su uso es bastante clara: los perros de razas consideradas peligrosas deben llevar bozal y correa obligatoriamente en lugares públicos. Las sanciones previstas en caso de no acatar la norma van de los 150 a los 1500 euros.

El uso abusivo del bozal (sobre todo en verano) puede provocar problemas respiratorios y de corazón, ya que al inhibir el jadeo impide que el perro regule su temperatura corporal.

Transportín o mochila

Si la mascota es pequeña o todavía es un cachorro, puede llevarse en una mochila o en un transportín. De este modo, se evitan los problemas que podrían causar las aglomeraciones de gente, así como la posibilidad de contraer infecciones y enfermedades cuando el animal todavía no ha completado el ciclo de vacunas. Su uso es bastante cómodo porque permite llevar al perro en los transportes públicos.

Accesorios para el coche

En las tiendas de productos de animales se pueden encontrar muchos accesorios para que el perro viaje más cómodamente:

Redes protectoras que separan la parte trasera del coche de los asientos delanteros e impiden que el perro suba o salte hacia delante.

Mantas especiales que se extienden sobre el asiento posterior y ofrecen al perro un lugar seguro en forma de bañera.

Rejillas de aireación que se aseguran a la ventana abierta y ventilan el coche sin que el perro pueda sacar la cabeza.

Una mochila puede resolver de forma muy práctica el transporte del animal.

La educación

Creando una buena base

Desde el primer día debemos fijar unas normas que queden claras tanto para el cachorro como para el resto de la familia, y que marcarán el comportamiento del futuro perro adulto.

> Produce una inmensa tristeza pensar que la naturaleza habla mientras el género humano no escucha.
>
> VÍCTOR HUGO

Los primeros paseos

Es aconsejable que antes de dar el primer paseo por la calle se haya paseado al cachorro por la casa, estimulándolo con palmaditas o palabras para que siga nuestros pasos por sí mismo, sin forzarlo. De este modo aprenderá a seguir a su amo de manera natural.

El uso del collar y la correa es siempre traumático. Al perro le gusta correr a sus anchas, y

Desarrollo físico y psicológico

Los veterinarios recomiendan no sacar el perro a la calle hasta que no se le han practicado todas las vacunas. Se trata de un momento un tanto delicado, pues aunque puede contraer una enfermedad, no puede retrasarse su proceso de aprendizaje (imprinting o 'impronta').

La mejor solución consiste en llevar el perro en brazos o en un capazo, de manera que reconozca el medio y se acostumbre al ruido, los coches y los olores, pero no corra el riesgo de sufrir infecciones. El hecho de salir de casa es vital para el desarrollo del cachorro y la formación del carácter.

tanto el uno como la otra le resultan muy molestos. La mejor manera de que se acostumbre a ellos consiste en ponérselos desde los primeros días. Si el cachorro recibe su collar tan pronto como entra en su nueva casa, lo considerará como un elemento propio y lo aceptará sin mayores problemas.

La correa requiere un poco más de paciencia. Es recomendable empezar a utilizarla una o dos semanas antes de salir a la calle por primera vez. El perro debe acostumbrarse con tiempo al uso de la correa, ya que de lo contrario podría resistirse a caminar en la dirección deseada. Si por culpa de un error en nuestra forma de proceder el perro la asociase con una sensación desagradable, acabaría por tenerle miedo y sería imposible llevarlo a pasear con ella.

Para evitar estas situaciones, habrá que acostumbrarlo jugando con él y con palabras de aliento y felicitación. No debemos permitir que la mordisquee, porque esto puede convertirse en un vicio muy molesto y difícil de erradicar, sobre todo si el perro se ha acostumbrado a caminar por la calle dando saltos y jugueteando con ella.

animal agresivo, ya que el temor a ser mordido origina una poderosa respuesta de autodefensa.

Un paseo no es dar la vuelta a la manzana a toda prisa, ni tampoco sacar al perro al jardín. Para su equilibrio psíquico, el perro precisa recibir nuevas impresiones y estímulos, lo que sólo se produce si pasea. Además, los perros machos y algunas hembras de alto rango necesitan marcar el terreno para establecer la conciencia que tienen de sí mismos.

¿Y si el perro ya no es un cachorro?

Cuando compramos un perro de más de cinco o seis meses y aún no está acostumbrado al uso de correa, ni a los ruidos y al tráfico de la ciudad, hay que ser conscientes de que requerirá mucha más atención que si fuera un cachorro.

La adaptación debe hacerse como si fuera un cachorro, si bien en este caso el aprendizaje será más lento y el animal seguramente se mostrará más tímido a causa de su tardía inserción en el entorno.

El adiestramiento previo no será demasiado complicado, aunque el animal puede mostrarse mas reticente a obedecer. En algunos casos, además, habrá que recurrir a un psicólogo canino o a un educador profesional.

Jugando con la correa se intentará que el cachorro se sienta cómodo con ella y la considere un objeto para relacionarse con su amo, nunca como un elemento opresivo. No olvidemos que el objetivo final es lograr que relacione la correa con el juego y con las salidas.

¿Adónde ir?

En principio debemos ser precavidos y no llevarlo a zonas donde encuentre más perros, ni dejar que se acerque a excrementos, orines o basuras, ya que su sistema inmunológico todavía no está desarrollado y puede contraer alguna infección. Tampoco hay que dejar que coma lo primero que encuentra por el suelo. Puede olisquear los objetos, pero no lamerlos ni morderlos. Desde el primer paseo debe quedar claro qué se le permite y qué se le prohíbe.

No debemos dejar que el cachorro se acerque demasiado a otros perros sin saber si son sociables, pues podría asustarse y convertirse en un animal tímido; si lo atacan podría sufrir algún tipo de trauma que podría convertirlo en un

El cambio de hábitat

Los animales son mucho más sensibles a los cambios que los seres humanos. Si el perro siempre ha vivido en el campo, se adaptará mejor a un entorno similar, como una casita en las afueras, un pueblo o lugar tranquilo.

En la mayoría de los casos un cambio brusco es desastroso para nuestra mascota. De todos modos, tengamos en cuenta que no es lo mismo llevarse un cachorro a casa que un perro más crecido.

Las deposiciones

Una de las cuestiones que más preocupa a los propietarios de animales domésticos es cómo evitar que les ensucien toda la casa con sus deposiciones.

La mejor manera de solventar este problema consiste en dar al perro una alimentación equilibrada y seguir un horario estricto. Si los excrementos son demasiado blandos, deberemos reducir la cantidad de comida hasta que vuelvan a ser compactos y viceversa.

Es importante asegurarse de que no tengan parásitos; en el caso de que los hubiese, habría que acudir al veterinario, pues podrían perjudicar el crecimiento del cachorro.

Lo más efectivo y cómodo consiste en guiar al pequeño para que haga sus necesidades en el papel de periódico. Aunque al principio puede causarle una pequeña confusión, es lo más eficaz, porque es posible que el cachorro se haya acostumbrado a ello en el criadero o en la tienda de animales. Quien adquiera un perro dispone desde el principio de un objeto de relación:

una hoja de papel de periódico. Siempre que el perro lo vea en algún lugar, lo asociará con sus deposiciones. No obstante, conviene vigilarlo, ya que es posible que no siempre lo haga allí. Habrá que guiarlo, pues la superficie de la casa será mucho mayor que la del establecimiento donde se ha adquirido.

El sitio donde debe hacer sus necesidades será siempre el mismo. Allí es donde lo llevaremos después de las comidas, después de beber, al despertar por la mañana, y después de haber corrido y jugado durante un cierto tiempo.

Es imprescindible premiar al cachorro cuando haga sus necesidades en el lugar previsto. Si va hacia otro sitio, habrá que indicarle que se equivoca mediante un «¡no!» enérgico.

Ésta es, sin duda, la mejor manera de enseñar al perro las normas de aseo. El problema es que hace falta estar pendiente del perro durante todo el día; algo prácticamente imposible si el propietario trabaja o tiene otras responsabilidades.

Este método puede ponerse en práctica hasta los seis años, pero a partir del tercero es más difícil y costoso.

Una buena norma es dar de comer al perro siempre a las mismas horas. El tiempo disponible será limitado. Una vez que se haya cumplido, se le retirará la escudilla. A continuación, se sacará el perro a la calle, y cuando haya hecho sus necesidades, lo felicitaremos con entusiasmo y volveremos a casa. Los excrementos se recogen con una bolsa o un guante de plástico y se tiran a la basura.

Hacer que el perro no sea mal visto por el resto de ciudadanos acabará redundando en su propio beneficio y en el de los amantes de los animales. Por otro lado, dejar los excrementos del perro en la vía pública puede ser sancionado por las autoridades municipales con una multa de 60 euros.

El paseo no debe durar más de unos quince o veinte minutos, ya que de no ser así se correría el riesgo de que el perro no se diera cuenta del propósito de la salida.

Cuando los propietarios deben ir a trabajar, tendrán que sacar al perro antes de marcharse. Al volver, le darán la comida y el agua, y lo llevarán a pasear. Por la noche, antes de dormir, conviene sacarlo de nuevo (esta vez en ayunas) para que orine y libere los intestinos.

Hay que procurar que las salidas se realicen cada tres horas. Por lo general, el perro no puede retener la orina más de seis. Durante los primeros días es posible que el animal no se atreva a hacer sus necesidades fuera de casa. Con el paso del tiempo, se sentirá más seguro y se aliviará sin ningún problema. Todo aprendizaje requiere un tiempo y una rutina.

Existen otros métodos para enseñarle a evacuar. Sin embargo, el ritmo de vida actual es tan exigente, que se hace casi imposible cumplirlos al pie de la letra. Lo mejor es acomodar el programa de trabajo a nuestras obligaciones diarias y a las necesidades del cachorro.

A medida que el cachorro va creciendo hay que enseñarle que no se le permite hacerlo en casa, pero sí en la calle.

¿A qué edad es aconsejable comenzar?

Cuando el cachorro haya cumplido dos o tres meses, deberá comenzar a conocer las inmediaciones de la casa donde vive. A partir del cuarto mes de edad, caminará con más seguridad y el dueño podrá llevarlo al lugar donde deberá hacer sus necesidades (un árbol, el césped, la tierra, etc.).

Cómo guiarlo

Inicialmente, cubrimos la habitación de periódicos y poco a poco iremos quitando el papel. Así, el cachorro buscará su rinconcito.

Para lograr que vaya hasta la puerta y relacione el hecho de hacer sus necesidades con la calle, cubriremos con periódicos el lugar elegido hasta la puerta y cada día quitaremos papel hasta que sólo le quede un pequeño trozo junto a la puerta y fuera de la misma, para que relacione la acción de orinar con la salida de casa. Una vez llegados a este estadio, cuando veamos que se dispone a defecar lo cogeremos inmediatamente y lo llevaremos corriendo al árbol, en donde extenderemos papel de periódico. Cuando haya hecho sus necesidades, lo felicitaremos efusivamente. Poco a poco iremos disminuyendo el tamaño del periódico hasta que, por asociación, aprenda que lo que estamos premiando es el hecho de defecar fuera.

¿Qué hacer si el perro asocia incorrectamente el lugar de las necesidades?

No todos los perros aprenden con la misma rapidez. En algunos casos, les cuesta saber qué se espera de ellos. En más de un caso, tras pasear sin éxito al perro por todo el barrio el dueño ha visto cómo, nada más llegar a casa, se ha dirigido a sus hojas de papel y ha hecho en ellas sus necesidades. El comportamiento no es en absoluto incorrecto: simplemente demuestra que el perro no sabe que debe cambiar de lugar.

Esta situación hace que hasta el dueño más sereno pierda la paciencia. Sin embargo, este problema no debe achacarse a ninguna deficiencia o trastorno alguno del animal, que no ha asociado aún el nuevo lugar con el hecho de hacer sus necesidades. Para solucionar este molesto problema hay que volver a comenzar.

Errores más frecuentes

Reñir al perro fuera de tiempo de la acción es inútil, innecesario y provocamos una desconfianza o miedo.

Cuando defeca en algún lugar incorrecto no debe meterle el hocico en los excrementos al tiempo que le riñe, ya que le afecta psicológicamente y no solucionamos nada. Además, el cachorro puede efectuar una asociación de ideas equivocada, como por ejemplo pensar que queremos que se los coma.

En primer lugar, procuraremos que el perro no se mueva demasiado después de comer. Conviene tenerlo atado a corta distancia (medio metro será suficiente), de manera que permanezca al lado de su dueño o en su capazo. Ningún animal es lo suficientemente dejado como para hacerse las necesidades encima, a menos que sufra un trastorno psicológico provocado por un castigo demasiado severo.

Si el cachorro tiene menos de seis meses deberemos vigilar muy bien el tiempo que permanece atado. A esta edad, los perros no pueden aguantarse durante más de dos o tres horas. Si está más rato, acabará por aliviarse en su propio capazo y existe el riesgo de que se convierta en un animal sucio.

Al cabo de un tiempo prudencial (unos quince o treinta minutos), el dueño deberá sacar al cachorro a la calle para llevarlo al sitio donde deberá hacer sus necesidades.

Si el perro responde correctamente, lo felicitará muy efusivamente, aun a riesgo de exagerar. En caso contrario, si al cabo de media hora o tres cuartos no ha hecho nada, habrá que volver a casa y atarlo en corto de nuevo. El proceso habrá que repetirlo hasta que dé buenos resultados.

Las salidas deben realizarse al menos cinco veces al día. Según el perro y la disponibilidad del dueño, la labor durará más o menos tiempo. De todos modos, es muy importante que las primeras veces el cachorro haga sus necesidades en el mismo lugar para que su asociación sea efectiva.

Por lo general, a partir de los seis o siete meses de edad, el perro ya se habrá acostumbrado.

El cachorro solo en casa

Desde el primer día que entra en casa el cachorro tiene que darse cuenta de que unas veces se está solo y otras acompañado. Así aprenderá a estar solo en casa. Si se pasa todo el tiempo acompañado, considerará que es lo normal y, cuando tengamos que ausentarnos bastantes horas, no se acostumbrará. No sólo se encariñará demasiado con su amo, sino que establecerá con él una relación de dependencia que le impedirá madurar. En estos casos, cuando el perro se queda solo, no es extraño que haga sus necesidades dentro de casa o cause algún destrozo importante llamar la atención.

Si no se lo acostumbra gradualmente a la soledad, se provoca un daño psicológico muy grave, con consecuencias lamentables.

La primera vez que lo dejemos solo en casa tendremos la precaución de que sea de día y el animal esté en una zona iluminada (con luz natural o dejando las lámparas encendidas), con la radio o el televisor en marcha a un volumen bajo para que se sienta acompañado. No estará de más colocar en el capazo una camiseta vieja o cualquier otro objeto que pueda recordarle a su amo.

Debemos acostumbrar
al perro a la soledad
de forma progresiva
para no provocarle
daños psicológicos.

Los estímulos
Cómo sacarles partido

Existe una gran variedad de estímulos que pueden aplicarse durante el proceso de entrenamiento. Ordenados según su uso o efectividad, son los siguientes:

> La mayoría de los perros no piensan que son humanos, saben que lo son.
>
> JANE SWAN

• **Palabras.** Deben ser sonidos enérgicos, pero sin levantar excesivamente el tono de voz, ya que de lo contrario el perro no distinguiría los castigos de las felicitaciones. Las órdenes orales son las más empleadas en la educación o el adiestramiento.

• **Sonidos o gestos con las manos.** Se usan tanto para animarlo como para llamar la atención. En ciertas ocasiones, sustituyen a las órdenes orales.

Reforzar las órdenes con gestos es muy útil cuando se está a una cierta distancia. Por ejemplo, si al dar la orden «¡suelo!» se realiza un gesto de la mano hacia abajo, al cabo de un tiempo el perro se echará sin necesidad de mediar palabra. Ocurre lo mismo con la orden «¡al lado!» o «¡aquí!»: basta que vea que su dueño se da unas palmadas en la cadera y el perro obedece. La comunicación gestual es muy útil en el caso de perros con deficiencias auditivas.

• **Olores.** Son fundamentales para el entrenamiento canino, sobre todo para técnicas de rastreo y caza. También dan buenos resultados con perros ciegos, ya que son un complemento muy útil de las órdenes orales y el contacto físico.

• **Silbato.** Aunque suele utilizarse para el adiestramiento, no es tan útil como los collares de impulsos eléctricos a distancia o la voz humana. El silbato silencioso, o galton, es de uso profesional y tiene algunos inconvenientes. Por ejemplo, un perro entrenado con silbato podrá recibir las ordenes de otras personas. En el caso de que el adiestramiento se haya realizado con un silbato silencioso y este se extravíe, habría que comenzar de nuevo, ya que es difícil reproducir la frecuencia de sonido con la que el perro ha sido condicionado.

La recompensa y el refuerzo de las órdenes

Hay refuerzos positivos (comida, juego, ratos libres) a los cuales el perro responde para obtener algo, y los hay negativos (reprimendas, tirones de correa, ruidos secos) que sirven para indicar situaciones molestas o inadecuadas.

Son aconsejables las recompensas y refuerzos siguientes, ordenados según la calidad de la respuesta.

El juego

Es uno de los refuerzos más naturales y positivos que puede haber en la comunicación entre el amo y el perro.

El juego con el perro es algo que debe existir desde que el cachorro entra en casa. Ahora bien, jugar con el perro no significa luchar con él cuerpo a cuerpo, ni dejarle morder constantemente, ni provocarle para que muerda, pues de este modo se estimula la agresividad y se crea un vicio que en el futuro será muy difícil de controlar.

Lo más adecuado es jugar con un objeto, ya sea una pelota, un muñeco de goma o cualquier otra cosa que atraiga a nuestra mascota y con la que no pueda hacerse daño. Si se usa una pelota, no debe utilizarse cerca de vías transitadas por coches, por el riesgo de que, persiguiéndola, se baje de la acera.

Los profesionales recomiendan que la pelota o el juguete empleado como recompensa sólo se utilice cuando se vaya a trabajar con el perro. Al finalizar la sesión de ejercicios y juegos hay que guardar el objeto hasta la próxima sesión. De este modo el perro tendrá más ganas de salir y estará más predispuesto a aprender la lección.

Procediendo de este modo, se estimula el instinto de caza y la posesividad, de manera que la consecución del objeto se hace imprescindible.

Es importante tener claro que sólo jugaremos con el perro si cumple lo exigido correctamente. Por ejemplo, si en el parque ordenamos al perro que se siente, en cuanto lo haga, lo soltaremos y le daremos la pelota o el juguete como

El juego es una de las mejores formas de estímulo.

recompensa. De este modo, obtendrá un doble refuerzo: libertad y juego.

Si al recoger el objeto se dirige inmediatamente hacia nosotros, habrá que tirarle de nuevo la pelota a modo de recompensa. Por medio del juego, el perro aprenderá a comportarse con una rapidez increíble.

Usar dos juguetes (motivadores o pelotas) es de gran utilidad a la hora de enseñarle a soltar la presa, ya que para obtener el segundo objeto deberá soltar el primero, con lo cual aprenderá a soltar presa cuando el amo se lo ordena.

En los casos de perros muy posesivos, es importante acostumbrarlos a que entreguen el objeto sin ofrecer resistencia. Nunca hay que intentar quitárselo, ya que suelen cerrar más la boca y en algunos casos pueden morder accidentalmente un dedo.

Lo mejor es que el juego se realice siempre en un espacio abierto para evitar que el perro quiera jugar en casa. De este modo, el dueño será siempre quien decida cuándo y dónde se juega.

La libertad

En el caso de que el perro no esté acostumbrado a correr, soltarle la correa puede ser un alivio enorme. Es fácil entender su entusiasmo cuando nos preguntamos qué significa la libertad para nosotros.

Utilizar este refuerzo como recompensa es fundamental si se desea lograr un buen resultado en el adiestramiento y, sobre todo, en la comunicación. De hecho, conviene recurrir a él directa o indirectamente.

La comida

Sólo puede utilizarse como recompensa cuando el perro tiene apetito. Al comienzo del ejercicio, conviene que el perro esté en ayunas durante veinticuatro horas, y sólo recibirá comida si durante el ejercicio se comporta tal como queremos.

Es importante que durante la práctica no le mostremos la comida. Para él debe ser una sorpresa. Por ejemplo, si al dar la orden «¡senta-

do!» la respuesta del perro es lenta, lograremos que reaccione más rápidamente si al acabar le damos la golosina. Repitiendo el proceso las veces que sea necesario obtendremos más atención por parte del perro.

No es conveniente utilizar este sistema si el perro tiene poco apetito o si, por el contrario, es goloso en exceso, ya que nos pediría constantemente comida por cualquier cosa.

Utilizando la comida como premio se consigue mucha rapidez y atención en el entrenamiento. Sin embargo, es un recurso de doble filo, ya que se corre el riesgo de que el perro no obedezca si no se le ofrece comida a cambio.

Cómo se dan las órdenes

Debemos pronunciar las órdenes siempre en un tono enérgico y decidido, pero sobre todo sin gritar ni tampoco repetirlas con otro tono o utilizando una palabra diferente, ya que ocasionaría asociaciones incorrectas. Por ejemplo, si le gritamos al perro «¡suelo!» y no se tumba, repetimos la orden con un tono más alto, y al final acabamos gritando o diciéndole «¿qué te he dicho?», el perro no sabrá cómo actuar. En algunos casos, incluso, podrá asociar la acción a la última orden («¿qué te he dicho?») en lugar de la primera.

En el caso de que deba repetirse la orden dos veces, habrá que hacerlo con el tono de voz adecuado o incluso un poco más bajo. No hay que preocuparse: el perro nos oirá perfectamente. No obstante, lo idóneo sería no decir nada más, ya que a una orden debe seguir una acción.

A la hora de comenzar las sesiones de adiestramiento, debemos ser conscientes de que el

perro se orienta por nuestro tono de voz, no por el significado de nuestras palabras.

Es recomendable utilizar siempre la palabra «bien» para felicitarlo y «mal» o «no» para reñirlo, aunque también da buenos resultados prodigarle algunas caricias, no hacerle caso o manifestarle nuestro rechazo si no actúa correctamente.

Si para castigar o reñir a nuestro perro cuando tiene un mal comportamiento (gruñe, ladra o amenaza a otros animales) utilizamos frases como «guapo, pórtate bien, ¿eh?», el perro seguramente interpretará por nuestro tono que lo estamos felicitando y que su acción es correcta y, en consecuencia, fomentaremos esa conducta. Lo mejor en esos casos es proferir un «¡no!» seco o bien dar un tirón a la correa.

Algo similar ocurrirá cuando recibamos una visita. Si el perro le gruñe, de poco servirá que lo tranquilicemos diciendo «tranquilo, es un amigo», porque al no entender el significado creerá que lo felicitamos. Con un simple «¡no!» el animal tendrá bien claro lo que no debe hacer.

El adiestrador
Qué método nos conviene

El adiestramiento fuera de casa es uno de los métodos más frecuentes, pero no siempre es la mejor opción. El entrenamiento en una residencia especializada, por muy completo que sea, no asegura que el perro se comporte correctamente en su propia casa, con su amo y en el entorno habitual. Hay que tener en cuenta, además, que esta modalidad de trabajo comporta una gran desventaja para el propietario, pues no interviene en el proceso formativo del animal y pierde la posibilidad de establecer una relación más estrecha con él. Tampoco se tiene constancia de los métodos que se han utilizado. En algunos casos, el entrenamiento puede ser demasiado forzado o agresivo (por lo general, los cursos suelen ser intensivos) y el perro no responde como debería, ya que no todos los animales poseen la misma capacidad de asociación.

Por otra parte, debemos pensar en la situación traumática por la que pasa nuestra mascota al desplazarla de su medio habitual y dejarla sola en un lugar desconocido y, desde su punto de vista, hostil en la medida en que sólo recibe exigencias y órdenes de desconocidos.

Las únicas ventajas que tiene este método serían tal vez la comodidad (puesto que no debemos dedicar demasiado tiempo al adiestramiento del perro) y un resultado mínimo garantizado.

> Un perro bien adiestrado no intentará compartir tu comida. Simplemente logrará que te sientas tan culpable que no podrás disfrutarla.
>
> HELEN THOMPSON

Entrenamiento a domicilio o personalizado

Muchos adiestradores, entre los que me incluyo, consideran que lo más adecuado es desplazarse al domicilio del propietario para realizar el entrenamiento del perro. Personalmente he llegado a esta conclusión tras casi veinte años de experiencia y dedicación al estudio del comportamiento canino, las técnicas de educación y la corrección de desviaciones de conducta.

Cuando vamos a educar un perro o a tratar un problema específico, lo más importante es ver cómo es su hábitat, cómo son sus dueños, qué ritmo de vida llevan y cómo se comporta en su medio habitual. Es muy útil conocer a fondo el entorno del perro.

Con el entrenamiento a domicilio se logra que sea el amo quien lo eduque, siguiendo las indicaciones y correcciones del profesional.

El amo debe asumir su papel de líder y aprender a sacar partido de las cualidades de su perro y a corregir los vicios de comporta-

El entrenamiento debe adaptarse al carácter del animal.

miento que haya podido adquirir. La implicación del dueño en el adiestramiento no sólo es conveniente para conocer mejor a su mascota, sino también para asegurarse de que el animal sólo le obedecerá a él y a los otros miembros de la familia.

De hecho, las clases están dirigidas al amo y los conocimientos que adquiere se reflejan en la conducta de su mascota, que aprenderá con más rapidez si ve que su adiestrador está muy animado.

En este tipo de entrenamiento, el tiempo es *ilimitado*. El propietario debe trabajar hasta que consiga los resultados esperados. Desconfiemos cuando un adiestrador se compromete a realizar

el trabajo en un tiempo relativamente corto (unos dos meses, por ejemplo), ya que nadie puede predecir a ciencia cierta la evolución del entrenamiento. Las sesiones deben adaptarse al carácter del animal y a la disponibilidad del propietario.

Una vez finalizado el adiestramiento, el amo estará capacitado para obtener un mayor rendimiento de su perro y podrá plantearse la posibilidad de realizar —con dedicación y constancia— aprendizajes más complejos. No olvidemos que nuestro fiel amigo sólo espera nuestra aprobación y hará todo aquello que le pidamos, siempre y cuando le dediquemos el tiempo y el cariño suficientes.

QUÉ MÉTODO NOS CONVIENE

Material de entrenamiento

Si finalmente hemos decidido educar al perro por cuenta propia, deberemos asesorarnos en nuestra tienda habitual o, mejor todavía, consultando con algún profesional del sector, sobre el material más adecuado para el adiestramiento.

Si, por el contrario, preferimos solicitar los servicios de un educador especializado, será él mismo quien nos orientará o nos proporcionará el material básico necesario (correa y collar de adiestramiento, cuerda larga, juguetes, etc.).

Trucos y material para corregir conductas

A continuación veremos una serie de trucos que suelen utilizarse para disuadir a un perro de una determinada conducta. Pueden utilizarse cuando se considere oportuno. No obstante, alguno de ellos puede crear otros problemas, por lo que recomendamos valorar bien lo que hacemos y cómo lo hacemos.

Petardos

Los petardos se utilizan a veces para corregir conductas agresivas o destrozos en casa, por ejemplo. Su finalidad es distraer la atención del perro, asustándolo, para que no continúe con la acción indeseada. Este sistema puede ser efectivo para eliminar la conducta no deseada, pero seguramente tendrá como consecuencia el pánico a los ruidos secos: petardos, golpes fuertes, tormentas…

• **Valoración**. No es un método aconsejable porque provoca un miedo excesivo a los ruidos secos, sobre todo si hemos abusado.

El primer día como adiestrador

Una escena bastante frecuente es ver que un perro arrastra a su amo por la calle. La culpa de ello es no haber sabido corregir a tiempo este vicio, quizá por falta de dedicación o por exceso de permisividad.

Sea como fuere, pocos amos llevan a su perro en una posición correcta, a su lado y sin tirar de la correa.

Para empezar, los instrumentos imprescindibles son la correa y el collar de adiestramiento. La correa de entrenamiento es de nailon o de cuero, mide aproximadamente un metro y medio, y se puede poner en distintas posiciones con el mosquetón para trabajar mejor, según cual sea nuestro objetivo.

El collar depende de la fuerza del perro. Normalmente se utiliza el collar metálico de eslabones corredizo, pero si nuestro amigo se ha convertido en una «máquina de tirar» a pesar de la fuerza que podamos ejercer, no quedará más remedio que usar el collar de castigo (metálico de púas romas).

Una vez tengamos el material de entrenamiento, procuraremos que nuestra vestimenta sea lo más cómoda posible: un chándal o ropa que no nos importe ensuciar, y unas zapatillas deportivas o zapatos cómodos cumplirán perfectamente la función.

No olvidemos tampoco la recompensa: un juguete o comida que el animal encuentre apetitosa (galletas, por ejemplo) que llevaremos en el bolsillo o en una mochila, fuera de la vista y del olfato del animal.

Durante los tres o cuatro primeros días no empezaremos directamente con los ejercicios, ya que es recomendable que el perro no note un cambio en nuestra actitud. Saldremos de paseo, como siempre, para que se habitúe al collar y a la correa nuevos, de modo que no le provoquen desconfianza o miedo.

Ciertos juguetes pueden utilizarse como material de entrenamiento.

Collar electrónico a distancia

Son collares especiales de entrenamiento profesional. Transmiten impulsos eléctricos, graduables según la sensibilidad del animal.

Dan excelentes resultados, pero deben ser usados exclusivamente por profesionales o bajo supervisión del entrenador o educador. Utilizados por manos inexpertas podrían provocar un desastre.

Sólo se emplean en casos muy concretos, especialmente para el control de perros muy agresivos o dominantes. Evitan enfrentamientos directos y posibles mordeduras en el período de la reeducación. Es muy importante que se gradúe de acuerdo con la sensibilidad del perro, para que el impulso simplemente le desconcierte o le sor-

prenda, pero sin que llegue a asustarlo en exceso. A veces sólo se usa el sonido y la orden.

• **Valoración.** Ofrece buenos resultados en casos en los que no han funcionado otros tratamientos, para perros muy dominantes con tendencia a la agresividad y para diferentes fases de entrenamiento profesional (por ejemplo, cuando se dan órdenes a distancia). No debe emplearse con perros muy sensibles o tímidos.

Sifón

Sirve para distraer al perro en el momento oportuno. El sifonazo provoca sorpresa y el perro no lo relaciona como castigo directo nuestro. En general da buenos resultados si se utiliza con la orden adecuada, siempre en el momento en que se produce la situación que queremos eliminar y sin abusar.

Un caso que puede servir de ejemplo es el perro que roba de la basura. Lo observaremos sigilosamente, y cuando veamos que está tocando la basura o entrando en la cocina (si lo tiene prohibido), primero le proferiremos un «¡no!» enérgico, y seguidamente mojaremos al perro ligeramente. El perro se quedará tan sorprendido que interrumpirá la acción. Repetiremos la acción cuantas veces lo sorprendamos, hasta que el perro desista de su comportamiento.

• **Valoración.** Es eficaz y no provoca daño psicológico, se basa más en la sorpresa que en el miedo.

Manguera

Algunos adiestradores aconsejan mojar al perro con un chorro a presión de manguera para di-

suadirlo de ladrar o de llorar. En algunos casos da resultado, pero el animal puede resfriarse o desarrollar fobia al agua.

• **Valoración.** No aconsejamos este recurso, especialmente si el animal pasa muchas horas al aire libre y es todavía un cachorro. La cantidad de agua es excesiva, por lo que nos inclinamos por el recurso de un ligero golpe de sifón, acompañado de la orden «¡no!» pronunciada con firmeza.

Bocina

Se suele emplear en casos de perros agresivos y en acciones como ladrar, tirar de la correa, etc. Generalmente se trata de una bocina de aire comprimido o una bocina de aire potente.

• **Valoración.** No es del todo recomendable, ya que provocará miedo a los ruidos fuertes que se le parezcan: bocinazos de los automóviles, las sirenas de los bomberos o de la policía…

Botella de plástico vacía

Consiste en tirar la botella de plástico cerca, haciendo ruido para distraer la atención del perro.

• **Valoración**. Si se aplica correctamente da muy buenos resultados y no repercute negativamente en otros comportamientos. La botella le sorprende, pero no lo asusta demasiado, de manera que la impresión tampoco es fuerte.

Latas con piedras o monedas

Se emplea exactamente igual que en el caso anterior, pero el ruido es más chocante para el perro.

• **Valoración**. Consigue un efecto más rápido que cuando usa la botella de plástico, aunque no es muy aconsejable para perros muy miedosos o asustadizos.

Collares antiladrido y de ultrasonidos

Existen varios modelos de collares antiladrido. Se activan mediante la vibración de la cuerdas vocales. Sólo son recomendados en casos extremos, cuando otros métodos no han dado resulta-

Métodos de corrección

El objetivo de los métodos descritos es sorprender justo lo necesario, pero sin asustar demasiado, para que cese la acción. El propósito es lograr que se respeten nuestras órdenes.

Todos los sistemas explicados se basan en acciones que no son directas. La principal ventaja es que nuestras mascotas no asocian el «castigo» con el amo, con lo cual no se pierde el grado de fidelidad de un perro que siempre buscará la protección en el amo.

dos, y deben ser controlados por un profesional. Los collares de ultrasonidos son collares especiales de entrenamiento, en general aptos para todo tipo de perro. Como en el caso anterior, son de uso profesional, para determinadas fases de entrenamiento. No sirven para corregir problemas de agresividad.

• **Valoración**. Dan muy buenos resultados, pero no se debe abusar de ellos.

El entrenamiento
Todo lo que debemos saber

> La humanidad se siente atraída por los perros porque son como nosotros: torpes, afectuosos, aturdidos, propensos a la desilusión, ansiosos por divertirse y agradecidos a las amabilidades y al menor signo de atención.
>
> PAM BROWN

El dueño debe ser consciente de que el perro no sólo debe obedecer todas sus órdenes, sino también colaborar en las tareas propias de la casa. En la medida en que es un animal social, debe ocupar un lugar en su manada y realizar ciertas funciones como, por ejemplo, la guarda de la propiedad.

No obstante, antes de comenzar con el programa de adiestramiento, habrá que educar al perro.

A unque la mejor solución sería que el perro se empezara a pre-educar nada más llegar a casa, se puede esperar hasta que haya cumplido cuatro o cinco meses, ya que a partir de esta edad comienzan a surgir los primeros problemas. Un cachorro requiere tanta atención como un niño pequeño, en el sentido de que debe ser vigilado y corregido constantemente.

El idioma para comunicarse con el perro

Ninguna lengua es mejor que otra para el adiestramiento del perro. Es una cuestión de gusto, comodidad o costumbre. Un perro aprenderá a obedecer tanto si se le habla en japonés como en inglés. Todos los idiomas son igualmente válidos, ya que el animal no entiende lo que se le dice, sino que asocia unos sonidos determinados a un comportamiento. No obstante, ciertos adiestradores recurren al alemán o al inglés por su brevedad y contundencia, ya que muchas órdenes pueden darse con voces monosilábicas.

Hay que tener en cuenta que los perros no entienden las palabras largas o complejas: sólo captan las sílabas o sonidos finales y la entonación. Por ejemplo, un perro que lleve por nombre «Alf» también responderá a «Ralf». Por tanto, no es aconsejable asignar nombres excesivamente largos o complicados. Es preferible que tengan una o dos sílabas.

Las equivalencias del cuadro de la página siguiente son orientativas. Si se desea, pueden utilizarse otros términos, pero habrá que asegurarse de que el perro los interprete con la misma facilidad. Solamente hay que utilizarlos cuando se pretende que el perro realice una acción determinada. Aunque el animal puede asociar perfectamente dos o tres palabras para una orden concreta, es más eficaz emplear siempre las mismas órdenes para que los resultados sean óptimos.

Existe un conjunto de reglas que el propietario o el adiestrador nunca debe olvidar. A grandes rasgos, son las siguientes:

• Independientemente de que se trate de un perro apático, bonachón o dominante, no se puede ceder a sus deseos.
• Hay que mostrarse tranquilo en todo momento, sin irritarse.
• Se debe emplear siempre el mismo tono de voz, sin gritar.
• Las órdenes, gestos y palabras han de ser siempre los mismos para que el perro no se confunda.

Educación y adiestramiento

Muchos propietarios emplean indistintamente los términos «educación» y «adiestramiento» para referirse al proceso de aprendizaje del cachorro. Sin embargo, no son sinónimos. La educación consiste en hacer que el cachorro interiorice las conductas fundamentales que le permitan formar parte del grupo. Comprende, por una parte, el «imprinting» o socialización primaria (tarea de la que se encarga la madre) y, por otra, la «adaptación» al medio humano, en donde intervienen los propietarios. Durante esta primera fase, el cachorro aprenderá qué lugar le corresponde dentro de la jerarquía de su grupo, así como las normas de comportamiento e higiene básicas (respetar y obedecer al líder, comer a ciertas horas, orinar y defecar fuera de casa, etc.). El adiestramiento, en cambio, comprende unos conocimientos más especializados que capacitan al animal para desarrollar ciertas funciones (caminar de la correa, responder a unas órdenes concretas, etc.).

• Es fundamental tomarse el trabajo con calma, pues la comunicación con el perro exige paciencia e interés por conocer sus limitaciones y su manera de comportarse.
• Las órdenes deben darse siempre asociadas a un estímulo, a fin de crear reflejos condicionados.
• Hay que felicitar o reprender al perro cuando sea necesario, pero sin excederse: recurriendo a los castigos y a la crueldad sólo se consigue que el animal obedezca por miedo.
• Las sesiones de aprendizaje deben ser cortas para que el perro no se canse.
• Antes de dar una orden, hay que pronunciar el nombre del perro para llamar su atención.

Además de estas indicaciones, es preciso mostrar dedicación y entusiasmo. Es la única manera de implicar al perro en los ejercicios y hacer que el trabajo sea más agradable.

Órdenes e idioma

Español	Alemán	Inglés
Junto	Fuss	Heel
Sentado	Sitz	Sit
Suelo	Platz	Down
Aquí	Komm	Come
Quieto	Bleib	Stay In
Libre	Frei	Free
Atento	Achtung	Attention
Alto	Auss	Stop

Órdenes básicas

Para enseñar las órdenes, habrá que aprovechar, si es posible, las acciones que el perro ya realiza (ésta es la base del denominado «método natural»). De este modo, cada vez que el animal realiza por iniciativa propia la acción deseada, se le da la orden o se pronuncia la orden que queremos. Por ejemplo, cuando el perro se siente espontáneamente, lo felicitaremos diciéndole «¡sentado, muy bien!».

También puede modificarse la conducta de manera natural, estimulándolo con comida después de haberlo dejado 24 horas en ayunas. Una buena manera de hacerlo consiste en conseguir que se alce sobre las dos patas traseras mientras lo atraemos con una golosina y le damos la orden «¡arriba!» con convicción.

¡Junto! (Fuss!)

El objetivo principal de este ejercicio es lograr que el perro pasee a nuestro lado sin tirar de la correa, cruzarse por delante o tropezar con nuestras piernas.

Para iniciar este ejercicio, nos situaremos en la acera llevando la correa con la mano derecha y situando al perro a nuestra izquierda (las personas zurdas deberán hacerlo a la inversa). No

tardaremos en darnos cuenta lo difícil que es controlar un animal «peludo» y nervioso con una correa tan larga. Tampoco hay que preocuparse demasiado: la correa permite que el perro se aleje de nuestro lado y disfrute de una cierta sensación de libertad. Además, de esta manera permitimos que se dé cuenta de sus errores y podremos enseñarle que no debe tirar de la correa, sino caminar a nuestro lado.

El punto de partida será siempre nuestra casa. Así aprenderá a comportarse nada más salir a la calle. Antes de comenzar a caminar, daremos la orden «¡junto!» con un tono de voz firme. Después, emprenderemos la marcha, siempre a paso normal. A partir de este momento, tendremos que mantener la correa muy suelta e intentaremos que el perro no se aleje. Cuando se marche de nuestro lado, le daremos la orden «¡junto!» y seguidamente daremos un tirón corto y seco de la correa.

Es muy importante coordinar bien la orden con el castigo o la felicitación. Nunca habrá que pronunciar la orden y tirar al mismo tiem-

Consejos prácticos

• Si el tirón no es suficientemente enérgico y sólo tensa la correa, la musculatura del cuello del perro se fortalecerá y será más difícil manejarlo.

• No es obligatorio llevar el perro a la izquierda. Se recomienda sólo por motivos de comodidad y fuerza, ya que de este modo la mano derecha queda libre.

po, ya que sólo confundiremos y atemorizaremos al animal. Siempre debemos esperar unos segundos antes de felicitar o reprenderlo.

Cuando el perro vaya a nuestro lado lo felicitaremos y animaremos muchísimo. Habrá que repetir el ejercicio cuantas veces sea necesario. Lo importante es que el animal aprenda a caminar a nuestro lado.

Cada vez que giremos o cambiemos de dirección, repetiremos la orden y daremos un pequeño tirón de la correa para guiarlo. No está de más indicar al perro la posición que debe ocupar con una palmadita en la pierna izquierda para llamar su atención.

¡Sentado! (Sitz!)

Después de haber conseguido buenos resultados con la orden «¡junto!», podemos comenzar con la orden «¡sentado!». Es necesario relacionar ambas acciones, ya que de este modo el perro aprenderá a colocarse a nuestro lado y sentarse.

La mejor forma de introducir la nueva orden consiste en aprovechar el momento en que nos paramos. En un futuro será de gran utilidad, ya que siempre se detendrá y se sentará cuando cedamos el paso o esperemos a que el semáforo se ponga en verde. Como puede verse, es una buena manera de tener el perro bajo control y evitar accidentes.

El procedimiento es muy simple: en cuanto nos hayamos detenido, tomaremos la correa con las manos y estiraremos suavemente hacia arriba, procurando que quede muy tensa. De esta manera, obligaremos a que el perro levante la cabeza, pierda momentáneamente el equilibrio y acabe por sentarse. Si no lo hiciese, tendríamos que presionar la parte baja del lomo para obligarlo.

133

En cuanto esté sentado, aflojaremos ligeramente la correa y esperaremos unos segundos. El ejercicio podrá darse por cumplido si nuestro amigo no se ha movido de la posición. En ese caso deberemos felicitarlo con entusiasmo; si no fuese así, volveremos a empezar. De todos modos, aunque el animal realice correctamente el ejercicio, tendremos que repetirlo unas cuantas veces procurando no cansarlo demasiado.

Durante las primeras sesiones, tiene poca importancia la forma en que se sienta. Si se coloca torcido o delante de nosotros, no habrá que reñirlo. Es mejor rectificar la postura progresivamente, ya que lo realmente importante es que asocie la conducta que se espera de él con la orden que se le da.

A partir de ese momento, es preciso practicar cada vez que salga a la calle las instrucciones «¡junto!» y «¡sentado!» tantas veces como sea necesario.

¡Suelo! (Platz!)

Una vez que el perro haya aprendido a sentarse cuando se lo ordenemos, podremos enseñarle esta nueva orden.

Al igual que en el resto de las sesiones de adiestramiento, habrá que comenzar por las órdenes aprendidas: primero caminaremos con él, luego le pediremos que se siente y, entonces, lo obligaremos a tumbarse mientras le ordenamos «¡suelo!».

Para ello, deberemos poner la correa bajo nuestro pie izquierdo, de manera que ésta tire poco a poco del collar del perro hacia abajo, al mismo tiempo que se efectúa una ligera presión sobre los omoplatos con la mano izquierda. El perro, al notar la presión, se tumbará (si no lo hiciera, le presionamos con el pie izquierdo). Antes de comenzar, habrá que pronunciar la orden para que relacione la señal con la acción.

Si se echa, lo animaremos y lo felicitaremos. Si al principio no obedece es porque el perro suele resistirse a este tipo de comportamientos porque los considera un gesto de sumisión incondicional al líder de la manada. En algunos casos, el perro puede incluso amenazar con morder la mano de su amo. Bastará con reprenderlo con un «¡no!» tajante, tirar de la correa y volver a comenzar.

Cada vez que salgamos a la calle con el perro deberemos practicar todas las órdenes aprendidas, sobre todo esta última. Siempre le daremos la orden, lo ayudaremos y lo premiaremos o reprenderemos según su comportamiento.

¡Aquí! (Komm!)

Esta orden es la más importante de todas, porque establece los límites de la libertad del perro. Su objetivo principal es que el animal acuda a nuestra llamada en cualquier circunstancia.

El adiestramiento para este tipo de órdenes requiere unas condiciones adecuadas. A diferencia de los anteriores, requiere un lugar aislado (un jardín familiar, un patio vallado, etc.) que el perro conozca y donde nada pueda distraerlo. Antes de comenzar, habrá que atar una cuerda de unos seis o diez metros al collar, de este modo el perro podrá moverse con comodidad, pero sin dejar de estar bajo nuestro control. El animal no tardará en distraerse con los olores, los sonidos y cualquier otro objeto que tenga por delante.

Al cabo de unos instantes comenzaremos a alejarnos de él. El perro comenzará a mostrar cierta inquietud y no dejará de mirarnos. Cuando estemos a una distancia prudencial (unos diez metros) lo llamaremos con la orden «¡aquí!», procurando no gritar. Si acude al instante, lo felicitamos efusivamente y jugamos con él. Esta respuesta no es la más común. Por tanto, si acude a la primera llamada podemos darnos por satisfechos.

Si el perro no se acerca (que es lo más normal que ocurra) no hay que desanimarse. Bastará con dar unos cuantos tirones breves y secos de la correa para llamar su atención, mientras repetimos la orden. Nunca hay que arrastrarlo tirando de la cuerda. La premisa es que el perro debe venir siempre por su propia voluntad, aunque tarde mucho.

A pesar de que se trata de un ejercicio relativamente sencillo, los perros tardan bastante en aprenderlo, porque en la mayoría de los casos la sensación de libertad es mucho más poderosa que la autoridad del líder.

Una vez conseguido el objetivo, habrá que repetirlo constantemente e introducir progresivamente algún elemento que distraiga al animal. En cambio, no se le quitará la cuerda hasta que estemos completamente seguros de que el perro obedecerá.

Aunque el adiestramiento es laborioso, el animal acabará por aprender. Con todo, si a los siete u ocho meses de edad aún no acudiera a la llamada, habría que consultar a un profesional.

Posibles errores

Nunca hay que reñir o amenazar al perro si tarda en acudir cuando lo llamamos, ya que asociaría el castigo con la llamada. No importa que el cachorro vuelva a paso de tortuga. Lo importante es que ha realizado un esfuerzo y merece una recompensa.

No insistamos

Si el perro no nos entiende y se bloquea, no insistamos porque no conseguiremos nada. Y, si lo obligáramos, el juego se convertiría en un trabajo forzado. Antes de que esto ocurra, es preferible dejar los ejercicios para otro día.

Consejos prácticos

• Al preparar las sesiones de adiestramiento, es conveniente cambiar de lugar cada cierto tiempo, ya que de lo contrario el perro se acostumbraría a obedecer las órdenes en un lugar determinado y nuestro trabajo sería menos eficaz en otros lugares.

• Siempre que salgamos a pasear con el perro, tendremos que practicar las órdenes que le hemos enseñado para recordarle que la obediencia no depende del momento ni del lugar.

• Hay que aprovechar cualquier ocasión para enseñarle órdenes nuevas según el método natural. Por ejemplo, en casa justo cuando el perro haga el ademán de tumbarse, podemos decirle «¡Muy bien! ¡Suelo!» y acariciarlo.

Tampoco debe utilizarse la orden para finalizar el juego o para volver a casa, pues se convertiría en una orden de significado restrictivo que el animal asociaría con algo tan desagradable como la pérdida de libertad. Es preferible darla mientras está jugando o cuando está en situaciones felices. En cuanto acuda, lo felicitaremos y dejaremos que corra un poco a sus anchas. Después volveremos a llamarlo, y así sucesivamente.

Si no estamos seguros de la fiabilidad de la respuesta del perro, la opción más segura es no dejarlo suelto. En algunas circunstancias, si el animal es muy atolondrado, podría sufrir un accidente o provocarlo.

Para reprender al perro, habrá que llamarlo por su nombre y decirle «¡no!» usando un tono de voz lo más tajante posible. Si para amonestarlo empleáramos exclusivamente su nombre, acabaría por no hacer caso cuando lo llamemos por su nombre, lo cual retrasaría mucho la obtención de resultados del entrenamiento.

Órdenes avanzadas o especiales

Una vez el perro haya aprendido las órdenes básicas, se le podrá enseñar otras más complejas, como son:

• Quedarse quieto cuando se le ordena (de pie, sentado y tumbado).
• Hacerse el muerto.
• Girar sobre un costado.
• Traer objetos.
• Dar la pata.
• Ladrar cuando se le ordena.
• Mostrar los dientes.
• Buscar.

Quedarse quieto

La orden «¡quieto!» es muy útil para que el perro se espere en determinadas situaciones. Además, también puede salvar a nuestra mascota de un posible accidente, ya que la obediencia a esta orden garantiza el control total ante cualquier incidencia. La orden, en español, equivaldría a la inglesa «stop!».

No puede enseñarse antes de que nuestro amigo domine perfectamente todas las órdenes básicas.

El sistema de aprendizaje y premio es el mismo que para las instrucciones anteriores. El objetivo es lograr que se mantenga cada vez más tiempo quieto, alejándonos de él y añadiendo distracciones que no deben interferir en el cumplimiento de la orden. Aprovechemos en la medida de lo posible el método natural, premiándolo con caricias cuando permanezca quieto por sí mismo, para que asocie la palabra con el acto.

Más tarde, cuando lo llamemos con la orden «¡aquí!», haremos que se detenga antes de llegar a nuestro lado diciéndole «¡quieto!». Con las demás órdenes haremos lo mismo. En las primeras sesiones, cuando venga hacia nosotros, es muy probable que no se pare al oír a orden «¡quieto!» Cuando esto ocurra, lo cogeremos y lo colocaremos en la posición exacta en que estaba cuando le dimos la orden. Este procedimiento se repite hasta que el perro logra asociar el significado.

Podemos dar la orden «¡quieto!» cuando el animal esté de pie y parado, o bien podemos utilizarla para reforzar otras órdenes, como «¡sentado!» y «¡suelo!» cuando nos dispongamos a dejarlo unos instantes solo (por ejemplo, cuando entramos en una tienda y ordenamos al perro que nos espere fuera).

En realidad, esta orden no será necesaria si nuestro fiel compañero ha sido buen alumno y obedece plenamente las anteriores órdenes. De hecho, si ha aprendido bien las lecciones, bastará con decirle «¡suelo!» para que obedezca.

¡Espera!

La orden equivaldría a decir «¡suelo!» y «¡quieto!», lo cual es redundante y propicia que el perro considere que las órdenes básicas indican acciones que debe realizar sólo durante algunos instantes.

Hacerse el muerto

Antes de introducir esta nueva orden, el perro debe tener muy clara la posición «¡suelo!» («platz!»). El objetivo de este ejercicio es que el perro se quede tumbado de lado e inmóvil en el suelo, como si estuviera durmiendo o muerto. El detalle que entraña una dificultad mayor es lograr que la cabeza quede tendida en el suelo. Para ello apoyaremos suavemente con la mano diciendo «¡quieto!» o «¡muerto!» con energía.

Para ello, empezaremos con la orden «¡suelo!». Cuando el perro esté tumbado, lo empujaremos con las dos manos para que quede tumbado de costado o patas arriba. Una vez conseguida esta posición, lo felicitaremos y dejaremos que juguetee un poco. Es importante hacerlo, ya que de esta forma conseguiremos que el perro tenga ganas de obedecer.

Hay que repetir el ejercicio constantemente. No esta de más recompensarlo con alguna galletita. Al cabo de un tiempo, el perro obedecerá nuestras órdenes con toda naturalidad.

Si reforzamos la orden haciendo un gesto de la mano, llegará un momento en que nada más ver el gesto el perro se tumbará patas arriba o de costado.

Girar sobre un costado

Esta orden deberemos trabajarla una vez que el perro haya aprendido a obedecer las órdenes «¡tumbado!» o «¡muerto!». Para ello, deberemos tomarle la pata delantera y la trasera al mismo tiempo, y lo obligaremos a que dé la vuelta hacia el lado opuesto. Mientras lo hacemos, le diremos «¡gira!», «¡muy bien!». Como en los casos anteriores, deberemos repetir el ejercicio tantas veces como sea necesario.

Por lo general, las ganas del perro de jugar y aprender son tantas que no nos llevará demasiado trabajo lograr que asocie la orden con la acción. En poco tiempo, nuestra mascota volteará sobre su propio eje como si fuera la cosa más natural del mundo. Bastará darle la orden correspondiente, con la voz o con la mano. No olvidemos que, en todos los casos, unas palabras amables y un poco de juego harán que el aprendizaje sea más rápido.

La duración del ejercicio depende, como siempre, de la dedicación, la insistencia, la rutina y las ganas de complacer del perro (hay perros con un carácter más o menos sumiso que otros).

¡Cuidado con la raza!

Algunas razas o tipos de perros, por sus características morfológicas, no pueden realizar ciertas actividades. Los ejemplares demasiado pesados o que tienen las patas traseras muy cortas pueden alzarse sobre ellas y caminar, pero forzarían en exceso sus extremidades posteriores y podrían provocarse lesiones. Este sería el caso del Pastor Alemán, el Mastín, el Rottweiler, el Bóxer, el Schnauzer Gigante o el Bobtail. Los más recomendables son los perros de razas pequeñas (Caniche, Yorkshire Terrier, Schnauzer mediano y enano, Fox Terrier), así como los de tamaño grande pero ligero (Pastor Belga, Collie, Border Collie).

Dar la pata

Es uno de los gestos más habituales del perro. Los cachorros tienden a hacerlo para llamar la atención de alguien. En cierto modo, puede considerarse un vestigio de sus antepasados lobos, ya que los lobeznos suelen comportarse del mismo modo para pedir comida.

Para que el animal asocie la orden «¡pata!» con la acción de levantar la misma, tendremos que trabajar con él a diario hasta que se dé cuenta de que si se comporta como queremos, recibirá un premio.

Conviene aprovechar las expresiones naturales (es decir, sus reacciones espontáneas) para inculcarle la orden. Cuando el perro nos dé la pata para llamar nuestra atención, lo felicitaremos efusivamente diciéndole «¡pata!», «¡muy bien!». De este modo, asociaremos la palabra al comportamiento y cuando la oiga actuará como esperamos.

Buscar y traer un objeto perdido

No todos los perros tienen aptitudes para llevar a cabo este ejercicio, aunque ello no significa que sea imposible conseguirlo. Hay perros cobradores o rastreadores por naturaleza, que desde cachorros ya muestran grandes dotes para la búsqueda o para llevar objetos en la boca sin destrozarlos. Este sería el caso del Golden Retriever, el Labrador, el Setter y otras razas seleccionadas para la caza.

Para empezar con este ejercicio deberemos ir a un espacio abierto y tranquilo (a ser posible en el campo), donde le ordenaremos «¡junto!» para que se coloque a nuestro lado izquierdo, con correa o sin ella.

En la mano derecha llevaremos el objeto que nuestro amigo debe buscar. No conviene llevarlo en el bolsillo, ya que es necesario que se impregne con nuestro olor. Al principio es preferible que el objeto pertenezca al amo para que el perro lo reconozca con más facilidad.

A continuación, empezaremos caminando unos diez o quince metros en línea recta con el perro a nuestro lado. Acto seguido, dejaremos caer distraídamente el objeto sin que el perro se dé cuenta y seguiremos andando como si nada.

Al cabo de otros diez metros, daremos la vuelta y volveremos por el mismo camino. Antes de llegar al objeto, le ordenaremos «¡busca!». No nos desanimemos si las primeras veces pasa de largo —que es lo más probable que haga— ni perdamos la paciencia. Podemos ayudarlo señalando el objeto con el dedo y acompañándolo tantas veces como sea necesario hasta que dé con él.

Dar la pata es un gesto habitual del perro que podemos aprovechar para enseñarle la orden.

fuera de su vista. A partir de ese momento, el perro deberá guiarse por el olfato.

El procedimiento es parecido al anterior: escondemos el objeto y acompañamos al perro cerca del punto en donde se halla, diciendo «¡busca!» hasta que lo encuentre. En cuanto dé con él, lo felicitaremos para que asocie de manera definitiva la orden con la acción.

Al cabo de un tiempo, tendremos que cambiar de lugar para que el perro no se acostumbre y sea capaz de encontrar el objeto sin nuestra ayuda y en cualquier lugar.

Las razas que muestran más disposición y aptitud para la búsqueda de objetos son las que suelen utilizarse para el rastreo en la caza (Sabueso, Beagle, Bloodhound, Cocker, etc.). Con todo, también puede adiestrarse perros de otras razas. Quizá serán menos eficaces, pero los resultados serán sin duda satisfactorios para el perro y su amo.

Mantener el equilibrio sobre dos patas

Buscaremos un lugar apartado donde el perro no pueda distraerse y haremos que se siente. A continuación, le ordenaremos que se levante mediante la orden «¡hop!», al tiempo que le llamamos la atención haciendo chasquidos con los dedos o dando palmaditas a la altura de su pecho, hasta conseguir que se alce sobre sus patas traseras. En cuanto lo consiga, lo felicitaremos.

Al principio, el perro se apoyará en nosotros. El ejercicio resulta bastante difícil para el perro, por lo que deberá ser premiado cada vez que lo intente. Al cabo de unas sesiones, aprenderá a levantarse por sí mismo y a mantener el equilibrio sin apoyarse. Hay que repetir el ejercicio hasta que lo haga por sí solo.

Si conseguimos que la mascota asocie la orden «¡busca!» con el hallazgo del objeto que hemos dejado, lo felicitaremos efusivamente y le lanzaremos el objeto para que juegue con él.

A pesar de los posibles fracasos, deberemos repetir el ejercicio hasta que se convierta en una rutina.

El siguiente paso, una vez el animal ya sabe buscar cualquier objeto, habrá que esconderlo

Caminar sobre dos patas

Este ejercicio sólo puede enseñarse si el perro ha aprendido previamente a alzarse sobre las patas traseras, a la orden de «¡hop!». Además, tendremos en cuenta las características físicas del animal, ya que esta acción sólo puede enseñarse a animales ágiles y no muy pesados.

Como en el caso anterior, nos instalaremos en un lugar tranquilo, en donde nada pueda distraernos. Haremos que el perro se siente, nos alejaremos un metro y medio de él y daremos la orden «¡hop!». En cuanto el perro dé el primer paso, lo premiaremos inmediatamente. Para ayudarle, lo sujetaremos por el collar y tensaremos la correa para evitar que baje la parte delantera. Así, el animal se verá obligado a mantenerse erguido.

A medida que el perro vaya adquiriendo seguridad, podremos mantener una distancia mayor (unos cinco metros) e incluso abandonar la correa. Tengamos en cuenta que se trata de un ejercicio bastante difícil, por lo que deberemos trabajar con paciencia y comprensión.

Otras órdenes

Además de las órdenes básicas requeridas en nuestra sociedad y las avanzadas o especiales, pueden practicarse otros ejercicios más especia-lizados. Gracias al adiestramiento, el perro habrá desarrollado la predisposición a la obediencia (es decir, habrá incrementado la capacidad de condicionamiento) y cada vez responderá más rápidamente a cuanto le pidamos, tan sólo por complacernos.

Existen muchas actividades complementarias que pueden ser útiles: pasear solo, pasear a otro perro tirando de la correa, mostrar los dientes o arrugar los belfos cuando se le da una orden determinada, distinguir un objeto entre varios, realizar una secuencia de órdenes (pasear solo, buscar un objeto, traerlo, entregarlo, sentarse y finalmente dar la pata o devolver el objeto a su sitio, etc.).

Consejos para la realización de los ejercicios

• No hay que forzar nunca a animales poco ágiles o propensos a sufrir lesiones en el tren trasero (huesos débiles, indicios de displasia de cadera, etc.). Estos problemas son típicos del Pastor Alemán, el Rottweiler y algunos mestizos de estas razas.

• Por lo que respecta a las razas de estructura atlética y muy veloces, así como las que realizan grandes esfuerzos o los perros grandes (como, por ejemplo, el Bóxer, el Dogo Alemán, el Dogo Argentino, el Dobermann, el Pinscher, el Pastor Alemán o el Perro de Presa Canario), debemos procurar que reposen después de comer, ya que debido a su ancho pecho y su cintura estrecha podrían sufrir una torsión de estómago. Lo mejor es esperar unos veinte minutos.

El método Hofer

Después de haberme titulado como experto en conducta animal y tras mi larga experiencia en trabajos de aprendizaje y corrección de comportamientos inadecuados de los animales de compañía, estructuré buena parte de mis conocimientos teóricos y prácticos para desarrollar un sistema de adiestramiento encaminado a un doble objetivo: obtener el máximo provecho de las aptitudes del perro y afianzar su relación con el dueño.

El método de adiestramiento canino Hofer parte de las teorías conductistas de aprendizaje animal y de los ejercicios de la Escuela Alemana de Adiestramiento. Las primeras me han permitido perfeccionar los sistemas de asociación de estímulos y respuestas, que he integrado en un patrón de conducta unificado en el que todos los actos del perro quedan integrados y aseguran una convivencia rica y plenamente satisfactoria entre el perro y su amo.

En la actualidad, un número considerable de aficionados de toda España siguen el método, que, por otra parte, cuenta con la aprobación de veterinarios, adiestradores, criadores y otros profesionales del mundo canino.

¿Por qué es necesario el adiestramiento?

El adiestramiento no sólo es necesario para convivir con el perro de un modo más cómodo o para que este preste servicios de protección, vigilancia, rescate, etc., sino que también mejora la comunicación y el entendimiento de otras órdenes útiles. Además, resuelve problemas tan conflictivos como son la agresividad indiscriminada, los destrozos en el mobiliario o la demarcación del territorio dentro de casa.

¿Por qué a domicilio?

El adiestramiento a domicilio permite una mayor comprensión del animal y ayuda al dueño a relacionarse mejor con él. De esta manera ambos obtienen la máxima satisfacción posible y pueden convertirse en buenos amigos.

El objetivo principal del método es lograr que el perro obedezca a su dueño, que en definitiva es quien va a convivir con él. El adiestramiento a domicilio es la única forma que permite la participación activa del amo durante todo el proceso de aprendizaje, a lo que debemos añadir la ventaja que supone lograr el

La motivación es la clave del éxito

No es fácil dar una fórmula magistral para triunfar en el adiestramiento. Sin embargo, está más que demostrado que para obtener una obediencia perfecta el perro necesita un alto grado de motivación. Dicho de otro modo, la motivación debe ser el motor de la obediencia. Sin motivación, la obediencia se reduce a sumisión, y entonces el perro obedece simplemente por temor al castigo. Es preferible apostar por un método «positivo», basado en la estimulación y la recompensa, y que tenga por objetivo la reacción entusiasta y alegre del perro.

El mejor camino para alcanzar este objetivo es el juego. El juego crea una relación de complicidad entre el perro y su amo, gracias a la cual este último se convierte en la fuente principal de motivación del perro. Por consiguiente, podríamos decir que la capacidad del perro de obedecer y de ser adiestrado no es más que la consecuencia de una aptitud más primaria, la capacidad de jugar con el hombre.

Las técnicas de adiestramiento basadas exclusivamente en la repetición y la sumisión dan como resultado un perro obediente, pero lento, falto de vivacidad y que expresa poco la alegría de vivir.

desarrollo del animal en su propio hábitat. El territorio es un elemento que lo ayuda a sentirse más seguro. El perro debe identificar su hogar como su territorio, con unos límites, unas normas y un funcionamiento definidos.

Esto es importante porque, de lo contrario, el perro (aunque haya aprendido a responder a determinados condicionamientos) no necesariamente obedece a su amo, sino que puede obedecer (y de hecho, sucede así) sólo al monitor, con el agravante de que se pierde la asociación de espacio con el proceso educativo, lo cual dificulta aún más su adaptación. Por ejemplo, es prácticamente imposible que el animal que ha sido enseñado para defender su hogar lleve a cabo su función correctamente si ha recibido la instrucción fuera del entorno que debe proteger (por ejemplo, en un criadero a 10 km de la casa en donde vive).

¿A qué edad se puede adiestrar un perro?

Un postulado básico del Método Hofer es el refuerzo. Por ello recomendamos iniciar la educación desde muy temprana edad. Esto no significa que los perros adultos no sean igualmente aptos, porque a pesar de que a partir de los seis meses tienen ya muy acentuadas determinadas costumbres, los perros siempre están capacitados para aprender.

¿Es posible solucionar cualquier problema?

Por supuesto. Muchos de los problemas que parecen de difícil solución para el amo (orines en casa, ladridos, agresividad con extraños, hacia otros perros o con los propios amos, destrozos en casa, miedo, etc.) pueden ser corregidos.

Simplemente se trata de aplicar la terapia de comportamiento idónea, en la cual el amo desempeña un papel fundamental.

Tratamiento personalizado

El método Hofer es flexible y se adapta a cada caso específico. Por esta razón, antes de iniciar la educación o el adiestramiento concertamos siempre una entrevista personal para conocer al animal y su hábitat. En esta visita asesoramos sin compromiso alguno al dueño sobre el tipo de adiestramiento más conveniente y le proporcionamos una completa información sobre la viabilidad del tratamiento que recomendamos.

El amo participa siempre activamente en la educación de su perro, que no concluye hasta que se obtienen los resultados convenidos.

El seguimiento

Después de impartir el adiestramiento se realiza un seguimiento periódico para corregir eventuales desviaciones. Una vez concluido el curso, hay que continuar practicando los ejercicios con el perro. Esto tiene una doble utilidad: reforzar las normas básicas de conducta del animal de compañía y trabajar para el cumplimento de nuevos objetivos, lo cual refuerza el vínculo entre el perro y su amo.

¿Es costoso educar a un perro?

Si tenemos en cuenta que el adiestramiento es para toda la vida (la expectativa de vida canina es de 12 a 14 años), y valorando todas las ventajas que nos ofrece, el precio a pagar es poco.

El coste de este trabajo se fija en función del tipo de adiestramiento. El Método Hofer ofrece un amplio abanico de posibilidades, según las necesidades del amo y las características del perro.

El adiestramiento en España

A lo largo de casi veinte años de experiencia trabajando en España, he podido comprobar que la situación es bastante mejorable en comparación con Alemania, Francia e Italia. En España hay pocos profesionales cualificados: de hecho, la profesión como tal no está reconocida oficialmente y la falta de información sobre el tema es casi absoluta.

Afortunadamente, las personas que deciden incorporar un perro a su hogar son cada vez más conscientes de la necesidad de brindar una correcta educación al perro, sobre todo a los que viven en las ciudades, en donde hay unas determinadas normas sociales de obligatorio cumplimiento y en donde se exige a los animales que vivan en condiciones con frecuencia demasiado «humanas».

Las acciones administrativas

Existe una falta de información sobre los derechos y los deberes de los propietarios de mascotas lo cual obliga a ofrecer más y mejores datos sobre las normativas vigentes y los lugares adonde pueden acudir en diversas situaciones.

Las acciones encaminadas a la profesionalización de las personas que se dedican a educar perros y se esfuerzan día a día en cualificarse son mucho más productivas, a medio y largo plazo, que las medidas coercitivas y la vigilancia sobre actuaciones poco éticas de un sector de personas poco escrupulosas. El control sobre la profesión y la información a los propietarios también ayudará a evitar el intrusismo.

Ejercicios de adiestramiento m

Ejercicio de defensa personal

Estimulación de la agilidad con recuperación de objeto

Salto con recuperación de objeto

bituales

timulación con el objeto y juego

El comportamiento
Los problemas más frecuentes

E n la ciudad pueden surgir diversos problemas ocasionados por el carácter del animal o por el amo, que a menudo se comporta con impaciencia, autoritarismo o indolencia, por una mala comunicación o por los vicios adquiridos por el animal siendo cachorro.

> Un perro es el único ser en la Tierra que te ama más que a sí mismo.
>
> JOSHN BILLINGS

El carácter del perro

El aprendizaje recibido por un cachorro desde las tres primeras hasta las siete semanas de vida, denominado «imprinting», es el mayor responsable del futuro carácter del perro. El entorno y la herencia suponen tan sólo entre un veinte y un treinta por ciento. La socialización y la enseñanza durante esta fase de su vida son muy importantes. Durante este período, el cachorro no sabe distinguir aún el miedo ni el peligro: para él todo son novedades, siente una gran curiosidad y atracción por todas las cosas y gracias a ello aprende rápidamente.

La madre lo estimulará para que investigue y aprenda por sí mismo; de ahí la importancia de mantenerlo con el resto de la camada al menos hasta que cumpla los dos primeros meses de edad.

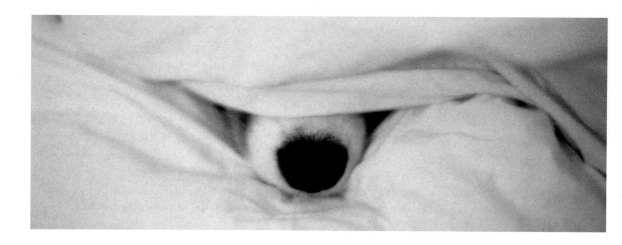

Timidez

Este rasgo del carácter se produce por una falta de *improntación* con los humanos y los demás animales. En ciertos casos, puede ser peligroso, ya que el animal experimentará temor y rechazo hacia todos y, en consecuencia, reaccionará con agresividad. Para evitarla, hay que procurar que el cachorro se relacione con su entorno, en especial con perros que no sean de su propia camada. Si nuestro cachorro presenta rasgos de timidez, deberemos llevarlo a un parque donde haya más perros para que se relacione con ellos, juegue, se acostumbre a su presencia y aprenda las reglas de comportamiento.

Agresividad y miedo

No es normal que el cachorro muestre agresividad ante extraños. Cuando un cachorro se comporta de este modo, es porque tiene miedo, tal vez por su debilidad de carácter o por falta de socialización.

Este tipo de comportamientos no se erradica fácilmente. Tendremos que armarnos de paciencia y tomar algunas precauciones. Al igual que en el caso anterior, el cachorro no se ha socializado correctamente, por lo que habrá que procurar que se acostumbre al trato con otras personas y otros animales para que asocie sensaciones agradables con su presencia. Habrá que acariciarlo y dirigirle palabras cariñosas con mucha frecuencia, aunque sin atosigarlo. En el caso de que el temor estuviese provocado por un mal *imprinting*, habría que consultar con un especialista.

Si el cachorro sólo es agresivo con otros perros, seguramente no se habrá relacionado suficientemente con sus congéneres. También es posible que haya tenido una mala experiencia. En otros casos, se debe a un adiestramiento

La agresividad del cachorro

Un cachorro agresivo que no haya sido educado correctamente puede convertirse en un perro muy peligroso al hacerse adulto. Si observamos esta tendencia en el cachorro, no dudemos en consultar a un experto en psicología canina. Sólo él podrá intentar la recuperación de un animal potencialmente peligroso.

erróneo en el que se le ha enseñado a pelear. Si la conducta del animal no es demasiado peligrosa, habrá que procurar que aprenda las reglas de convivencia canina.

¿Qué ocurre cuando el perro se muestra agresivo con su dueño?

En algunos casos, el perro desobedece las órdenes de su amo y se comporta de manera displicente o amenazadora. Las señales son bastante evidentes: la presencia del propietario lo incomoda y comienza a gruñir si se acerca a él mientras come, cuando intenta arrebatarle un objeto de la boca o simplemente cuando lo regaña. No debemos consentir que se comporte de esta manera, porque a través de esta conducta, el animal no hace más que cuestionar la autoridad del dueño. El perro debe tener siempre bien claro el lugar que debe ocupar en la casa.

A veces, los cachorros demasiado consentidos se vuelven exigentes y comienzan a imponerse a los demás miembros de la familia. Es preciso actuar de manera tajante, ya que si se le toleran sus caprichos acabará por disputar el liderazgo a su amo. Una negativa a tiempo y una buena reprimenda sirven para evitar que el perro se convierta en un tirano que dé rienda suelta a su voluntad de poder, llegando incluso a morder a su propio amo.

Los trastornos de conducta

Los trastornos en el comportamiento canino se dan con más frecuencia en los perros criados en la ciudad que en los que han crecido en el campo. El ritmo de vida actual no provoca estrés en los seres humanos exclusivamente. A pesar de que en algunos casos los comportamientos patológicos se deben a la herencia, por lo general son producto de una mala calidad de vida. Los propietarios muchas veces no disponen del tiempo libre necesario para sacar a pasear a sus perros, los dejan solos durante mucho tiempo, se comportan de manera confusa (a veces son muy cariñosos y a veces no les hacen caso), dan rienda suelta a su mal humor delante de ellos o los obligan a cambiarse de domicilio con cierta frecuencia.

Para evitar trastornos de este tipo y conseguir que el perro se adapte a la vida en la ciudad, es necesario una buena educación, que comenzará en la fase de cachorro y nunca dejará de practicarse. El perro aprende a cualquier edad, siempre que se esté dispuesto a enseñarlo. Además, acariciarlo y sacarlo a pasear después del trabajo es una buena terapia contra el estrés. De este modo, los dos se relajarán, perderán sus temores y se enfrentarán a la vida sin agresividad.

Los abandonos

La ciudad, ruidosa y sucia, con calles que se entrecruzan de un modo más o menos caótico y con pocos espacios verdes es el hábitat de la mayor parte de la población humana y de los animales de compañía.

Tener una mascota nos incita a salir al campo, a dar largos paseos, a disfrutar de excursiones, a ir a la playa y, en definitiva, a mantener vivo nuestro contacto con la naturaleza que nos rodea.

También es evidente que la convivencia en la ciudad entre personas y animales es más intensa y cercana, debido al espacio disponible y al trato que se les ofrece. No en vano en la mayor parte de los casos el perro se convierte en un miembro más de la familia y, en cierto modo, acaba por convertirse en el centro de atención. Esta misma proximidad en el trato puede aumentar los problemas o los inconvenientes con más facilidad que en el entorno rural. Tener a nuestras mascotas en malas condiciones implica soportar muchas situaciones indeseables como mordeduras, destrozos, molestias a los vecinos (olores, suciedad, ladridos), posibles infecciones, etc.

Actualmente, y debido a las numerosas limitaciones que impone la ciudad, es muy importante la tenencia responsable de los animales, ya que la gran mayoría de problemas nace del descuido o la desconsideración de los propietarios.

Es de lamentar que en los últimos años han aumentado considerablemente los casos de abandono, favorecidos en gran medida por las campañas sensacionalistas de algunos medios de comunicación, que han aprovechado noticias relacionadas con agresiones por parte de perros para afirmar que ciertas razas caninas (como, por ejemplo, el Pit Bull, el Rottweiler o el Dogo Argentino) son asesinas por naturaleza, algo a todas luces falso. Lo peor de todo no es la difamación —que no deja de ser grave—, sino la exculpación de los propietarios. Muchas personas creen que sus mascotas son un juguete, una manera divertida de pasar el rato, cuando lo cierto es que requieren mucha más severidad y precaución de lo que se piensa. El perro no está al margen de las normas de convivencia que se exigen a las personas, y si se comportan de manera incívica es por la falta de responsabilidad de sus dueños.

Por otra parte, los propietarios tenemos cada vez menos espacios para pasear a nuestra mascota, lugares en donde pueda correr, relacionarse con otros perros y otras personas. Las zonas para deposiciones son muy reducidas, no están bien equipadas y sus condiciones de salubridad dejan mucho que desear.

Las normativas municipales sobre tenencia de perros son muy explícitas. Todo propietario debe registrar a su perro, cumplir con las prescripciones veterinarias obligatorias, asegurar al animal en previsión de daños a terceros y garantizar su buen comportamiento en las vías públicas. La participación ciudadana es el único medio a través del cual pueden ponerse en tela de juicio y debatirse. De nada sirve quejarse y desobedecerlas.

Debemos sacar a nuestras mascotas atadas y, en algunos casos, sujetas con bozal, procurando que no campen a sus anchas. La norma no es mala, pues sólo regula el comportamiento del perro y del dueño para que no ocasionen molestias a los demás transeúntes. Ahora bien, si el propietario no se preocupa por llevar al animal a un lugar en donde pueda correr libremente y quemar energías, este acabará padeciendo problemas de conducta, se volverá ansioso y generará conductas agresivas patológicas.

Los urbanistas deberían tener en cuenta las necesidades de las personas y sus mascotas a la hora de planificar los barrios y las ciudades, en detrimento lógicamente de los beneficios derivados de la especulación. Si el ser humano ha cambiado el hábitat de los animales con los que convive, debería garantizarles un entorno cómodo y agradable.

Por otra parte, tanta presión y tan pocos espacios destinados al ocio con perros explica —aunque no justifica— el hecho de que muchas personas abandonen o regalen a sus mascotas.

De todos modos, la gran mayoría de abandonos se produce a causa de gestaciones no deseadas que dan camadas que los propietarios no pueden acoger. Si no encuentran personas dispuestas a quedarse con los cachorros, acaban por abandonarlos en bosques, descampados o contenedores, sin preocuparse por contactar con centros de acogida canina o con sociedades protectoras de animales.

Las responsabilidades del dueño

Según el código civil, «el propietario de un animal o la persona que lo tiene a su cargo es responsable de los daños que el animal pueda causar, tanto estando bajo su control como si se hubiera escapado o extraviado». Esto significa si el perro causa algún desperfecto, su propietario está obligado a responder por él. Los acciones más frecuentes son los ladridos, las mordeduras y la suciedad.

Los animales mordedores

El animal que ha mordido a alguien debe ser sometido a dos visitas de control veterinario, que se efectuarán con un intervalo de quince días. El objetivo es que el veterinario certifique oficialmente que el animal no tenía la rabia en el momento en que tuvo lugar el accidente. Estas revisiones son obligatorias, independientemente de que el animal esté vacunado o no. La persona agredida debe denunciarlo a las autoridades sanitarias y al ayuntamiento. El propietario del perro tiene la obligación de facilitar los datos del animal y los suyos propios a la persona agredida y a la autoridad competente.

La relación con el vecindario

En algunas comunidades de vecinos está prohibida la tenencia de animales. De todos modos, lo más frecuente es que sólo figure una cláusula que haga referencia a los animales sucios o ruidosos.

Es evidente que un animal que vive en una comunidad debe ser un animal familiar, que no cause molestias ni destrozos.

Los seguros para animales de compañía

Las compañías aseguradoras ofrecen varios tipos de cobertura: daños (garantía de accidentes, robo, prestación por extravío), sacrificio, responsabilidad civil, estancia en residencia canina y póliza de asistencia veterinaria. Es conveniente leer siempre los contratos para saber qué situaciones están cubiertas y las condiciones particulares (por ejemplo, es importante saber si el seguro dice algo sobre la posibilidad de dejar el perro a una tercera persona).

En cuanto a la póliza de asistencia veterinaria, es importante conocer aspectos como los períodos de carencia, los límites de gasto, la inclusión de vacunas, la cirugía autorizada, etc.

Antes de firmar un contrato, leamos la letra pequeña.

Legislación sobre razas consideradas peligrosas

El creciente número de accidentes que tienen como protagonistas a los perros ha dado lugar a un debate que se ha centrado en el plano administrativo y el veterinario. En algunos países está prohibida la importación y la cría de unas razas determinadas. Sin embargo, esta solución no satisface al colectivo científico, ni a las asociaciones protectoras y defensoras de los animales, por considerar que el problema de la agresividad no es tanto una cuestión de razas, sino de condiciones de cría y selección por un lado, y de socialización y adiestramiento por el otro.

En España, para hacer frente al problema de los perros peligrosos, y después de haber sido planteada la posibilidad de prohibir ciertas razas, se elaboró la Ley sobre tenencia de animales potencialmente peligrosos, en vigor desde octubre de 1999, que determina los requisitos y las obligaciones que comporta para el propietario la tenencia de un perro de una raza considerada peligrosa.

Sin embargo, esta ley no ha servido para acabar con el problema. De hecho, se hizo como respuesta a la creciente alarma social, pero presenta varias deficiencias. Por un lado, la relación de las razas se ha elaborado más en función del perfil de sus dueños que del grado de peligrosidad en relación con otras razas. Para convencernos de ello sólo hay que ver cómo realizan los ejercicios de ataque los Pastores Alemanes o los Malinois. Lo que ocurre es que, afortunadamente, estas razas no han caído en manos de los delincuentes y los matones de barrio.

Por otro lado, la aplicación de la ley es escasa, por la insuficiencia de controles y por la falta de preparación de los cuerpos de policía local sobre este tipo de animales. Además, hay que añadir un censo incompleto y un insuficiente control sobre criadores, adiestradores, comercio e importaciones.

Disposiciones legales sobre la tenencia de animales

• Perros considerados peligrosos
Se consideran peligrosos los perros de las siguientes razas o cruces de éstas:

Stafford Americano, Bullmastiff, Dobermann, Dogo Argentino, Dogo de Burdeos, Fila Brasileño, Mastín Napolitano, Pit Bull (American Pit Bull Terrier), Presa Canario, Rottweiler, Staffordshire Bull Terrier, Tosa Japonés

Asimismo, también se consideran peligrosos los ejemplares de otras razas o cruces que hayan provocado daños o lesiones a personas.

• Sanciones
Las infracciones cometidas contra lo que dispone esta ley son sancionables con multas que van de los 60 euros hasta los 3000 euros. La imposición de la sanción puede conllevar el decomiso del animal objeto de la infracción. Llevar el perro suelto por la vía pública o sin bozal puede ser castigado con una multa de entre 150 y 1500 euros.

• Control y cría
Sólo pueden dedicarse a la cría de estas razas los centros de cría autorizados e inscritos en el registro oficial de núcleos zoológicos.

Los animales reproductores deberán superar un test que descarte un comportamiento agresivo.

• Prohibiciones
1. No pueden adquirir estos animales menores de edad o personas con antecedentes penales por agresiones.
2. Los menores de 16 años no podrán llevar estos perros en espacios de uso público (calles, plazas, medios de transporte, etc.).
3. Está prohibido el adiestramiento para ataque y defensa, excepto en las actividades de vigilancia de empresas y cuerpos de seguridad.
4. El adiestramiento sólo puede llevarse a cabo en centros profesionales y autorizados.

• Requisitos que debe cumplir el propietario
1. Suscribir una póliza de responsabilidad civil por valor de 150.000 euros.
2. Llevar el perro por la vía pública con bozal y sujeto con la correa.
3. Inscribirlo en un registro municipal específico y tenerlo identificado.
4. El recinto en donde vive el perro debe disponer de mecanismos adecuados para evitar que pueda escaparse.

Casos prácticos

La educación del perro abarca tanto la enseñanza de las normas elementales de comportamiento como la modificación de ciertos comportamientos espontáneos o instintivos que se consideran molestos. En este capítulo propondremos soluciones para problemas tan incómodos como los siguientes:

- El perro se muestra muy agresivo.
- Ladra constantemente.
- Destroza el mobiliario.
- Enseña los dientes y gruñe.
- Se escapa de casa.

- Marca el territorio.
- Nos salta encima cuando nos ve.
- Se orina cuando siente una gran emoción.
- Arrastra la grupa o se rasca la base de la cola.
- Se enzarza en peleas con otro perro.
- Sufre cuando se queda solo.
- Se niega a tomar cualquier medicamento.

Cómo comportarse ante un perro agresivo

Por desgracia, cada vez es más frecuente tener un perro en casa o en un ambiente social que amenaza y ladra sin que se pueda controlar la situación.

Las causas pueden ser muy diversas: falta de impronta, falta de atenciones, malos tratos, un adiestramiento agresivo… Tanto el criador como el propietario deben asumir la responsabilidad que entraña el cuidado de un ser vivo tan complejo como el perro. En la mayor parte de los casos de ataques por parte de perros, se ha demostrado que el dueño se había portado con él de manera nerviosa y poco comprensiva, y que empleaba un método inadecuado para corregir los errores que su mascota cometía. En otros casos ocurre todo lo contrario: el amo, en lugar de ejercer su autoridad, consiente al perro todo tipo de comportamientos. En poco tiempo el animal comenzará a cuestionar la autoridad de su dueño y le disputará el liderazgo.

En cualquiera de estas situaciones, es necesario solicitar los servicios de un profesional porque nosotros solos, por mucho que nos esforcemos, no podremos solucionar un problema que no hemos sabido prevenir. Si el cachorro ha cumplido más de seis meses, su *imprinting* habrá finalizado y deberemos someterlo a un programa de adiestramiento especial. Si todavía es pequeño, tendremos que comenzar a ser más exigentes con él y a prohibirle los desmanes.

No conviene prestar demasiada atención a las recomendaciones de personas conocidas. A pesar de su buena voluntad, es mejor acudir a un profesional capacitado. No es la primera vez —ni por desgracia será la última— que la situación empeora al poner en práctica los consejos de un vecino o un amigo que nos asegura que ha pasado por la misma situación. Los problemas de comportamiento de un perro, por muy parecidos que puedan ser a los de otro, obedecen a causas diferentes y exigen un tratamiento específico para cada caso.

¿Por qué ladra tanto el perro?

Mediante el ladrido, el perro expresa sorpresa o desconfianza ante ciertas situaciones. Es una señal de alarma y, por lo tanto, sólo debe recurrir a ella cuando sea necesario.

Sin embargo, no son pocos los casos en los que el perro ha aprendido a ladrar para conseguir lo que quiere. Si cada vez que lo hace recibe una recompensa, se acostumbrará a hacerlo cada vez que desee comer o tenga ganas de pasear.

En estos casos la solución es fácil: lo único que debemos hacer es no darle lo que quiere. Al principio seguramente será muy molesto soportar sus ladridos insistentes, pero si tenemos paciencia, acabaremos agradeciéndolo. Si la situación se hace realmente molesta, le responderemos con un «¡no!» tajante y, como refuerzo, arrojaremos al suelo una lata llena de piedras o monedas para que el ruido lo sorprenda. A los pocos días, el perro dejará de comportarse así porque se dará cuenta de que su comportamiento no le sirve para nada.

Autoridad justa

Si después de reñirlo el perro acata nuestra autoridad, dejaremos de sacudirlo por la nuca. Si prolongáramos el castigo nos estaríamos comportando de manera injusta.

¿Y si causa desperfectos en la casa?

Aunque puede parecer un tanto chocante que una conducta destructiva sea una prueba de amor, lo cierto es que sus desmanes en la casa son una demostración de la frustración que le provoca la indiferencia o la ausencia de su amo. Si nuestro ritmo de trabajo nos obliga a estar ausentes durante la mayor parte del día y lo dejamos solo, o nos encerramos en nuestro despacho sin permitir que esté con nosotros, es muy probable que nos encontremos con el mando a distancia mordido, las patas de los muebles arañadas, los libros desencuadernados o la ropa desgarrada.

La mejor solución en estos casos consiste en estar más tiempo con el perro y permitir que campe un rato a sus anchas. Antes de irnos a trabajar, deberemos llevarlo de paseo para que se distraiga, haga ejercicio y se canse un poco. A la vuelta estará más tranquilo y no tendrá muchas ganas de hacer travesuras.

En caso de que tengamos que ausentarnos por un tiempo prolongado tendremos que preparar al perro progresivamente. Para ello hay una técnica específica que da muy buenos resultados.

En primer lugar, hacemos que el animal se canse. Procuramos que corra durante una hora si es adulto (da igual si está atado o suelto: lo importante es que se divierta) o veinte minutos si se trata de un cachorro. Después del paseo, al llegar a casa, llevamos al perro por primera vez

Si le oímos llorar o rascar la puerta o los muebles, entramos en la habitación, le proferimos un «¡no!» enérgico y cerramos de nuevo. La sorpresa le hará cambiar su actitud y probablemente se callará. Tendremos que repetirlo cuantas veces sea necesario.

Independientemente de la edad del perro, cada día practicaremos durante una hora hasta que se acostumbre a quedarse en esta habitación y a estar solo. Después, haremos lo mismo en cualquier lugar de la casa sin olvidarnos de los elementos que colaboran en el condicionamiento del perro: televisión o radio encendidas, luces, su objeto preferido… Habrá que disponer de todo lo que sea necesario para que no se sienta solo y no sea presa de la ansiedad, que es la causa de los destrozos en casa.

Qué hacer cuando el perro muestra los dientes o gruñe constantemente

En algunos casos, el perro ha recibido demasiadas atenciones sin habérsele exigido nada a cambio. Cada vez que desea algo, lo obtiene de inmediato, y las palabras cariñosas de sus dueños le dan a entender que se porta como es debido. Si este tipo de trato se prolonga demasiado, llegará un momento en que el animal considerará que estos comportamientos son pruebas de sumisión y se dispondrá a ocupar el sitio del líder de la manada. Evidentemente, el dueño no se lo permitirá, y el perro, ante la primera prohibición de su vida, no dudará en hacerse valer.

Hay que tener siempre en cuenta que cada vez que se queja o exige algo, cuestiona nuestra autoridad. Nunca hemos de obedecerlo, sino ordenarle algo vagamente relacionado con su demanda. Si cumple y su petición es aceptable,

a una habitación con la puerta cerrada. Le dejamos alguna prenda con nuestro olor (una camiseta vieja usada, por ejemplo), su juguete preferido y una radio encendida con el volumen bajo.

Después de cerrar la puerta de la habitación, podemos dedicarnos a cualquier actividad en la casa, ya sea cocinar, escuchar música o leer.

accederemos a ella, dejando bien claro que es una recompensa.

Por ejemplo, si nos pidiese agua ladrando, no tendremos que dársela de inmediato, sino ordenarle que se calle y esperar. Si el perro permanece en silencio durante un cierto tiempo, se la daremos. Es el dueño quien decide cuándo se puede hacer algo y cuándo no.

Si el perro, al recibir una orden, nos muestra los dientes y comienza a gruñir, debemos reprenderlo tajantemente. Si no nos hace caso, repetiremos la negativa tantas veces como haga falta. Si se comporta así con cierta frecuencia, deberemos acudir a un especialista.

Si el perro es todavía un cachorro, lo más conveniente es tomarlo del pescuezo y sacudirlo ligeramente al tiempo que le gritamos «¡no!». A pesar de que este castigo pueda parecernos un tanto agresivo, es el mismo que le infligiría su madre y es sano psicológicamente.

¿Y si sólo gruñe cuando come o juega con un objeto?

En ciertas ocasiones, el perro muestra un sentido de la propiedad muy acentuado. Basta con acercarse a su comida, su escudilla o a alguno de sus juguetes para que comience a gruñir o incluso muestre sus dientes.

Para evitar la posibilidad de que nos muerda, tendremos que empezar a trabajar con el cachorro desde que llega a casa. Hemos de aprovechar cualquier ocasión que se nos presente para acariciarlo cuando coma o juegue. Es el mejor modo de que se acostumbre a nuestra presencia. De todos modos, si opone resistencia, lo reñiremos.

Un ejercicio sencillo consiste en pedirle siempre el objeto que tiene en la boca, premiar-lo cada vez que nos lo entregue y devolvérselo. De lo contrario, asociará la cesión con la pérdida y tenderá a protegerse. El cachorro debe aprender que si juega con algo es porque su amo se lo permite.

Qué hacer cuando el perro se escapa

Si el perro se va de casa sin nuestro permiso para dar un paseo, no podemos castigarlo a la vuelta, ya que en lugar de asociar la reprimenda con la huida, la relacionaría con su retorno, de manera que la próxima vez tardaría más tiempo en llegar por temor a nuestra reacción o, lo que es peor, nos abandonaría.

A pesar del mal rato que nos haya hecho pasar, tendremos que reprimir nuestro enfado y felicitarlo por haber vuelto a casa. El amo y el hogar deben ser siempre una fuente de satisfacciones y seguridad.

Si un perro nos ataca...

• Qué hacer ante un perro desconocido que se lanza contra nosotros:

Si tuviésemos la mala suerte de encontrarnos en una situación comprometida, lo más sensato es no moverse e ignorar al perro.

En caso de que el animal sea peligroso y nos ataque, tendremos que aceptar el mordisco sin resistirnos. Los perros rara vez atacan a presas inmóviles, pues interpretan que aceptan su dominio. Pero si en lugar de permanecer inmóviles corremos o hacemos gestos bruscos, incitaremos al perro a que nos ataque.

El coito de los perros

• ¿Se puede interrumpir el coito de los perros?
Cuando el perro o la perra, en un descuido nuestro, se aparea con otro perro, no debemos intervenir. Nunca estiraremos para que se separen, ya que durante el acto sexual quedan enganchados y si realizáramos una tracción podríamos producir lesiones en sus aparatos genitales.
Tampoco es bueno asustarlos, ya que puede provocarles un shock nervioso que dé pie a futuros trastornos sexuales.
Lo mejor será esperar a que la cópula finalice y llevar a la perra al veterinario para que le dé una inyección o una pastilla contraceptiva.

¿Debemos introducir la trufa del cachorro en sus propias heces?

De ninguna manera, ya que creería que pretendemos que se las coma o se revuelque en ellas.

Si lo descubrimos haciendo sus necesidades en un lugar de la casa que no es el correcto, lo detendremos con un «¡no!» tajante y lo llevaremos al lugar adecuado. En el caso de que nos encontremos con sus heces, las limpiaremos sin que nos vea y aplicaremos un aerosol especial para eliminar los olores, ya que si no el perro tendría tendencia a hacer sus necesidades allí donde huele.

Qué hacer si el perro marca el territorio

La demarcación del territorio es un acto natural en el perro. Es la manera que tiene de indicar que domina cierta área de terreno y que todos cuantos se internen en ella deberán respetarlo.

Sin embargo, por muy natural que sea, esta actividad no debe consentirse ni dentro de la casa ni en el jardín por razones higiénicas y de educación, ya que el perro no es el líder de la manada.

El cachorro debe tener en cuenta desde el primer día cuál es su papel en la casa. Cuando sea adulto, si continúa marcando el territorio, tendremos un grave problema, ya que el animal será excesivamente dominante y no reconocerá la autoridad de ninguno de los miembros de la casa. Aunque no somos partidarios de la castración, posiblemente será el único remedio eficaz. Por supuesto, antes habremos de consultar al veterinario y al psicólogo canino.

Cómo impedir que nuestra mascota se nos eche siempre encima

A muchas personas puede hacerles gracia que su mascota, sobre todo cuando todavía es un cachorro, les dé grandes muestras de alegría y efusividad, les salte encima y les rasque las piernas.

Sin embargo, cuando el animal crezca este comportamiento será bastante molesto, dado que ya no pesará 4 ó 5 kg, sino que podrá llegar a los 25 kg o incluso a los 40 kg, según la raza. Tampoco resultará muy agradable que se nos eche encima cuando nos hayamos arreglado para acudir a una cita importante o nos hayamos vestido con nuestra ropa preferida. El perro no puede distinguir esos pequeños detalles y seríamos tremendamente injustos si lo riñésemos sólo en esas ocasiones, máxime cuando se lo hemos permitido siempre. Por ello, deberemos enseñarle a contener sus emociones. Es una norma básica de educación que tendrá que aprender desde edad temprana.

Es muy importante que el perro aprenda a manifestar su alegría de otra manera más comedida, sin grandes efusiones. El mejor momento para erradicar este vicio es cuando nuestro perro todavía es cachorro, ya que aprende rápidamente y podemos manejarlo con facilidad.

Cuando lleguemos a casa y el cachorro nos reciba dando grandes saltos de alegría, deberemos darle pequeños empujones hacia atrás, pero sin dejar por ello de mimarlo, acariciarlo y tranquilizarlo. Tenemos que premiarlo cuando no salte y permanezca a nuestro lado moviendo la cola. Repetiremos esta acción hasta que consigamos que el perro nos reciba sin saltar.

Si el perro fuese adulto, el sistema de enseñanza cambiará por completo. Debemos tener en cuenta que su fuerza física es mucho mayor, y no podemos empujarlo como si se tratara de un cachorro. Existen varios modos de solventar este problema. Los más útiles son los siguientes:

• Pisarle las patas traseras en el momento en que se dispone a saltar, y simultáneamente le gritamos «¡no!» con energía. No hay que hacerle daño: tan sólo debe notar una presión molesta que lo obligue a retirarse.

• Levantar una rodilla cada vez que nos salte encima. Colocando la rodilla delante del cuerpo justo en el momento en que el perro empieza a saltar, impediremos que el animal se nos eche encima. La desventaja de este sistema es que si no actuamos en el instante preciso, el perro puede creer que lo castigamos.

• Ponerle la mano sobre la cabeza cuando salte. Así no podrá levantarse del suelo.

Cómo evitar que se orine cuando está muy emocionado

A pesar de que se trata de una señal de respeto y sumisión, es lo suficientemente desagradable e incómoda como para erradicarla, sobre todo si

debemos recibir a algún amigo por quien el animal sienta algún afecto.

Si cuando llegamos a casa o cuando le prodigamos caricias el perro se excita y emociona tanto que deja escapar unas gotas de orina, tendremos que intentar que el perro considere nuestra llegada como algo normal. Para ello, cuando entremos en casa, acariciaremos al perro sin grandes efusiones y no dejaremos que salte ni que se alborote. Si poco a poco logramos que piense que nuestra llegada es un hecho sin importancia, se comportará con más calma.

¿Es aconsejable castrarlos?

En general, no es muy recomendable, ya que produce cambios de conducta tanto en machos como en hembras.

Además, cuanto más joven es el animal, más afectado queda tanto en el desarrollo como en el aprendizaje. Se constata una evidente pérdida de interés por todo, se vuelve más pasivo y resulta más difícil condicionar sus reflejos. Los cambios, no obstante, dependen mucho del carácter del perro.

En cualquier caso, si no quedase otro remedio, habrá que esperar a que el animal haya alcanzado la madurez sexual.

Qué hacer cuando arrastra el trasero o se rasca la base de la cola

Acudir al veterinario, ya que es muy posible que lo haga a causa del prurito o de un absceso producido por un cuerpo extraño o un parásito. Los perros poseen unas glándulas perianales que pueden obstruirse, en cuyo caso producen una irritación muy molesta. La solución es muy sencilla: basta con vaciar las glándulas. Si nos viésemos con ánimos, podemos pedir al veterinario que nos enseñe cómo hacerlo, aunque por el olor tan desagradable que emana no es muy recomendable. Cuanto más nervioso e inquieto sea el perro, menos tardarán en obturarse dichas glándulas.

Qué hacer cuando dos perros se enzarzan en una pelea

Procuraremos no hacer ningún gesto raro ni colocar las manos cerca de sus cabezas o lomos, puesto que podrían herirnos.

Hay que intervenir a una distancia prudencial, tomándolos de la cola y levantándolos hacia arriba. De este modo, al perder el equilibrio soltarán a su presa.

Si dos perros se pelean debemos actuar con precaución para separarlos.

También podemos enrollar la correa y lanzársela con fuerza mientras proferimos un «¡no!» rotundo. Es muy probable que se asusten y dejen de pelearse.

Cómo superar la angustia de la separación

Todos los propietarios de perros reconocerán la situación que se produce cada vez que debemos ir a trabajar o ir a un lugar sin que el perro nos acompañe: nos parte el corazón ver la cara de «tristeza» y los ojos suplicantes en los que se lee un «¡no me dejes solo en casa!».

Para acostumbrar al perro a nuestra ausencia debemos condicionarlo desde pequeño.

Pronto nos daremos cuenta de que el cachorro sabe en qué momento nos arreglamos para salir: el gesto de coger las llaves, abrocharnos los zapatos, buscar el bolso o el abrigo... Seguramente durante cada una de estas acciones nos seguirá sin cesar, lo tendremos al lado de la puerta y empezará a ponerse nervioso.

Al marcharnos, el animal empezará a sentir angustia y agobio porque se siente abandonado y solo.

Para evitar esta situación (que también es preocupante para el amo) seguiremos el método recomendado anteriormente, consistente en dejar puesta a bajo volumnen la radio o la televisión, etc.; primero en cortos períodos de tiempo para luego alargarlos progresivamente.

Cómo conseguir que engulla un medicamento

Los perros aceptan con muchas reservas un alimento al que no estén acostumbrados. Las medicinas son para ellos elementos completamente extraños por los que no sienten ninguna

Consejo

Si acostumbramos al cachorro a dejarse examinar por el veterinario y a aceptar todas las medicinas que le ha recetado, cuando crezca será más fácil velar por su salud.

atracción, sobre todo si su dueño los obliga a tomarlas.

Si se trata de pastillas o cápsulas, comprobaremos cuán difícil es conseguir que abra la boca y se las trague. La solución más sencilla consiste en camuflarlas en la comida (carne picada, queso, etc.) o en el pienso. Con un poco de suerte, no las distinguirá. Cuanto más suculento sea el manjar que envuelva la pastilla, más posibilidades hay de que no se dé cuenta.

Otro modo, mucho más expeditivo, pero también más difícil, consiste en introducir los comprimidos directamente en la boca del perro. Para ello, se la abriremos haciendo palanca con una mano por detrás de los colmillos, mientras con la otra los empujamos hacia la garganta. A continuación, le cerraremos la boca y la mantendremos cerrada para evitar que la escupa. Siempre le inclinaremos la cabeza hacia arriba y le masajearemos la garganta para que engulla el medicamento.

No está de más vigilar al animal durante un rato para asegurarnos de que no ha escupido la pastilla en un rincón.

Los jarabes o líquidos son más fáciles de administrar. La manera más cómoda de hacerlo es con una jeringuilla (sin aguja): se introduce en la comisura de los labios hasta llegar a la base de la lengua, se inclina la cabeza del animal y se aprieta el émbolo.

Los errores más frecuentes

Durante todos estos años dedicados a la educación y corrección de conductas no deseadas en los perros, he podido comprobar que muchos de los problemas se debían a la puesta en práctica de consejos equivocados.

Muchas personas, al desconocer el comportamiento del perro, actúan de manera inapropiada y dan pie a malos hábitos que después será muy difícil erradicar.

La mayor parte de las terapias de conducta que he puesto en práctica se han aplicado a perros muy miedosos, agresivos, con fobias, etc., que no habían sido socializados correctamente, ni con sus congéneres ni con seres humanos. En algunos casos, el criador no se ha preocupado demasiado por el *imprinting* del perro.

Errores de algunos criadores

Mantener a los cachorros aislados de las personas

Es uno de los errores más graves. ¿Qué razones aducen para justificar el aislamiento? Según ellos, de este modo el perro considera como su amo a la primera persona con quien se relaciona directamente y se previenen eventuales conflictos. Sostienen que únicamente debe tener contacto con su futuro amo para que sólo lo obedezca a él.

La solución es muy perjudicial, ya que si además este contacto se produce cuando el cachorro ya ha pasado la etapa del *imprinting* (que dura hasta las doce semanas aproximadamente)

sin que haya tenido la oportunidad de relacionar y asociar todo lo que acontece en el exterior, el perro puede sufrir ataques de pánico ante cualquier ruido exterior, sombras, personas e incluso animales de su misma especie. La gravedad del trastorno dependerá del carácter del animal.

Si se corrige a tiempo, el perro puede recuperarse casi por completo, por bien que en algunos casos seguiremos teniendo un perro que reaccionará con miedo ante situaciones concretas. Se le debe tratar con mucho cariño y paciencia. Es conveniente que nuestra mascota se adapte al entorno que la rodea.

Separar antes de tiempo a los cachorros de la madre

Esta acción también provoca problemas de conducta en el futuro. Lo ideal, tanto para la salud emocional de la madre como para el desarrollo de la camada, es mantener al cachorro junto a la madre como mínimo las primeras siete u ocho semanas. No olvidemos que durante este período se definen relaciones jerárquicas y se fijan algunos comportamientos.

Consejo

En principio, todo perro puede ser educado. No hay límites en lo que respecta a la edad del perro, pero quizá sí los hay en lo que se refiere a la paciencia humana.

Siempre que sea posible pediremos consejo a un profesional para que nos oriente y nos indique el mejor camino para salvar situaciones complicadas.

Nuestra mascota debe mantener desde cachorro contacto con otros perros.

Separar a los cachorros de una misma camada en edad muy temprana

Puede provocar graves problemas de conducta con su propia especie, ya que en esta época establece, mediante el juego, unas normas de comportamiento y se define la estructura jerárquica. Todo ello le servirá para relacionarse con sus congéneres en un futuro.

No permitir el contacto con otros perros ni con el exterior

Al igual que en el caso anterior, puede ocasionar traumas, pero en este caso más graves y acentuados. Surgirán problemas por falta de socialización con los demás perros y por temor al exterior (calle, automóviles, ruidos, etc.), con la consiguiente repercusión en la relación con el entorno y en las relaciones sociales de su propia manada.

Mantener demasiado tiempo en jaulas poco espaciosas a cachorros ya mayores o perros adultos

No es difícil imaginar los efectos que se derivan de esta situación: problemas óseos y de movilidad, mal desarrollo muscular y daño a la salud psicológica del perro con posibles comportamientos neuróticos, como por ejemplo morderse continuamente la cola dando vueltas a su alrededor (spinning), morderse las patas o autolesionarse por aburrimiento y falta de ejercicio.

Instalaciones excesivamente sucias

Al igual que a los humanos, a los perros tampoco les gusta permanecer en espacios llenos de excrementos ni orines. Si se les obliga a vivir en condiciones de falta de higiene, el animal se acostumbrará a estar sucio, con los consiguientes problemas en una futura convivencia en casa.

Para solucionar este problema debemos insistir y tener muchísima paciencia, con una rutina diaria para conseguir que el animal no haga sus necesidades en casa o cerca de su propia cama o rincón.

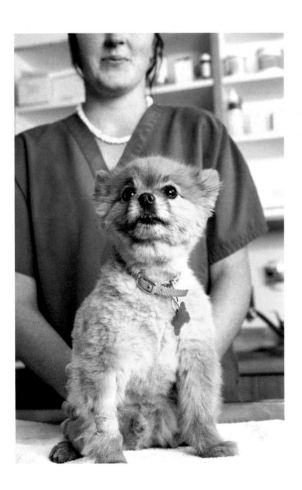

Errores de algunos veterinarios

Aconsejar la educación tardía

Es el error en el que se incurre con más frecuencia, porque genera hábitos difíciles de erradicar posteriormente. Si se tomase más en serio la responsabilidad de educar a los perros, se evitaría en gran parte el abandono provocado por su mal comportamiento. Incluso en el caso de perros «fáciles», se desaprovecha la oportunidad de fomentar y desarrollar las aptitudes que más nos interesan.

El perro, al igual que la persona, no tiene una edad concreta a la que se le deba educar. Sin embargo, lo más adecuado sería siempre educar o empezar a marcar unas normas de comportamiento desde el mismo momento en que el animal entra en nuestra casa. Con su consiguiente lógica, ya que el perro no entenderá que de cachorro le hayan permitido un sinfín de cosas y luego, de golpe, se le exija justo lo contrario. Es evidente que, cuanto mayor sea el perro, más laborioso es el proceso de educación y más tiempo se necesitará. Además, es probable que inicialmente el perro se desconcierte.

Algunos veterinarios (por suerte, cada vez menos) todavía aconsejan no educar al perro hasta que haya cumplido al menos un año. Este mal consejo —aunque seguramente dado sin mala intención— supone llegar tarde en los casos de perros problemáticos, cuyos amos ya estarán hartos de las situaciones molestas causadas por una conducta descontrolada de la mascota.

Tampoco hay un límite de edad para poner fin al proceso educativo. La cuestión será analizar cada caso, y ver si los hábitos adquiridos

realmente pueden corregirse con un tratamiento especial o si el problema se nos ha escapado de las manos. De todas formas, es conveniente enseñar siempre cosas nuevas al perro, ya que es una forma de comunicarse con él y mantener el liderazgo. Además, un perro puede aprender toda la vida.

Aconsejar no sacar a la calle a los cachorros sin todas las vacunas

Es el segundo error más frecuente. Desde el punto de vista veterinario, este consejo tiene su justificación: con él se pretende garantizar la salud del animal, porque es un sistema inapelable de evitar posibles infecciones o enfermedades.

Sin embargo, en algunos casos perjudica gravemente al comportamiento del animal en la etapa adulta, ya que a partir de los tres meses, el cachorro ya debe reconocer su entorno y estar en condiciones de relacionarse con la gente de su alrededor y con los demás animales de su especie.

Una solución que satisface a veterinarios y a especialistas en conducta canina es la siguiente: mientras el cachorro no tenga todas las vacunas, deberá salir al exterior siempre en brazos o en un capazo, de manera que pueda reconocer espacios, olores, ruidos y pueda tener las primeras aproximaciones a otros perros que tengan todas sus vacunas; es conveniente vigilar que no lama el suelo o los orines.

Dar consejos que no atienden a la particularidad del perro

En algunos casos los consejos generales resultan acertados, pero por desgracia en otros no solucionan el problema o incluso lo empeoran. Son ejemplos muy ilustrativos: castigar conductas no deseadas dando golpes en el morro con el diario enrollado; restar importancia a determinadas conductas aduciendo «ya se le pasará cuando sea adulto»; considerar normal que el perro cace palomas o gatos «porque es un perro…».

Aconsejar la castración para resolver conductas de agresividad

No todos los casos de agresividad son iguales, por lo cual primero debemos analizar el problema con detenimiento y sólo si es necesario, como último recurso, proceder a la castración.

De todas formas, la castración no garantiza totalmente la disminución o la eliminación de la agresividad. Antes de recurrir a esta medida, se debe analizar el comportamiento del perro y acudir a un profesional para que plantee una terapia adecuada para tratar la agresividad, indagando los motivos que provocan o estimulan la respuesta agresiva del animal. En muchos casos, siguiendo las pautas dictadas por un profesional se consiguen resultados excelentes, siempre y cuando éste cuente con la colaboración del amo del perro. Se debe examinar cada caso concreto, porque cada perro es un ser diferente.

La castración impide que la agresividad aumente, ya que el perro no presenta subidas hormonales, pero no garantiza en todos los casos que el origen de la agresividad anterior desaparezca.

Equivocaciones que cometen los propietarios

Sobreproteger al cachorro o al perro joven

Tomarlo en brazos o esconderlo detrás de usted es un comportamiento que fomenta inseguridad y miedo en el animal, que probablemente ladrará en cuanto perciba algo que se mueve o hace ruido. Dado que se habrá convertido en una reacción defensiva, pedirá constantemente que lo suban en brazos o se esconderá entre las piernas del amo.

El perro no se relacionará correctamente con otros animales de su misma especie, ya que el dueño no le ha proporcionado la ocasión de hacerlo.

Los perros de este tipo son miedosos y suelen responder siempre gruñendo o ladrando, lo cual provoca a su vez posibles respuestas de ataque de los otros perros. Es bueno tomar precauciones ante perros desconocidos pero sin exagerar: nuestra mascota debe aprender

No confundamos al perro

Para reñir al perro, lo haremos siempre de la misma manera, es decir, con un tono de voz seco y de manifiesto enojo.

Y, por el contrario, cuando se trate de premiar su buen comportamiento le prodigaremos caricias y le hablaremos con ternura y alegría. Si le dijéramos «¡muy bien, guapo!» con un tono demasiado enérgico o seco, también lo desconcertaríamos, porque el perro se guía por el tono y la sonoridad, no por el contenido semántico del mensaje que recibe.

por sí sola a diferenciar las situaciones amistosas de las que pueden constituir un peligro.

Reñir fuera de tiempo

Muchos propietarios creen que su perro tiene memoria y se acuerda perfectamente de lo que ha hecho, con lo cual justifican el castigo fuera de tiempo.

Insistimos en que los perros no tienen memoria. Como ya se ha dicho en repetidas ocasiones, el castigo que no se aplica en el instante mismo en que se produce la acción indeseada es totalmente inútil y contraproducente.

El perro no tiene pasado ni futuro: sólo relaciona o asocia los hechos del presente.

Castigar al perro cuando no se ha visto siquiera en qué momento hizo la «trastada» (quizá hayan transcurrido minutos o incluso horas...) es un error grave, ya que es imposible que el animal entienda por qué se le reprende. En estos casos, a la larga se provocan asociaciones incorrectas, comportamientos más ansiosos y destructivos, y una desconfianza cada vez mayor hacia su dueño, ya que el perro asociará su proximidad o regreso con un castigo seguro.

Si ha hecho algo y nosotros no lo hemos visto, esperaremos pacientemente que vuelva a cometer la acción incorrecta, vigilándolo para sorprenderlo in fraganti. Entonces es cuando deberemos castigarlo. Si lo cazamos tres o cuatro veces seguidas ya no volverá a repetir la acción, porque el perro ya habrá tenido la oportunidad de establecer la relación del mal acto con el castigo.

Una manera rápida y segura de corregir un mal comportamiento es provocar una situación de fallo para reñirlo en el momento.

Emplear métodos de castigo directo

Se trata de un error muy grave. Debe evitarse el castigo directo, es decir, proveniente del amo. Muchas personas todavía creen en la palmada, la patada directa, el bastonazo, el escobazo, etc., y esto sólo produce una gran desconfianza y temor hacia el amo. Quizá el perro acabe obedeciendo por miedo, pero en cuanto tenga la oportunidad este castigo puede volverse en su contra.

Su mascota debe reconocer en el dueño la figura del protector y guía de la camada, pero con respeto y simpatía; tiene que estar dispuesto a protegerle y a seguirle voluntariamente a todas partes.

Un amo que pega a su mascota de manera directa seguramente no disfrutará de un buen perro y, tarde o temprano, le desafiará o le responderá con un mordisco. Los castigos deben ser siempre ajenos a nuestra persona: que el perro sienta que provienen del entorno, provocados por la propia mala acción. El resultado será que se refugiará en su amo y lo obedecerá más.

Reñir con palabras o gestos cariñosos esperando que entiendan su significado

Es un error muy generalizado. El propietario lo hace con el convencimiento de que su perro entiende las palabras que le dirige. Pero, aunque el animal a veces interpreta nuestro deseo sólo a través de un gesto nuestro o una mirada, en realidad no significa que lo entienda, sino que asocia una conducta determinada de su amo con una acción que lleva a cabo él.

Ser excesivamente blando y cambiar repentinamente de actitud

Ocurre con bastante frecuencia que una familia que durante meses ha prodigado todo tipo de atenciones al «nuevo inquilino» y se ha mostrado muy permisiva mientras era cachorro, de pronto pretende que todo lo tolerado hasta entonces se acabe de golpe.

De hecho, en condiciones ideales esta actitud inicial no debería darse nunca. Pero, en caso de que se haya llegado a esta situación, la solución al problema es proceder progresivamente y con paciencia. Este proceso debe involucrar a todos los miembros de la familia. Es muy importante que el cambio sea paulatino y esté consensuado entre todos los miembros de la familia, que deben coincidir en todas las normas fundamentales o básicas de convivencia. De este modo, las diferencias de criterio no confundirán al recién llegado, que verá cómo todos le corrigen implacablemente las mismas acciones (subirse encima de las camas o de los sofás, por ejemplo).

La posición del dueño

Todo aquello que enseñamos en edad temprana será provechoso en el futuro, ya que eliminamos o contrarrestamos malos hábitos que luego se acentúan y son más difíciles de corregir.
Debemos imponer unas normas (aunque sean pocas), pero mantenernos inflexibles hasta lograr que sean acatadas.
El amo siempre debe ser el elemento «alfa» (o dominante) de la «camada»; en caso contrario surgirán constantemente problemas de dominio: marcas de orines en casa, desafíos frecuentes, posibles mordeduras, actitud posesiva con la mayoría de objetos... en definitiva, falta de respeto total.

Dar comida de todo tipo y fuera del horario establecido

En primer lugar, es perjudicial para la salud del animal porque le causa un desequilibrio nutricional. Además, es un vicio muy molesto, tanto para el propietario como para sus visitas, que tendrán que soportar constantemente al perro en la mesa, en la cocina o al lado mendigando comida. Esta conducta es difícil de rectificar, y tiene su origen en la permisividad inicial por parte del dueño.

Un propietario de perro mínimamente responsable no debe caer en este error bajo ningún concepto. Una cosa es darle un premio (que incluso puede resultar beneficioso) de vez en cuando, y otra muy distinta es darle comida sin ton ni son.

No detenerse en los cruces o cruzar por sitios inadecuados

Es muy importante acostumbrar al perro a pararse antes de cruzar la calle, de modo que cuando vaya suelto se pare siempre antes de bajar de la acera, y no cruce hasta que el dueño pase o le dé la orden (utilizando las órdenes «¡junto!» o «¡vamos!»).

Dejar a su alcance objetos que ha roto

Es el típico ejemplo de la zapatilla o zapato roto que ha cogido el cachorro por su cuenta. Jamás le deje para jugar un objeto que aprecie o que no quiera que le robe en el futuro, aunque esté destrozado. Por muy rota que ya esté la zapatilla, no se la debe dejar. El perro es incapaz de distinguir qué zapatos o zapatillas puede tocar y cuáles no: para él todo son juguetes maravillosos (recuerde que usted mismo le ha permitido tomarlos).

Siempre debe tirar o retirar de su alcance aquello que ha roto y en su lugar entréguele un juguete o un hueso que pueda roer.

Dejar al perro suelto sin controlarlo plenamente a la llamada

Es un peligro soltar al perro sin tener plenas garantías de que acuda cuando se lo ordenemos o de que se comporte sin causar problemas a los demás.

Antes de soltar al perro conviene prever sus posibles reacciones. No seamos ingenuos: el hecho de que el animal le haya hecho caso una de dos veces no significa que sea obediente ni que respete sus órdenes. Es más, con esta respuesta lo que realmente ocurre es que es él quien decide cuando hace caso al dueño y cuando no. Entonces, cuando encuentre algo que suponga un atractivo mayor para él (perritas, olores, perros juguetones, posible pelea...), seguramente hará oídos sordos a la orden de su amo, con el consiguiente problema.

El mejor consejo es que antes de dejar suelto al perro, el propietario lo eduque bien en el apartado obediencia.

Creer que el perro es demasiado joven o viejo para el aprendizaje

Un perro nunca es demasiado joven ni demasiado viejo para aprender las normas básicas de convivencia. Todo depende de nuestra paciencia y de lo que pretendamos conseguir. Cuanto antes empecemos a dirigir a nuestro amigo, mejor se cumplirán nuestras expectativas.

Dónde dejarlo

Alternativas para las vacaciones

Es triste reconocer que año tras año aumenta considerablemente el número de abandonos de perros durante los períodos vacacionales. En algunas ciudades, el incremento alcanza cotas preocupantes. Las razones que aducen muchas personas implicadas no justifican en modo alguno una acción tan vil. Es cierto que durante esa época es difícil encontrar hoteles o cámpings en donde admitan huéspedes con animales, que no todas las empresas de transporte permiten viajar con perros y que no siempre es fácil cruzar las fronteras.

Nadie puede negar que en ciertos casos los animales de compañía se convierten en un engorro. Sin embargo, debemos saber que existen soluciones a todos estos problemas. Basta con informarse unos meses antes y, en el caso de que el viaje con el perro sea muy complicado, buscar una residencia canina o contactar con una persona de confianza que pueda hacerse cargo de él. Los inconvenientes están para ser resueltos. De lo contrario, ¿qué sentido tiene haber comprado un perro?

La tenencia de un perro conlleva unas responsabilidades y, en consecuencia, una serie de hábitos que todos los propietarios deberían adquirir. La planificación de las vacaciones exige unos cuantos cambios: si se decide viajar con el animal, tendrá que consultar una guía especializada (que puede conseguirse en la delegación de la RSCE, establecimientos del ramo, centros veterinarios o sociedades protectoras de animales), en la que se recogen todas las indicaciones necesarias para viajar con nuestra mascota. Con un perro bien educado pueden visitarse muchos sitios.

Las residencias caninas

Es evidente que no siempre podemos viajar en compañía del perro. Si no hubiese ningún familiar o amigo dispuesto a hacerse cargo de él, habría que buscar una solución. El caso es que no podemos dejarlo solo, porque no entendería la razón por la cual le abandonan y no se acostumbraría a la soledad.

Las residencias caninas son una buena alternativa, pero hay que tomar ciertas precauciones. Ante todo, es preciso asegurarse de que el lugar cumple con todas las normativas legales, tanto por lo que respecta a las condiciones higiénicas de las instalaciones, como al trato dispensado por parte de los cuidadores. Si la residencia es de nuestro agrado, habrá que visitarla con el perro dos o tres semanas antes de emprender el viaje. De este modo, el animal se familiarizará con su nuevo entorno y no sufrirá tanto la angustia del abandono ni la soledad, ya que el lugar le resultará familiar y lo habrá asociado previamente con el regreso.

Qué debemos tener en cuenta

- Visite varias residencias para comprobar cuál le ofrece más garantías.
- Examine la actitud de los perros alojados en la residencia. ¿Parecen felices y tranquilos?
- Compruebe que el espacio destinado a su perro sea amplio: debe tener aproximadamente unos seis metros cuadrados.

- Infórmese de las rutinas que se siguen en la residencia. ¿Hacen los perros ejercicio?
- Lleve la cartilla sanitaria del perro cuando vaya a dejarlo.
- Deje un teléfono de contacto por si acaso.
- No sea tacaño con el precio: no olvide que cualquier rebaja la pagará su perro.

Viajar con el perro
El alojamiento y los desplazamientos

> Fuera del perro, un libro es probablemente el mejor amigo del hombre, y dentro del perro probablemente está demasiado oscuro para leer.
>
> GROUCHO MARX

Si tenemos la intención de hospedarnos en un hotel, una pensión o un cámping, antes tendremos que asegurarnos de que admiten animales. En muchos casos, si hacemos hincapié en el hecho de que el perro está educado, lo aceptarán con más facilidad.

Sé por experiencia propia que en algunos establecimientos donde no se admiten perros, si se garantiza que el perro está muy bien educado, lo admiten sin objeciones. En nuestro país, a diferencia de lo que ocurre en Francia o en Italia, todavía son pocos los lugares en donde se puede entrar con un animal de compañía. Simplemente hay que informarse un poco y preocuparse de que el perro no cause ninguna molestia.

En automóvil

En la actualidad, el automóvil es el medio de transporte más utilizado. Cuando se tiene perro es insustituible, porque a nuestro amigo no se le permite viajar en casi ningún transporte público. Si lo acostumbramos a viajar en coche, nos evitaremos un buen número de gestiones, pérdidas de tiempo considerables y algunos problemas, y además, podremos disfrutar de las vacaciones en su compañía. Si se le acostumbra desde joven, viajar en coche puede llegar a encantarle. No tardará en relacionar el coche con las salidas al campo, y mostrará su alegría en cuanto escuche el ruido del motor o vea que hacemos los preparativos.

Si las primeras veces que va en automóvil se marea y vomita, tal vez sea por algún ruido u olor que lo desconcierta y lo altera. El problema casi siempre es psicológico, sobre todo en los cachorros. Por esta razón deberemos procurar que el animal se sienta lo más a gusto posible. Paulatinamente, se dará cuenta de que el coche sólo es un pequeño inconveniente y no un entorno hostil.

Otra utilidad del coche

Si por razones de trabajo debemos ausentarnos de casa durante muchas horas y vivimos solos, podríamos llevar al perro con nosotros y dejarlo en el coche. De este modo, no se sentiría tan solo y podríamos llevarlo de paseo durante nuestros ratos libres. Únicamente hay que procurar que el animal no se quede solo durante demasiado tiempo y que el coche no esté ni en un aparcamiento subterráneo, ni expuesto directamente al Sol. Debemos estacionarlo a la sombra, dejar una ventanilla entreabierta para asegurar una buena ventilación y dejarle un recipiente con agua. El animal se lo pasará mejor que estando en casa sin hacer nada.

La mejor manera de acostumbrarlo consiste en hacer que suba al maletero por cuenta propia, sin forzarlo. Para ello, procuraremos que el motor esté apagado y nos mostraremos muy afectuosos, ofreciéndole comida, caricias y mimos.

Conviene practicar durante una semana. Por lo general, bastará con unos quince o veinte minutos. Cuando el animal entre tranquilo y se haya acomodado, encenderemos el motor. Al principio se mostrará confuso, pero pasados unos días, se habrá acostumbrado. Será el momento de comenzar a conducir. Después de practicar ya podremos circular por las calles de la ciudad.

Si el trayecto en coche es largo tendremos que parar con cierta frecuencia para desentumecer las piernas, darle agua y pasear al perro. Cuando lo saquemos del coche, tendremos que atarlo con la correa para evitar accidentes.

El lugar más indicado para el perro es la parte trasera. Si la familia es bastante numerosa, habrá que dejarlo en el maletero, siempre y cuando pueda retirarse la cubierta que lo separa del resto del habitáculo. En cualquier caso, debe ir tumbado para que no perturbe la conducción. Si viaja en el asiento posterior, habrá que atarlo con la correa y colocar una malla u otro tipo de separación entre las dos filas de asientos.

Los animales nunca deben viajar en la parte delantera del coche, a menos que lo lleve el acompañante entre los pies y debidamente sujeto para que no moleste al conductor.

En autocar

A diferencia de los demás medios de transporte, no sólo es el más incómodo, sino también el menos adecuado, ya que prácticamente ninguna empresa admite la presencia de animales domésticos. De todos modos, siempre puede consultarse.

En tren

En la actualidad las normativas de las empresas de ferrocarril preven la posibilidad de que el perro acompañe a su dueño durante los trayectos, si bien los requisitos varían en función de las distancias que deben recorrerse. No está de más llevar siempre la cartilla de vacunaciones, una correa, un bozal y material de limpieza.

Por lo general, sólo se admite un perro por pasajero y suele pagar, como mucho, medio billete. En algunos países, como Irlanda, se exige que los propietarios viajen en un compartimiento para ellos solos. Si es de talla pequeña y pesa menos de 6 kg, puede viajar en un transportín o una mochila. Si es mayor, deberá tumbarse a los pies del propietario o bien facturado como equipaje (tal como sucede en algunos trenes de gran velocidad o de largo recorrido). El horario sólo está restringido en los servicios de cercanías, ya que durante las horas punta puede causar molestias.

En avión

Los perros pequeños pueden viajar en la cabina con el amo, como si fueran parte del equipaje de mano. Los perros más grandes viajan en la bodega, en una jaula adecuada.

Antes de programar el viaje tendremos que informarnos, ya que las normas de cada compañía son diferentes y deberemos hacer la reserva con mucha antelación, pues sólo se admiten uno o dos perros por vuelo.

Tendremos que reservar plaza en los vuelos directos y nos abstendremos de viajar en fin de semana. Antes de dejar a nuestro compañero en la jaula, le daremos de comer y beber (aunque con mesura para evitar los mareos), y lo llevaremos de paseo para que realice bastante ejercicio. Tengamos en cuenta que hasta que el avión no aterrice el animal estará encerrado y en ayunas.

Si es muy nervioso o miedoso, visitaremos al veterinario para que le recete un sedante.

En barco

Por lo general, los barcos tienen un camarote especial para animales, situado al lado de la bodega. Si el viaje es largo, podemos ir a visitarlo e incluso sacarlo de paseo, previa autorización del capitán.

Algunas compañías disponen de unas casetas en las que el animal viaja con toda comodidad. Al igual que para viajar en avión, el veterinario puede prescribir un sedante que le haga el viaje más llevadero.

Agencias especializadas de transporte

Algunas agencias de transporte ofrecen un servicio especial para el transporte de animales domésticos en el caso de los propietarios no puedan llevarlos consigo. Antes de enviarlo, habrá que asegurarse del trato que se dispensa a

Condiciones generales impuestas por las compañías aéreas

1. Los animales hasta 6 kg de peso (incluido el peso de la jaula) podrán viajar en cabina. Los que pesen más de 6 kg (incluido el peso de la jaula) deberán viajar en bodega. Los animales deben viajar en una jaula homologada para su transporte.

2. Los animales cuyas dimensiones les permitan viajar en la cabina deberán viajar en una cesta o contenedor apropiado que pueda permanecer cerrado durante el vuelo.

3. Para los animales que han de viajar en la bodega no hay más límite que la capacidad de las misma. Puede darse el caso excepcional de aviones en los que, debido a la pequeña capacidad de la bodega, no se admitan animales.

4. El pasajero deberá presentar el certificado sanitario y la cartilla de vacunaciones en regla. Además, en caso de vuelos internacionales, el perro deberá cumplir los requisitos que cada país exija para la entrada de animales en su territorio.

5. Sólo se aceptarán en cabina animales de compañía tales como perros, gatos, pájaros, hámsters, etc. Otros animales menos comunes que pudieran resultar molestos para el resto del pasaje (por ejemplo, pequeñas serpientes, lagartos, arañas, etc.) deberán embarcarse siempre en la bodega, aun cuando no sobrepasen los 6 kg de peso, y dentro de los contenedores que la reglamentación exige para su transporte.

las mascotas y recabar la opinión de algún conocido que haya utilizado sus servicios. Si los resultados son buenos, es el método de transporte más cómodo.

Los precios es establecen en función de las destinaciones y de las dimensiones del animal, hasta 100 cm y de 100 cm a 250 cm. Estas medidas se toman sumando la longitud, la altura y la anchura del perro. La altura no se mide desde la cruz, sino desde el punto más alto. Un envío provincial cuesta alrededor de 12 euros, y uno nacional entre 20 y 30 euros. Además, estas agencias ofrecen servicios como alquiler y venta de jaulas y otras prestaciones complementarias.

Viajar al extranjero

Antes de reservar los billetes y el alojamiento, tendremos que informarnos en el consulado del país al que queremos viajar o en la agencia de viajes sobre los requisitos que tiene que cumplir el perro. También es de gran importancia saber qué vacunas hay que aplicarle para que no contraiga ninguna enfermedad. Antes del viaje, deberemos ir a la consulta del veterinario para que revise al perro y actualice su cartilla de vacunaciones. No está de más volver a visitarlo a la vuelta.

La entrada de animales de compañía en el Reino Unido

En febrero de 1999, el Ministerio de Agricultura, Alimentación y Pesca Británico anunció la puesta en marcha del nuevo procedimiento de entrada de animales de compañía al Reino Unido, en sustitución de la clásica cuarentena. Este programa, que en los países anglófonos se conoce con las siglas PETS (*Pet*

Hábitos en las vacaciones

Aunque estemos de vacaciones, el perro debe seguir con su programa cotidiano. Es imprescindible mantener los hábitos de higiene, alimentación y salud, y muy especialmente su educación. De este modo, el regreso a casa será menos traumático.
Los primeros días en el nuevo territorio seguramente el perro se comportará de un modo extraño y esté algo inquieto. Es normal: explora sin cesar porque para él todo es nuevo.

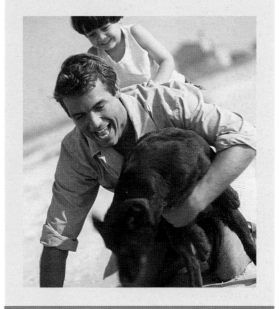

Travel Scheme), entró en funcionamiento como programa piloto en febrero del 2000, y actualmente ya se aplica en su formato definitivo.

El certificado PETS es un documento indispensable para la entrada de perros y gatos al Reino Unido y permite la exención de la cuarentena a los animales provenientes de determinados países (España está incluida en la lista) que vayan acompañados de un certificado oficial que garantice que reúnen las siguientes condiciones:

Antes de salir al extranjero debemos informarnos sobre los requisitos que debe cumplir nuestro perro.

• Estar en posesión de un **certificado oficial** PETS.

• Estar identificados con **microchip** permanente.

• Estar **vacunados contra la rabia** (con una vacuna inactivada con adyuvante y las revacunaciones necesarias).

• Haber alcanzado un nivel determinado de **anticuerpos contra la rabia** como consecuencia de la vacunación.

• Estar en posesión de un certificado oficial que certifique que la mascota ha recibido **tratamiento contra solitaria y garrapatas** (el tratamiento debe realizarse entre 24 y 48 horas antes del embarque).

Los animales que sólo estén identificados mediante tatuaje no cumplen los requisitos del programa PETS.

Compañías autorizadas

- **Compañías marítimas**
  Brittany Ferries, Hoverspeed, P&O European, P&O Stena, Sea France.

- **Compañías ferroviarias**
  Eurotunnel Passenger Service (pero no el Eurostar).

- **Compañías aéreas**
  British Midland Airways, Lufthansa, Finnair, Cyprus Airways, Air Malta (para posibles variaciones y rutas, debe consultarse a las compañías aéreas).

No se admite la entrada de animales de compañía en barco o avión privado.

Los veterinarios y los laboratorios que expidan los documentos o efectúen los análisis deben ser los autorizados por el gobierno británico.

En España, el laboratorio autorizado es:

Dirección General de Sanidad de la Producción Animal
Laboratorio de Sanidad y Producción Animal del Estado
Camino del Jau s/n
18320 Santa Fe (Granada)

Inspección de los animales

Antes de embarcar hacia el Reino Unido en el tren Eurotunnel o en un trasbordador procedente de los países autorizados, el animal debe ser presentado al personal competente de la compañía de transporte, que le pasará el lector de microchip y comprobará el certificado oficial PETS y el de tratamiento contra la solitaria y las garrapatas.

En las compañías aéreas estas comprobaciones se llevan a cabo cuando el animal desem-barca en el Reino Unido. Si no cumple alguno de los requisitos, el animal tendrá que pasar por cuarentena o volver al país de procedencia.

Validez del certificado PETS

El certificado es válido a partir de los seis meses de la fecha de la toma de una muestra de sangre que haya dado un resultado negativo o en la que el veterinario lo haya firmado, si es posterior. El certificado es válido hasta la fecha de revacunación del animal.

Países reconocidos

Alemania, Andorra, Austria, Bélgica, Chipre, Dinamarca, España (incluidas las Islas Canarias, pero no Ceuta y Melilla), Finlandia, Francia, Gibraltar, Grecia, Holanda, Islandia, Italia, Liechtenstein, Luxemburgo, Malta, Mónaco, Noruega, Portugal, San Marino, Suecia, Suiza y El Vaticano.

Razas prohibidas

Las razas Pit Bull Terrier, Tosa Japonés, Dogo Argentino y Fila Brasileiro y sus cruces están consideradas peligrosas en el Reino Unido. Entrar en territorio británico con uno de estos perros puede ser motivo de arresto y juicio.

Más información

- **Internet:**
  http//www.maff.gov.uk/animalh/quarantine

- **Correo electrónico:**
  pets@ahvg.maff.gsi.gov.uk

- **Teléfono de ayuda PETS:**
  +44 870 241 1710

Efectos terapéuticos
Beneficios de los animales de compañía

El perro es muy imprudente. Jamás se detiene a averiguar si aciertas o yerras, no le interesa saber si subes o bajas por la escalera de la vida, nunca pregunta si eres rico o pobre, tonto o listo, pecador o santo.

Con buena o mala fortuna, si tu reputación es excelente o pésima, si te creen honorable o infame, seguirá contigo, para consolarte, protegerte y dar su vida por ti...

JEROME K.

Diversos estudios demuestran que la compañía de animales domésticos (especialmente de perros y gatos) aporta importantes beneficios a la salud. El simple hecho de poseer y cuidar un animal de compañía mejora la sociabilidad, potencia la autoestima y facilita las relaciones personales. Estar acompañados de una mascota también ayuda a reducir los comportamientos ansiosos y violentos, al tiempo que mejora el ritmo cardíaco y regula la presión arterial. Acariciar a un perro o a un gato durante un tiempo contribuye a mejorar la circulación sanguínea y en general nos libera del estrés y de las preocupaciones causadas por el trabajo.

Las terapias con animales son de gran ayuda para el tratamiento de depresiones, senilidad, autismo, enfermedades físicas (invalidez, enfermedades crónicas) o psicológicas (*borderlines*, comportamientos ansiosos). También han dado excelentes resultados en programas educativos de reinserción para personas con problemas de inadaptación social (niños o jóvenes de centros de acogida, presos, etc.).

La hipoterapia, por ejemplo, ha demostrado ser muy beneficiosa en los casos de niños con problemas de movilidad, porque les da una nueva confianza en sí mismos, o niños autistas, que pueden aprender a relacionarse con los animales.

Hay otras posibilidades de la hipoterapia que han explorado en Sac Xiroi (Castellví de la Marca), donde tienen también todo tipo de animales de granja. El trato con animales ha dado excelentes resultados con chicos conflictivos de entre 12 y 18 años, muchos de ellos considerados de difícil solución o especialistas en fugas. Trinidad Barceló, directora de Sac Xiroi, interpreta así el proceso: «Cuando le dices a un chico que se encargue de cuidar un caballo, le estas diciendo que confías en él, ya que le dejas el caballo en sus manos y el niño entiende que el caballo no le cuestionará ni tendrá prejuicios contra él y se dejará cuidar».

Para un buen resultado es conveniente saber escoger el tipo de animal: a un niño autista no le convienen animales pequeños a los que, sin querer, podría hacer daño porque el resultado sería contraproducente y, en cambio, puede relacionarse con animales más grandes y fuertes. Los perros de razas adaptadas a las familias, por ejemplo, tienen un instinto exquisito para saber cómo acercarse a estos niños y cómo tratarles para motivarles.

Para los niños, un animal es un ser con el que relacionarse sin presionarles, sin preguntarles o sin obligarles a hacer cosas que no les apetece o no pueden hacer.

Las personas mayores con problemas de movilidad, seguramente tendrán dificultades para cuidar de perros, pero sí podrán disfrutar de la compañía de un pájaro, mucho más fácil de mantener. Decía una anciana que vivía sola y que había pasado por una fuerte depresión que su canario era su alegría y su motivación para levantarse por las mañanas y empezar el nuevo día.

Beneficios para la salud

1. La relación con un animal de compañía provoca una disminución de la ansiedad y ayuda a combatir la depresión.

2. La convivencia con la mascota se traduce en un aumento del bienestar y de la vitalidad.

3. Ayuda a sobrellevar el deterioro mental o físico.

4. Ayuda a superar la muerte del cónyuge.

5. Crea de obligaciones ineludibles, con lo cual la persona se vuelve más activa.

6. Mitiga la sensación de abandono, porque se instaura una relación de cariño con otro ser vivo.

7. Acariciar a un animal de compañía ayuda a regular la tensión arterial.

8. Los animales de compañía hacen reír con sus gracias y dan un nuevo sentido a la existencia.

9. Facilitán la relación con otras personas porque ofrecen tema de conversación y ayudan a romper el hielo. Es más fácil que alguien se acerque a un anciano si está con un animal de compañía.

10. Mejoran y aceleran la recuperación en el caso de dolencias graves.

Otra experiencia con animales, muy difícil de llevar a cabo porque precisa una infraestructura complicada, es la delfinoterapia. Esta disciplina se estudia desde 1950 cuando un grupo de doctores de Florida se dio cuenta de los avances que mostraban los niños con dificultades en su desarrollo tras interaccionar con delfines. Desde entonces se han obtenido excelentes resultados con niños con síndrome de Down, autismo y diversos problemas neurológicos. Los niños que se someten a esta terapia aprenden de dos a diez veces más rápido que los de un grupo de control normal. La

delfinoterapia también es aplicable a los adolescentes violentos y a adultos con problemas vasculares y dependencia del alcohol y del tabaco.

En España sólo se realiza terapia con delfines en Tenerife, promovida por la Asociación de Padres de Disminuidos Físicos y Psíquicos Oroval, constituida en 1990, y auspiciada por la empresa Aspro Ocio, propietaria del parque acuático de Tenerife. (Grupo Aspro Ocio: Tl.: 91 561 56 49).

TAAC
La terapia asistida por animales de compañía

En 1974, un estudio de los investigadores británicos Roger Mugford y J. G. M. Comisky demostró los diversos efectos beneficiosos que conlleva la compañía de un animal a partir del análisis de las condiciones de vida de diversos ancianos que vivían solos.

Las personas del primer grupo recibieron una begonia, a las del segundo grupo se les entregó un periquito, y las del tercero tan sólo fueron visitadas por el asistente social.

Los cuestionarios y las observaciones posteriores revelaron que quienes habían recibido un periquito empezaron a referirse menos a sus dolencias y a hablar de sus mascotas. Además, los ancianos que tenían un pájaro empezaron a recibir más visitas.

Otro estudio puso de manifiesto que la sensación de bienestar era de cuatro a seis veces mayor en las personas que tenían mascota.

Los animales de compañía y los ancianos

El amor por los animales ha originado noticias tan curiosas como ésta fechada en octubre de 1995.

Los habitantes de un barrio residencial de Wroclaw, en el sureste de Polonia, empezaron a inquietarse cuando comprobaron que desaparecían todos los gatos de la zona, ya que temían que una mafia especializada en el secuestro de mascotas hubiera empezado a operar en el barrio.

Sin embargo, su sorpresa fue mayúscula cuando al cabo de tres días todos los animales aparecieron perfectamente limpios y acicalados en casa de sus respectivos dueños junto a una lista de recomendaciones para mantener al animal limpio y aseado.

Extrañados por el desenlace, la policía y los vecinos montaron un servicio de vigilancia para averiguar quiénes se llevaron los gatos. Entonces descubrieron que se trataba de un grupo de jubilados amantes de los animales que no podían ver los gatos tan sucios y mal cuidados, con el pelo lleno de nudos e incluso con infecciones, y que decidieron llevárselos a su casa para devolverlos a sus dueños en perfectas condiciones.

Mucho en común

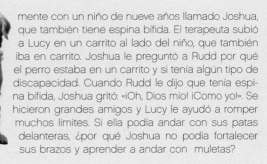

Es especialmente revelador el caso de Lucy, una preciosa Golden Retriever a la que su amo, el terapeuta Chandle Rudd de Hampton Falls (USA) recogió cuando tenía cinco semanas porque la encontró abandonada.

Lucy padecía de espina bífida y tenía sus patas traseras paralizadas. Con su ejemplo, Lucy ayuda a muchos niños discapacitados porque la ven feliz. Cuando ellos piensan que no pueden hacer algo, la miran y saben que es posible. Por ejemplo, Lucy conectó inmediata-

mente con un niño de nueve años llamado Joshua, que también tiene espina bífida. El terapeuta subió a Lucy en un carrito al lado del niño, que también iba en carrito. Joshua le preguntó a Rudd por qué el perro estaba en un carrito y si tenía algún tipo de discapacidad. Cuando Rudd le dijo que tenía espina bífida, Joshua gritó: «¡Oh, Dios mío! ¡Como yo!». Se hicieron grandes amigos y Lucy le ayudó a romper muchos límites. Si ella podía andar con sus patas delanteras, ¿por qué Joshua no podía fortalecer sus brazos y aprender a andar con muletas?

La TAAC en España

Los animales son especialmente beneficiosos para aquellas personas cuyas circunstancias personales les hacen más vulnerables. En algunos casos se han registrado recuperaciones espectaculares. El geriatra norteamericano Leo K. Bustard recoge el caso de un anciano enfermo que se negaba a comer y al que entregaron tres gatos. Como los terapeutas notaron que el anciano se animaba cuando veía a sus mascotas, crearon un sistema de recompensas por el cual los gatos volvían si él comía. En poco tiempo, el anciano recuperó su peso normal (pesaba 20 kg. menos de lo que debía) y comenzó a relacionarse con otros compañeros del asilo.

En las residencias para ancianos, la presencia de animales brinda nuevos estímulos, emociones y sorpresas.

La primera experiencia en España, fomentada por la Fundación Affinity, antigua Fundación Purina (fundada en 1987), fue muy positiva y no tardó en ser imitada. La primera residencia española que puso en marcha el programa de adopción de animales fue la Residència de Gent Gran de Reus, en Tarragona. Se introdujeron

Razones para tener un perro

- No estará solo.

- Se sentirá sinceramente querido.

- Saldrá más de casa, hará más ejercicio y se sentirá más activo.

- Ampliará su círculo de amistades.

- Conocerá la auténtica gratitud.

- Obtendrá mayor estabilidad emocional.

- Su vida tendrá nuevos alicientes.

- Se sentirá realizado al haber proporcionado un hogar a un ser desvalido.

- Será realmente imprescindible para alguien.

- Estará acompañado en los momentos difíciles.

cerca de la silla de una mujer que en principio no estaba de acuerdo con que hubieran animales en el centro, hasta que consiguió ganar su simpatía.

Las experiencias de los ancianos con los perros que han sido adoptados por diversas residencias son enternecedoras: en el Centro Geriátrico de Reus, un anciano que asistía a la residencia en régimen de «Centro de día» se hizo cargo de uno de los cachorros que tuvo la pareja de Golden y en el Centro Geriátrico de Llar Parc Serentill (Badalona), una anciana con demencia senil que hacía tiempo que no hablaba, dijo, mientras acariciaba a la mascota: «Qué bonita es, qué guapa, la perrita». Difícilmente los ancianos afectados de demencia senil se recuperarán, pero al menos los perros se convierten en su vínculo con el mundo y les hacen salir de su aislamiento. A María, otra interna, los perros del centro también le cambiaron la vida: «Ahora mis hijos cuando me vienen a ver traen a los nietos».

Asimismo, la campaña de adopción de animales de la Fundación Affinity, que ya funciona en varias comunidades autónomas, está diseñada para proporcionar compañía a las personas mayores. Cientos de animales han sido ya adoptados y han cambiado la vida de otros tantos ancianos.

Las mascotas y los presos

Otros programas que han tenido mucho éxito son los programas en los centros penitenciarios de la Fundación Affinity. Los internos han encontrado nuevos estímulos con la presencia de los perros e, incluso, algunos de ellos han empezado su nueva vida en libertad junto a uno de los cachorros que han tenido las parejas de Bóxer de los centros.

dos cachorros de Golden Retriever, Blanca y Sam. Después de algunos años, las valoraciones no podían ser más positivas: incluso los ancianos dementes, que ya no se comunicaban con nadie, se relacionaban con los animales y estaban pendientes de ellos. Los más activos se encargaban de cuidarlos. Los animales demostraron ser excelentes psicólogos, pues uno de ellos se ponía

Uno de los presos de Quatre Camins, centro pionero en la TAAC que inició su experiencia el 4 de julio de 1993, resumió así sus impresiones: «Son amigos fieles que necesitan de nuestros cuidados, nos quieren tal como somos y no emiten juicios de valor». Lo que es muy importante en personas que intentan rehabilitarse por errores cometidos en el pasado.

El 20 de octubre 1994 había un segundo programa en Brians. En este centro, ocho internos adoptaron un cachorro de Bóxer.

En julio de 1995 se puso en marcha otro programa en Ponent (Lleida) y en 1996 se inauguró otra experiencia en colaboración con la Asociación Ciudadana Antisida de Álava, que acoge internos de tercer grado y a enfermos terminales del Centro Penitenciario de Nanclares.

En octubre de 2002 se inició un programa con Labradores en Can Consol, un centro en el Vallès (Barcelona) para internos de Tercer Grado de Quatre Camins.

La TAAC en los presos

- Reducción de la violencia y lesiones autoinfligidas.
- Menos suicidios o intentos de suicidio.
- Mejora en la relación internos – personal.
- Mejores relaciones personales.
- Mejora de la autoestima de los internos.
- Aumento de oportunidades de empleo y educación.
- Reducción de la reincidencia.
- Reducción del uso de drogas.

En 1995 se pusieron en marcha tres programas: uno con canarios en Cartagena, otro con perros en Murcia y un tercero en el centro de mujeres de Alcalá Meco con perros. Los programas de Murcia y Alcalá se suspendieron a finales de 1996 pero quedan pendientes de reiniciarse próximamente.

Se ha demostrado que la convivencia de reclusos con animales y la responsabilidad de su cuidado reduce la reincidencia disminuye el número de suicidios, calma la violencia, aumenta el número de reinserciones positivas y acelera la rehabilitación.

La experiencia que lleva a cabo el Centro Penitenciario de Cartagena desde 1995 consiste en instalar una gran jaula en uno de los extremos de la galería central, donde viven siete parejas de canarios con sus crías. Alrededor se han colocado bancos, una fuente y murales con imágenes de plantas y cascadas de agua.

Una mascota para personas especiales

En algunos casos, los problemas de convivencia familiar con un miembro que padece disfunciones psíquicas (autismo, fragilidad emocional, síndrome de Down) o que sufre enfermedades físicas (Alzheimer, cáncer) pueden resolverse con la adopción de un perro. Los animales no discriminan a las personas por su funcionalidad,

y brindan mimos y afecto a las personas que forman parte de «su manada». Estos amigos desempeñan un papel importante, ya que ayudan a aumentar la autoestima y a potenciar las cualidades de las personas disminuidas. Para garantizar el éxito de su misión, es fundamental que la mascota sea muy educada y no tenga comportamientos hostiles ni descontrolados. Cuando se valora la posibilidad de adoptar un perro con esta finalidad, es conveniente consultar con un experto para que nos ayude a elegir la raza e incluso a encontrar un perro que ofrezca las mejores garantías.

Hay que ser generosos y justos con animales tan nobles como el perro, siempre atento a nuestros estados de ánimo. Gracias a nuestro amigo, aprenderemos a ser más sensibles y mejoraremos nuestra calidad de vida.

La historia de Canelo es representativa de hasta dónde puede llegar la fidelidad canina.

En diciembre de 2002, Canelo murió atropellado por un coche. Era famoso en Cádiz porque durante mucho tiempo estuvo acompañando a su amo a hacerse la diálisis y, cuando éste murió, en febrero de 1998, lo esperó en la puerta de La Residencia, donde le había visto por última vez. Canelo no podía entender que su amo no volviera después de la diálisis, como tenía por costumbre, pero la salud del hombre se complicó, lo tuvieron que ingresar y finalmente murió sin poder despedirse de Canelo, que seguía esperándolo fuera.

Los laceros atraparon una vez a Canelo, pero los trabajadores de la Residencia consiguieron que lo indultaran. Desde entonces, lo cuidaron y alimentaron las gentes de Cádiz y lo prohijó la asociación ecologista Agaden. Hasta su muerte, Canelo esperó a su dueño...

Los problemas
psíquicos o
físicos pueden
mitigarse con
la compañía
de un perro.

Las enfermedades

Cuidando de su salud

Al estar en contacto diario con nuestro perro, no nos costará demasiado reconocer un comportamiento fuera de lo normal o una reacción extraña. El propietario debe saber cuáles son los síntomas más frecuentes de las diversas enfermedades que afectan al perro para detectarlos en cuanto aparezcan y acudir rápidamente a la consulta del veterinario.

> Con el corazón transido de pena durante horas, aproveché un temprano momento de soledad para llorar amargamente. De repente, tras mi almohada asomó una pequeña cabeza peluda que frotó contra mí sus orejas y su hocico, en respuesta a mi pena, y secó mis lágrimas cuando asomaron.
>
> ELIZABETH BARRETT BROWNING

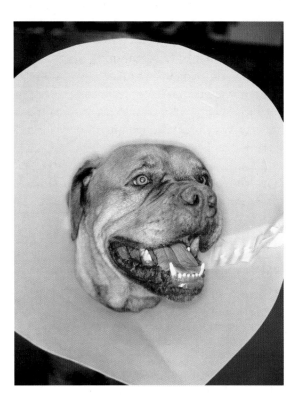

Cómo se comporta el perro enfermo

La información que el propietario del perro aporta a través de sus apreciaciones es de gran utilidad para el veterinario, ya que gracias a ella podrá identificar los síntomas y establecer el tratamiento adecuado.

Cuando se tiene constancia de la primera anomalía, conviene observar varios aspectos.

En primer lugar, tendremos que ver si el carácter le ha cambiado con respecto a los días anteriores, es decir, si tiene reacciones más agresivas, si se muestra más o menos activo, deprimido, abúlico, ansioso, etc. Es posible que el animal permanezca echado o duerma a lo largo de casi todo el día, que busque la oscuridad, que camine de un lado para otro ansiosamente o que sus movimientos parezcan más descoordinados. Otros detalles que pueden indicar que algo no marcha bien son seleccionar minuciosamente los alimentos, morder objetos que hasta ahora nunca había mordido, comer cosas que no debe, no beber, beber en exceso, etc. Muchos animales tienen un comportamiento contradictorio con respecto a su amo, ya que es evidente que buscan su afecto, pero al mismo tiempo reaccionan al contacto con irritación o con miedo si le tocan en alguna zona dolorida sin advertirlo.

En cuanto a los signos puramente físicos, el dueño debe fijarse en la forma de caminar (quizá no apoye bien alguna pata), en los cambios en el apetito, que puede haber aumentado o disminuido sensiblemente, y en otros indicios como, por ejemplo, tener el pelo enmarañado. Observar los excrementos también aporta mucha información: si se aprecian cambios en la forma, en la consistencia o en el color, o en la frecuencia de la defecación, habrá que comunicarlo al veterinario, y también si entre los excrementos hay sangre, alimentos sin digerir, cuerpos extraños, parásitos, etc.

Igualmente, el aspecto, color y cantidad de las micciones, la dificultad para orinar o la presencia de hilillos de sangre en la orina, son indicaciones determinantes para el diagnóstico.

No hay que olvidar comprobar que la frecuencia respiratoria sea la habitual (entre 20 y 22 inspiraciones por minuto en el cachorro, y entre 14 y 20 en el adulto), y que el pulso sea normal (en reposo el cachorro tiene entre 100 y 130 p/m y el adulto entre 60 y 120 p/m).

Por último, debemos saber que la temperatura corporal del perro, que es un poco más alta que la del ser humano, oscila entre 38,5 °C y 39 °C en los cachorros, y unas décimas menos en los adultos.

Síntomas graves

- Hipotermia o fiebre
- Respiración acelerada
- Pulso lento, taquicardia, arritmia
- Sangre en las heces
- Sangre en la orina
- Vómito hemorrágico

Enfermedades infecciosas más comunes

Se entiende por infección la invasión del organismo por parte de un agente nocivo, como bacterias, hongos, protozoos, rickettsias o virus. El agente infectante se transmite mediante las gotitas aéreas expelidas con la tos y el estornudo, o por contacto directo (por ejemplo, con la relación sexual). También se transmite a través de vectores (insectos o parásitos), por la ingestión de comida o bebida contaminadas, o de la madre a los fetos (vía transplacentaria). Las enfermedades contagiosas más peligrosas están registradas como enfermedades de declaración obligatoria.

Rabia

Polioencefalitis viral grave e invariablemente mortal que padecen los animales de sangre caliente, incluido el hombre. Se transmite a través de una herida (mordedura de un animal infectado) o de las mucosas. Los portadores son algunos mamíferos silvestres, como el zorro o la mofeta.

Cómo saber si está enfermo

El perro no es capaz de expresar directamente sus dolencias. Debe ser su dueño quien, observando ciertos cambios referentes a la vitalidad, la expresión y el cumplimiento de la rutina, detecte las anomalías. Cuando el perro no corre hacia la puerta al oír el ruido de las llaves a la hora del paseo, su dueño deberá preocuparse. Sin embargo, no olvidemos nunca que el perro no tiene el mismo umbral de dolor que las personas, y que es un grave error tratarlo como si fuera un bebé. Y, por el contrario, algunos perros excesivamente mimados son buenos actores y con tal de convertirse en el centro de atención son capaces de fingir que andan cojos o que sufren un terrible malestar.

Afecta al sistema nervioso. Existe una forma paralítica y una furiosa. La primera forma se manifiesta con una depresión del sistema nervioso central y la paresia consiguiente que afecta a los músculos de la cabeza, parálisis de la mandíbula, imposibilidad de deglución y salivación abundante. La forma furiosa se caracteriza por un período de gran ansiedad, seguido de un estado de hiperexcitación, y un estadio terminal con parálisis corporal y muerte.

El período de incubación es muy variable. La mayor parte de animales infectados muestran modificaciones iniciales del comportamiento.

La rabia se encuentra en todo el mundo, excepto en algunas áreas, incluyendo las Islas Británicas, Australia, Nueva Zelanda, Hawai, Japón y partes de la península escandinava.

La vacunación es aconsejable cuando el animal se traslada a un área de riesgo. El certificado antirrábico se exige para el paso de fronteras.

Moquillo o enfermedad de Carré

Es una enfermedad muy contagiosa, febril y muchas veces fatal. Normalmente, el moquillo ataca a cachorros durante la dentición (de los tres meses y medio a los seis), pero también puede contagiarse a los perros adultos. Tiene un período de incubación de cuatro a nueve días y se transmite por contacto con perros u otros carnívoros silvestres infectados, como mapaches, mofetas o zorros.

Los primeros síntomas son una fiebre muy alta (hasta 41 °C), conjuntivitis purulenta, en algunos casos acompañada de abundante secreción nasal. Otros síntomas son las complicaciones broncopulmonares, la enteritis y la diarrea con materia fecal oscura y fétida. El animal evita la luz directa (fotofobia) por la irritación de sus centros nerviosos. La sintomatología nerviosa no tarda en manifestarse en forma de tics nerviosos de los músculos de la masticación y espasmos en las extremidades. Los síntomas se intensifican hasta desembocar en la parálisis total.

En algunos casos la enfermedad es asintomática hasta que se manifiesta el estadio nervioso.

Cuando la enfermedad ataca al cachorro durante la dentición, sus dientes suelen quedar manchados y el esmalte dental debilitado.

El propietario debe saber que la tasa de mortalidad es casi del cincuenta por ciento. Los perros que se curan, al cabo de un tiempo pueden desarrollar manifestaciones fatales del sistema nervioso central.

Hepatitis infecciosa canina

Enfermedad viral de los perros y otros cánidos causada por un adenovirus que afecta al hígado, riñones, ojos y endotelio vascular.

La incubación es de nueve días. Empieza con un aumento de la temperatura corporal, que normalmente vuelve a la normalidad al cabo de 36 horas. También se nota una conjuntivitis intensa, un estado de abatimiento general y fuertes dolores abdominales.

Entre diez y catorce días después de la infección, el virus es depurado de otros tejidos y se localiza en los riñones, donde es excretado a través de la orina durante un tiempo que oscila de los seis a los nueve meses.

Si esta enfermedad ataca al cachorro, repercute en mayor o menor grado en su posterior desarrollo físico.

La vacuna brinda inmunidad de larga duración con una sola dosis.

Parvovirosis

Es una enfermedad muy temida en los criaderos. El agente patógeno es un parvovirus muy resistente y muy contagioso, especialmente para los cachorros. Se transmite por contacto directo o indirecto. Se trata de una gastroenteritis hemorrágica, acompañada de vómito y diarrea sanguinolenta, de emisiones cada vez más frecuentes que provocan una deshidratación rápida del cachorro y pérdida de peso. El animal también puede morir de forma repentina sin anormalidades entéricas. Existe una forma miocárdica que actualmente es excepcional.

La enfermedad puede contagiarse a perros de todas las edades, pero tiene una incidencia mucho mayor en los cachorros, que deben ser vacunados. El principal factor de riesgo son los lugares con alta concentración canina.

Coronavirus canino

Está provocada por un virus muy parecido al parvovirus, al cual se parece tanto en los síntomas como en los efectos. El virus origina una gastroenteritis, que puede curarse espontáneamente, pero que también puede agravarse con la acción de otras infecciones y provocar la muerte, sobre todo en los cachorros. La diferencia más destacada es el color de la diarrea, que es de color amarillo verdoso o anaranjada, y que puede llegar a durar varias semanas.

Son proclives a esta enfermedad perros de todas las razas y edades, aunque lo cierto es que, afortunadamente, la tasa de mortalidad es baja. Recientemente se han comercializado vacunas que pueden aplicarse a los cachorros a partir de las seis o siete semanas.

Las vacunas

La vacuna protege al animal contra una enfermedad, produciendo inmunidad de forma artificial. El material utilizado para la inmunización puede consistir en células o virus vivos tratados de forma que no sean patológicos, pero que conserven su capacidad antigénica, o en organismos completamente muertos o sus productos (es decir, toxinas) tratados químicamente o físicamente para lograr el mismo efecto. La vacuna estimula el organismo en la fabricación de anticuerpos que proporcionan inmunidad activa frente a una enfermedad específica o un grupo de enfermedades.

La protección efectiva no se produce hasta pasados quince días desde la segunda inoculación. La primera vacunación consta de dos inyecciones, practicadas con un mes de intervalo. Las revacunaciones anuales tienen efecto inmediato.

Las vacunas pueden asociarse sin peligro (vacunas polivalentes). Por ejemplo, suelen asociarse el moquillo, la hepatitis, la leptospirosis, la rabia y la parvovirosis (conocida con las siglas CHLRP). En cambio, la vacuna contra la piroplasmosis debe practicarse con un mes de diferencia con las otras inyecciones (no se incluye sistemáticamente).

No sirve de nada vacunar a los cachorros antes de los dos meses, porque su sistema inmunitario todavía no es capaz de producir anticuerpos. Hasta esta edad, están inmunizados por los anticuerpos que les transmite la madre a través del calostro. La única excepción es la parvovirosis, que en algunos criaderos se pone a los cachorros entre las cinco y las seis semanas.

La vacuna contra el tétanos no se pone sistemáticamente. Sólo se practica a los perros que viven en contacto con caballos.

Las vacunas que ha recibido el perro constan en el certificado de vacunación. En dicho documento figura la fecha, el laboratorio fabricante del producto y el sello del centro veterinario en donde ha sido vacunado.

Leptospirosis (enfermedad de Weil)

Se trata de una enfermedad bacteriana, contagiosa para el hombre, que se transmite a través de los orines de los animales infectados. La forma de contagio más común es el contacto huésped a huésped a través de las mucosas nasal, oral y genital, aunque también se transmite por contacto indirecto. Las leptospiras invaden rápidamente la corriente sanguínea (tardan entre cuatro y siete días). Los distintos tipos de bacteria originan sintomatologías particulares, pero que afectan a los mismos sistemas, renal y hepático.

Los síntomas más visibles son depresión, debilidad, renuncia al movimiento o movimiento rígido, anorexia, mucosas inyectadas, dolor abdominal, restos de sangre en la orina e ictericia.

Es necesario vacunar con cierta frecuencia a los animales que habitan en zonas contaminadas por los ratones o que se utilizan para cazar en regiones pantanosas.

La leptospirosis es un problema mundial. Se da sobre todo en climas y estaciones cálidas y húmedas, y en aguas estancadas.

Herpesvirus

Es una enfermedad letal en los cachorros, causada por un agente vírico, del que se contagian por vía uterina, durante el parto a través de las vías genitales de la madre (el adulto puede ser portador asintomático de la enfermedad), por contacto con otros miembros de la camada ya infectados, o también por inhalación de material infectado por el virus.

Los signos clínicos afectan a todos los sistemas orgánicos y se manifiestan en torno al octavo o décimo día con depresión, anorexia, dolor abdominal. Los cachorros mueren entre los

nueve y los catorce días. Los cachorros que superan la enfermedad aguda pueden sufrir sordera, ceguera, encefalopatía o daño renal.

Afecta a todos los cánidos (perro, coyotes, lobos).

No hay ningún antiviral conocido, ni tampoco vacuna. El único remedio consiste en el tratamiento ambiental preventivo, y en el descarte de las perras portadoras asintomáticas de las tareas reproductivas.

Tétanos

Es una enfermedad bacteriana grave, aunque poco frecuente en los perros, que afecta al sistema nervioso central. Está provocada por el *Clostridium tetani*, una bacteria muy resistente que se adapta a todas las condiciones ambientales y que vive en el suelo, especialmente en lugares de higiene escasa y con presencia de heces de varios animales. Las heridas no desinfectadas son la puerta de entrada para las esporas (fracturas complicadas, partos en el suelo, heridas en las encías provocadas por la caída de los dientes, favorecidas en parte por el hábito que tienen los cachorros de morder para aliviar la molestia).

Los síntomas son variables en función de la evolución de la enfermedad: convulsiones musculares del cuerpo y de las extremidades, dificultades respiratorias, estiramiento del rabo, pabellones auriculares erectos, salivación, deglución dificultosa, micción dolorosa, estreñimiento, etc. El animal muere por insuficiencia respiratoria, causada por el espasmo de los músculos laríngeos y respiratorios, que provoca asfixia aguda, o por parálisis directa de los músculos respiratorios.

El tratamiento preventivo consiste en la limpieza de las heridas. Mediante un diagnóstico precoz y el tratamiento adecuado habrá muchas probabilidades de superar la enfermedad.

Los animales afectados deben instalarse en lugares confortables y tranquilos, con camas blandas, en la oscuridad. El tratamiento con tranquilizantes permite controlar los espasmos. En los primeros estadios se pueden administrar sueros antitetánicos. En todos los casos el pronóstico es reservado.

Tuberculosis

Hoy en día todavía existen zonas en las que muchas especies, incluido el hombre, pueden ser contagiadas, con contacto directo o por medio de los restos de animales infectados o la leche de vacas tuberculosas.

Existe una forma respiratoria y otra digestiva, que presentan una sintomatología común a otras afecciones infecciosas, lo cual dificulta el diagnóstico. Para tener la certeza de que la enfermedad es efectivamente tuberculosis, es necesario realizar unos cultivos en laboratorio. Dado el coste del tratamiento y las posibilidades escasas de curación, los animales que sufren esta patología se suelen sacrificar.

Enfermedad respiratoria vírica o tos de las perreras

Está provocada por un virus muy contagioso que se propaga rápidamente en lugares de mucha población canina, como por ejemplo residencias o criaderos. Recibe el nombre de «tos de las perreras» precisamente por esta característica. La infección se produce por la dispersión de partículas infectadas. Las manifestaciones clínicas son secreción nasal bilateral, aumento de la temperatura corporal y tos violenta y persistente. El pronóstico siempre es benigno.

El principal peligro de esta afección es que si se desatiende, puede abrir las puertas a otras patologías.

Enfermedades parasitarias

Las provocan organismos unicelulares o pluricelulares que se instalan en el organismo del perro; tanto en la piel (por ejemplo, garrapatas) como en el interior (por ejemplo, tenias), y se nutren de él. En una infestación parasitaria pueden aparecer cuadros de abatimiento general, anemia, lesiones hepáticas, pulmonares y cardiacas. Repercute directamente en el grado de mortalidad de las camadas, ya que la perra gestante transmite algunos parásitos internos a los fetos porque las larvas atraviesan la pared de la placenta y los contaminan. Por esta razón los reproductores deben ser desparasitados antes de la monta.

Las parasitosis provocan procesos irreversibles de déficit muscular y esquelético en los cachorros.

Las parasitosis se dividen en parasitosis internas y parasitosis externas.

Los parásitos externos

Los parásitos externos tienen una acción doble. Por un lado, succionan sangre a través de la piel y provocan prurito. El perro se rasca o se muerde por ansia de aliviar el prurito y puede causarse lesiones que abran las puertas a otras enfermedades. Por otro lado, el parásito también puede ser portador de enfermedades infecciosas.

Las parasitosis externas se previenen con productos repelentes que se venden en distintas presentaciones (pipetas, aerosoles, champús, collares antiparásitos, etc.). La prevención se completa con el tratamiento ambiental: su cama, su caseta, lugares de la vivienda y del jardín en donde suele descansar, etc. No dudemos en pedir consejo al veterinario para anticipar las actuaciones y ahorrarnos molestias evitables.

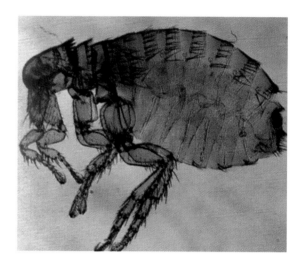

Pulgas

La pulga es el parásito más difundido. Se transmite por contacto directo con otros animales colonizados por el parásito o por ingestión. Tiene potencial zoonótico, es decir, también puede afectar al hombre. La lesión directa se debe a la picadura y a la succión de sangre.

La saliva de pulga que penetra en el organismo a través de la picadura provoca una dermatitis alérgica que genera prurito intenso y puede derivar en supuraciones. Las zonas más sensibles son las que tienen la piel más fina (cabeza, orejas, axilas, abdomen, interior de los muslos). La pulga puede transmitir larvas de *Dipylidium caninum*, un parásito intestinal. Por esta razón es aconsejable realizar un análisis de las heces después del tratamiento.

Garrapatas

La garrapata es otro parásito externo, de color grisáceo o marrón (cuando están llenas de sangre). Es peligrosa porque puede transmitir la piroplasmosis y la enfermedad de Lyme. La le-

Ácaros de la sarna

Son artrópodos que provocan unas lesiones conocidas con el término genérico de «sarna». Hay varios tipos de sarna, según la especie del parásito y las zonas afectadas. La sarna puede confundirse con una dermatitis; de ahí la importancia de llevar el perro al veterinario. La acción de los ácaros se ve favorecida por el curso de otras enfermedades y por las condiciones ambientales.

- **Sarna auricular**

Son ácaros que viven en el oído externo, en las patas y en el nacimiento de la cola. Se nutren de cerumen, que el oído genera debido a la irritación provocada por los propios ácaros. Afecta únicamente a la especie canina. Se transmite por contacto directo.

- **Sarna demodéctica**

Estos ácaros viven en los folículos pilosos y en las glándulas sebáceas. La piel está grasienta, seborreica y nauseabunda. Se transmiten por contacto directo, indirecto o transplacentario. Afecta únicamente a la especie canina.

- **Sarna sarcóptica**

Estos ácaros viven en galerías que ellos mismos excavan dentro de la piel. Provocan un proceso inflamatorio con alopecia, deshidratación cutánea y engrosamiento de la piel. Se transmite por contacto directo y ambiental. Sólo afecta a la especie canina.

sión está causada por la picadura, ya que posee un fuerte aparato bucal con artejos que se introducen en la piel. Si se arranca, se puede originar un quiste, porque los artejos quedan dentro de la piel. Se combaten con un producto específico.

Piojos

La infestación por piojos en el perro es menos frecuente que las pulgas. La acción de los piojos en la piel es muy irritante y provoca dermatitis con descamación. Se pueden observar las liendres adheridas a la base de los pelos.

Trombiculiasis

Está causada por unos parásitos microscópicos rojos, que provocan prurito intenso en las patas y en las orejas. Son larvas que se adhieren a la piel del perro y chupan la sangre. A simple vista se aprecia un polvillo naranja. Son frecuentes en verano en los jardines.

Los parásitos internos

Los parásitos digestivos se dividen en lombrices redondas (nematodos) y lombrices planas (cestodos).

Las lombrices redondas son muy frecuentes en los cachorros. Si no se eliminan, pueden provocar problemas digestivos y retraso en el crecimiento. Los ascárides adultos son redondos y blancos como fideos. Viven en el tubo digestivo del perro, de donde absorben el alimento. Son causa de adelgazamiento y diarrea. Se expulsan con las heces.

Los tricurios y los anquilostomas tienen una incidencia menor. Viven adheridos a la pared del intestino y provocan diarreas hemorrágicas y anemias. Su tratamiento a veces es bastante prolongado.

Las lombrices planas también se conocen con el nombre de «tenias». Sus larvas crecen dentro del organismo de otro animal. El perro se parasita ingiriendo carne del animal portador, denominado «huésped intermedio». Las larvas también pueden ser transmitidas por un parásito externo: la pulga. La tenia transmitida por esta última es la llamada *Dipylidium caninum*.

Los parásitos respiratorios y cardiacos

Hay dos tipos de parásitos del sistema cardiorrespiratorio, el *Dirofilari immitis*, parásito del corazón derecho del perro y de la arteria pulmonar que provoca la dirofilariosis, y el *Angiostrongylus vasorum*, que provoca la angiostrongilosis.

Los síntomas habituales de esta parasitosis son jadeo anormal y tos. El portador es un mosquito. Es endémica en el archipiélago canario.

Los protozoos

Los protozoos son organismos unicelulares parasitarios que transmiten la infestación eliminando formas quísticas a través del tubo digestivo. La propagación se produce a través de la ingestión de agua, tierra o alimentos contaminados.

Las principales patologías causadas por estos organismos unicelulares son la coccidiosis, que provoca diarreas malolientes con posibles indicios hemáticos, deshidratación y vómito sanguinolento; la giardiasis, que causa diarrea y abatimiento por hiponutrición; la leishmaniasis, que coloniza células de la sangre y provoca lesiones localizadas en distintas regiones del cuerpo, con estados febriles, postración, anemia y en muchos casos desemboca en la muerte; la babesiosis (o piroplasmosis), transmitida por la garrapata, y que destruye los glóbulos rojos, con pronóstico mortal si no se interviene a tiempo.

Genes dominantes y recesivos

Las enfermedades genéticas pueden estar originadas por genes dominantes o por genes recesivos.
La enfermedad dominante se manifiesta cuando uno de los dos cromosomas del par lleva la anomalía genética. Una enfermedad recesiva sólo se expresa si los dos cromosomas de un par llevan el gen con la misma anomalía.
En el caso de la enfermedad que se transmite por un gen dominante, uno de los progenitores sufre forzosamente dicha enfermedad.
En el caso de una enfermedad que se transmite por un gen recesivo, los padres no la padecen pero, al ser portadores (cada uno aporta un cromosoma del par), se manifiesta en la descendencia.

Micosis

Los hongos también pueden causar enfermedades a nuestros perros. A menudo son contagiosos, especialmente para los niños.

Normalmente afectan a áreas delimitadas y provocan manchas alopécicas. Otros hongos se presentan en forma de lesiones extendidas por toda la piel.

La tiña

La tiña es un tipo de micosis, es decir, una infección de la piel, de los pelos y de las uñas provocada por un hongo. Es muy contagiosa para los otros animales y para el hombre. Se caracteriza por depilaciones circulares recubiertas de una fina película blanca.

Generalmente las tiñas no provocan prurito y no repercuten en el estado general. El tratamiento se realiza a base de fungicidas (pomada, leche o loción antimicóticas) sobre la lesión. En caso de lesiones extensas, se administran antibióticos.

Enfermedades congénitas

La enfermedad congénita existe ya en el momento de nacer, aunque no se manifiesta necesariamente en el primer período de vida. Pueden ser genética (heredada de los padres o de un antepasado), puede haber sido transmitida al cachorro durante la gestación o provocada por un factor ambiental.

La epilepsia

La epilepsia es un desorden encefálico primario caracterizado por convulsiones recurrentes en ausencia de lesión cerebral morfológica. La disfunción afecta al sistema nervioso.

Es una enfermedad muy conocida en medicina veterinaria. Los síntomas se manifiestan entre los seis meses y los cinco años.

Predomina en el sexo masculino y tiene predilección racial (Beagle, Tervueren, Bóxer, Cocker, Collie, Teckel, Setter Irlandés, Labrador, Caniche, San Bernardo, Husky, Springer Spaniel, Fox Terrier de pelo duro).

Las causas son idiopáticas en unas razas y probablemente genéticas en otras (se desconoce el modo de herencia). Por tanto, es aconsejable evitar la reproducción de perros que hayan sufrido crisis de epilepsia.

El encadenamiento de síntomas es muy característico. Durante un primer período, el perro nota que le ocurre algo extraño, respira más fuerte y parece agitado. A continuación, se pone tieso, pedalea, bate las quijadas, saliva, orina y defeca.

Durante la convulsión hay que tener mucho cuidado para evitar que el animal se lesione al golpearse con los objetos próximos.

Sigue un período de confusión y desorientación, con el animal que camina sin propósitos definidos y ciego. Los animales no mueren después de una convulsión. Sin embargo, la crisis agrupadas intensas constituyen un riesgo para el animal.

Es importante llevar un control de fechas para valorar la respuesta del tratamiento. Una vez efectuado el diagnóstico definitivo, el tratamiento suele ser de por vida. Su objetivo es reducir la frecuencia, la duración y la intensidad de las crisis, puesto que la curación completa es muy difícil.

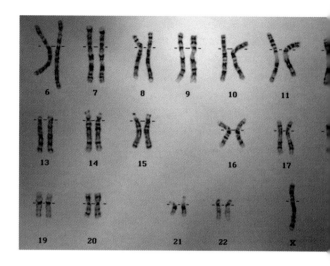

Enfermedades hereditarias

La enfermedad hereditaria la transmite uno o ambos progenitores (o de otro antepasado) en el momento de la concepción.

Las malformaciones hereditarias pueden manifestarse ya en el momento de nacer o más tarde. Los animales con taras de transmisión hereditaria deben ser excluidos de la reproducción para evitar que sean transmitidas a la descendencia.

Las patologías de origen hereditario más conocidas son la displasia coxofemoral, las patologías hereditarias del ojo (catarata juvenil, entropión, ectropión), algunas enfermedades de la sangre y la diabetes (en raras ocasiones).

Displasia coxofemoral

La displasia coxofemoral consiste en una malformación y posterior degeneración de la articulación que forman el fémur y la cadera. Puede afectar a todas las razas, pero la incidencia es mayor en las de talla media y grande (Pastor Alemán, Labrador, Golden, San Bernardo, Rottweiler, Terranova, etc.).

La articulación de la cadera está mal formada, es laxa e inestable. Su carácter degenerativo causa sufrimiento al animal en fases avanzadas de la patología.

El componente hereditario de la enfermedad implica la necesidad de excluir de la reproducción a los displásicos. La dificultad de eliminar la displasia de las líneas de selección radica en el hecho de que en la displasia no interviene un solo gen, sino varios (transmisión poligenética).

La displasia no se puede diagnosticar antes de los siete meses. En el cachorro es difícil apreciar síntomas de displasia. Sólo en los ejemplares con una malformación importante puede observarse dificultades para incorporarse y en la movilidad.

La escala de valores de displasia reconocidos oficialmente son: normal o exento (A), sospecha de displasia (B), leve (C), moderada (D) y grave (E).

Al año de edad el veterinario puede realizar la radiografía «de diagnóstico», que envía al comité central de lectura, para que emita el diagnóstico oficial.

En algunos casos la displasia puede ser mejorada mediante cirugía, pero el resultado no siempre está garantizado.

Displasia de codo

Es un término general que describe la falta de unión del proceso ancóneo. Se trata de una patología evolutiva propia de la etapa de desarrollo. La incidencia bilateral es alta (50 %).

Afecta predominantemente a las razas grandes (Labrador, Rottweiler, Pastor Alsaciano, Chow Chow, Bearded Collie), con predisposición masculina.

Los signos clínicos suelen aparecer entre los cuatro y los diez meses. La solución es quirúrgica, especialmente cuando hay desprendimiento total del cartílago.

Luxación de la rótula

También denominada luxación patelar, consiste en el desplazamiento de la rótula desde su posición natural. Se clasifica por grados (de I a V). Es la anormalidad más corriente de la rodilla canina. Predomina en las razas toy y miniatura (Caniche Toy y Miniatura, Pequinés, Yorkshire, Pomerania, Boston Terrier, Chihuahua).

Los signos clínicos se manifiestan a partir de los cuatro meses. Puede ser crónica o recurrente. Entre el quince y el veinte por ciento de perros afectados por luxaciones crónicas sufren rotura del ligamento cruzado anterior.

Se puede corregir quirúrgicamente, con resultados satisfactorios en el noventa por ciento de los casos. Sin embargo, el origen genético de la luxación es motivo de exclusión para la reproducción.

Criptorquidismo

El criptorquidismo es una anomalía que consiste en la retención de los testículos en el interior del abdomen. En condiciones normales, los testículos empiezan a descender antes del nacimiento y llegan al escroto durante las primeras semanas de vida del cachorro. El plazo máximo para que completen el descenso se estima en seis meses.

Las causas del criptorquidismo todavía no se conocen con exactitud, pero se sabe que es una patología con un componente genético y que está originada por desórdenes hormonales. El testículo retenido dentro del abdomen recibe un exceso de calor y puede degenerar en tumor, con el consiguiente riesgo para la vida del animal. Por esta razón, los testículos retenidos en el abdomen han de ser extirpados quirúrgicamente.

Los perros que padecen criptorquidismo bilateral son estériles. Los perros con criptorquidismo monolateral (monorquidismo) no son estériles, pero deben ser igualmente excluidos de la reproducción.

Degeneración de la retina

Las degeneraciones retinianas hereditarias (atrofia progresiva generalizada de la retina, ARP) son un grupo de enfermedades que se pueden subdividir en degeneraciones de los fotorreceptores (conos y bastones) y displasias de los fotorreceptores. Tienen carácter hereditario recesivo en la mayor parte de razas (especialmente Collie, Setter Irlandés, Caniche Miniatura, Cocker, Labrador y otros). Es más corriente en los perros europeos que en los norteamericanos. La edad de aparición es variable: en las distrofias tempranas entre los tres o cuatro meses y los dos años, y en las tardías a partir de los cuatro o los seis años.

Los signos clínicos de la atrofia progresiva son ceguera nocturna gradual que acaba en pérdida de la visión diurna. En cuanto a la atrofia central de la retina, aunque el animal pierde la visión central no queda ciego por completo.

Como en todas las patologías que derivan en pérdida parcial o total de la visión, el animal debe estar siempre controlado, sobre todo fuera de casa y en lugares desconocidos. Es muy útil utilizar pelotas con campanitas en el interior como juguetes. Los perros memorizan su hábitat: cuando se efectúen cambios en el mobiliario el dueño deberá tener la precaución de mostrarlos al perro.

Cataratas

La catarata es la opacificación del cristalino. Las causas específicas son numerosas, aunque la mayoría son hereditarias. Las razas típicas que

sufren cataratas hereditarias son: Caniche Miniatura, Cocker Americano y Schnauzer Miniatura, así como el Golden Retriever, el Boston Terrier y el Husky Siberiano. Afectan a ambos sexos por igual.

No existen tratamientos específicos. Sin embargo, casi todas las cataratas se pueden intervenir quirúrgicamente y no suelen requerir una hospitalización de más de 48 horas. Es preferible intervenir en un estadio temprano de la catarata, antes de que el animal sea totalmente ciego.

Los ejemplares que presentan esta afección no se deben destinar a la reproducción.

Ectropión

Es el enrollamiento externo (eversión) del margen del párpado, con la consiguiente exposición de la conjuntiva. La insuficiente cantidad de lágrima puede predisponer a conjuntivitis y a trastornos de la córnea. Las razas caninas en las que esta afección tiene más incidencia son las deportivas (Spaniel, Sabueso, Retriever, Bóxer), gigantes (San Bernardo, Mastín Napolitano, Mastiff) y todas las razas con piel laxa (Bloodhound).

Puede ser evolutivo (con predisposición genética) o adquirido (debido a la pérdida de musculatura facial y laxitud cutánea).

Los casos más graves requieren intervención quirúrgica para el acortamiento parpebral.

Entropión

El entropión es la inversión de parte o de todo el margen del párpado inferior, con la consiguiente fricción de las pestañas en la córnea, que puede originar ulceración, perforación o queratitis pigmentaria.

Existe una predisposición genética. Las razas más propensas son: Chow Chow, Shar Pei, Elkhound Noruego, razas deportivas (Spaniel y Retriever), razas braquicéfalas (Bulldog, Pug, Pequinés), razas Toy (Caniche, Yorkshire) y gigantes (Mastiff, San Bernardo, Terranova).

Los cachorros no deben ser intervenidos quirúrgicamente, sino que se les practica una sutura de eversión temporal a la espera de efectuar una resección cutánea cuando su conformación facial sea definitiva.

Enfermedades no infecciosas

Diabetes insípida

Desorden del equilibrio hídrico que se manifiesta con un aumento de la emisión de orina. Otros síntomas típicos son aumento de la sed y, ocasionalmente, incontinencia urinaria. Puede estar originada por causas hormonales, por una alteración psicológica o por alguna lesión renal. En el primer caso se trata con la administración de la hormona antidiurética (HAD), en el segundo con la prueba de privación del agua y en el tercero no se trata.

Diabetes mellitus

Es una enfermedad metabólica, que se caracteriza por un incremento de la concentración de glucosa en la sangre. Los síntomas son poliuria, orina de color acetona, polidipsia, debilidad, deshidratación, hipotermia, caspa y engrosamiento del hígado.

Las razas con más predisposición son el Caniche Miniatura, el Teckel, el Schnauzer Miniatura y el Beagle, con una incidencia ligeramente superior en las hembras. La obesidad de la hembra es un factor de riesgo.

El tratamiento consiste en inyecciones de insulina (hormona hipoglucemiante) y en el seguimiento de una dieta.

Linfoma

Es el agrandamiento ganglionar linfático, generalizado o localizado en un ganglio o en un grupo de ganglios. No origina signos clínicos. El propietario observa bultos anormales bajo el cuello, por delante del hombro, detrás de los muslos, que corresponden a ganglios hipertrofiados. Puede deberse a una infección en curso o a un tumor.

Para confirmar el diagnóstico se necesitan pruebas complementarias (biopsia, radiografía, analítica). En caso de tumor maligno, el tratamiento mediante quimioterapia permite al perro sobrevivir unos meses.

Osteofibrosis

Es una enfermedad provocada por un defecto de mineralización de los huesos, debida al déficit de calcio agravado por un aporte excesivo de vitamina D. Las causas son alimentarias. Afecta predominantemente a los cachorros de razas grandes de crecimiento rápido.

El animal muestra poca vitalidad y sus huesos son frágiles, hasta el punto de sufrir fracturas por culpa de un pequeño salto. El tratamiento pasa por administración de antálgicos, antiinflamatorios y anabolizantes, y por instaurar una dieta. Esta enfermedad se previene con un aporte suplementario de calcio a los cachorros de las razas de más riesgo.

Raquitismo

Es otra enfermedad de origen nutricional, debida a la falta de mineralización de los huesos por falta de vitamina D y de minerales.

Síndrome de Cushing

Es un desorden nocivo provocado por la secreción excesiva y prolongada de cortisol a cargo de las glándulas suprarrenales. Es la enfermedad del sistema endocrino más frecuente en los cánidos, con predilección racial (Caniche, Teckel, Boston Terrier, Beagle, Bóxer). Los síntomas son: aumento de la ingestión y la emisión de líquidos, abdomen péndulo, pérdida de pelo, debilidad, jadeo, y atrofia muscular y testicular. El promedio de supervivencia es de dos años.

El Beagle es una de las razas afectadas por el síndrome de Cushing.

Cómo actuar ante una urgencia

Desde el momento que se presenta una urgencia hasta que podemos obtener asistencia veterinaria puede haber un intervalo de tiempo considerable. En muchas ocasiones las medidas que podamos tomar en esos primeros momentos son muy importantes para la vida de nuestro perro.

En primer lugar, es preciso tener en cuenta estas cuatro indicaciones:

- Mantener la calma.
- Reaccionar rápida y eficazmente.
- Tranquilizar al animal.
- Llamar al veterinario.

A continuación daremos unas pautas de actuación para casos concretos. En muchas de estas situaciones el animal podría actuar de forma agresiva, ya sea por el dolor o por el miedo. Por ello, si no tenemos un bozal, podemos improvisar uno con una cinta, un cordón, una venda, un cinturón o incluso con su propia correa, atándola alrededor del morro y anudándola después tras la nuca.

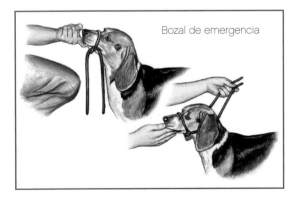

Bozal de emergencia

Convulsiones

Pueden deberse a crisis epilépticas, intoxicaciones u otras causas. Lo más importante es no tocar al animal durante el ataque y retirar cuanto haya a su alrededor para evitar que se haga daño. Por lo general dura unos minutos durante los cuales el animal presenta convulsiones, cae al suelo con la cabeza y las patas rígidas, patalea, salivea y en algunos casos se orina y defeca encima. Después del ataque el animal puede estar desorientado e incluso podría reaccionar de forma agresiva. Lo más prudente sería hablarle a distancia, tranquilizándolo y dejando que sea él quien se acerque a nosotros cuando se sienta mejor. La situación nos puede desconcertar, pero es muy importante cronometrar, si nos es posible, la duración del ataque. Si transcurridos más de cinco minutos no cesan las convulsiones, debemos contactar lo más rápidamente posible con un veterinario.

En cualquier caso, una vez finalizado el ataque será necesario buscar las causas, para lo cual será necesario la realización de diversas pruebas y análisis.

Shock

El *shock* es un síndrome resultante de la incapacidad del sistema cardiovascular de mantener la presión sanguínea y, por tanto, de garantizar el abastecimiento de oxígeno necesario a los tejidos del cuerpo. Las causas pueden ser crisis cardiorrespiratorias, hemorragias, traumatismos, intoxicaciones, etc. La reacción inicial del organismo es intentar abastecer a los órganos vitales, intentando mantener la presión en el cerebro y el corazón. Cuando el estado de shock es irreversible, la falta de oxígeno provoca daños incurables en las células.

Primeros auxilios en caso de fractura

Entablillado
con un
periódico
enrollado

Entablillado
con listones
de madera

Los síntomas son taquicardia, pulso arterial débil, venas colapsadas, palidez de las mucosas, debilidad muscular, temblores y nivel de consciencia alterado. La intervención del veterinario debe ser inmediata.

Traumatismo agudo

Los traumatismos más frecuentes son consecuencia de caídas y atropellos. Hay que proceder igualmente con la máxima presteza. Al aproximarse al perro hay que tener en cuenta que, aunque sea un animal dócil y bueno, el dolor y el susto puede hacer que reaccione con agresividad. Para evitar sorpresas desagradables se le debe poner el bozal o, en su defecto, taparle la cabeza con un saco o una manta, o improvisar un bozal con un cordón o una correa. Ante la sospecha de que la columna vertebral pueda estar afectada, para cargar al perro no hay que hacer-

le rodar, sino que se buscará un soporte rígido. Es importante comprobar que los conductos respiratorios no estén obstruidos con sangre o vómito y cortar las posibles hemorragias.

Fracturas

Lo más importante y a la vez más difícil es mantener al perro quieto. Cuando la fractura esté situada por debajo del codo o rodilla, podemos intentar inmovilizar la extremidad, entablillándola con unos listones de madera o bien con un periódico o una revista enrollados, colocándolos a lo largo de la pata y sujetándolos con vendas o piezas largas de ropa. Entre el objeto que utilicemos para entablillar y la extremidad del animal deberíamos intercalar vendas, algodón o trozos de ropa para evitar rozaduras, y si tiene ya alguna herida hay que cubrirla antes con una gasa, un pañuelo limpio, etc.

Heridas con hemorragias

Frente a una hemorragia lo más eficaz es aplicar presión sobre el punto de donde sale sangre, si es posible con unas gasas o algo similar (un pañuelo o algún trozo de ropa) o incluso presionando con los dedos y mantener esta presión hasta que llegue el veterinario. Si la sangre traspasa las gasas, no debemos retirarlas sino colocar más encima y seguir presionando.

En las hemorragias situadas en las extremidades (patas y cola), y si nos queda espacio para hacerlo, puede ser útil un torniquete, que colocaremos unos centímetros por encima de la herida. Para fabricar dicho torniquete podemos utilizar cintas, vendas, cinturones, medias, calcetines, etc., e ir aflojando la presión cada diez minutos.

Si se trata de una hemorragia nasal podemos intentar taponar el orificio u orificios afectados con un trozo de algodón o gasa, siempre y cuando el perro lo permita, ya que a menudo suele estornudar como acto reflejo y esto lo complica.

Para heridas sin hemorragias, bastará con una buena limpieza (con agua tibia) y desinfección (con productos yodados como Betadine® o Topionic®), recortando antes el pelo de alrededor de la lesión.

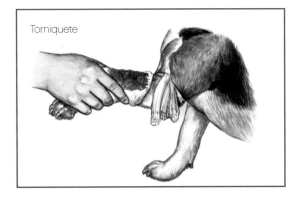

Torniquete

Hipotermia y congelación

La hipotermia consiste en la disminución de la temperatura corporal. Se puede dar por la exposición al frío o en el transcurso de algunas enfermedades. Notaremos que el perro está frío (sobre todo en las orejas, la cola y las patas), tiembla e incluso puede llegar a perder la conciencia. Si le tomamos la temperatura con un termómetro rectal, comprobaremos que estará por debajo de lo normal (de los 38 ó 39 °C habituales pasará a los 36 ó 37 °C o incluso menos). Trasladaremos al animal a un lugar templado, envuelto en mantas, chaquetas o cualquier pieza de ropa de abrigo. Podemos aplicar bolsas de agua caliente o una manta eléctrica a baja intensidad, procurando que no esté en contacto directo con el cuerpo del perro, y lo masajearemos para que entre en calor.

Si tiene partes del cuerpo congeladas (como la cola, las patas, los dedos y almohadillas, y la punta de las orejas), no debemos friccionarlas. Bastará con aplicar compresas calientes o sumergirlas en agua caliente, la secaremos después suavemente y aplicando un vendaje muy flojo (con vendas, algodón o trozos de ropa), evitando que se vuelvan a congelar estas zonas.

Intoxicaciones

El tratamiento de una intoxicación puede variar mucho en función del tóxico, por lo que es conveniente en estos casos ponerse en contacto con un centro veterinario o incluso con el Instituto Nacional de Toxicología (Tl.: 91 562 04 20) para que nos den las primeras instrucciones. Si esto no fuera posible, nunca debemos precipitarnos. Los remedios populares no son siempre los más indicados. Si damos leche o aceite de cocina a un animal que ha ingerido cerillas, fuegos de artificio, tinta o un antipolillas, puede empeorar mucho su estado. El vómito tampoco es siempre la mejor idea, ya que en ciertos casos puede agravar los efectos del tóxico.

Si ha ingerido substancias volátiles (hexanos) derivadas del petróleo (disolventes, aguarrás, limpiamuebles, alcohol de quemar, limpiadores en seco, cola, gasolina, etc.) podemos diluir el tóxico de la misma manera que en el caso de los corrosivos y después dar un aceite mineral laxante (nunca aceite de cocina), como por ejemplo Hodernal® (de dos a diez cucharadas por animal).

Existen algunas sustancias tóxicas, como los raticidas, que pueden tener un efecto a largo plazo, incluso días después de la ingestión. Suele tratarse de anticoagulantes, por lo que pueden aparecer hemorragias al toser o crisis diarreicas o eméticas, por la nariz, etc. Cuando transportemos a estos animales hay que evitar que reciban golpes, ya que estos causarían también hemorragias. No obstante, si descubrimos a nuestro perro ingiriendo algún raticida sí que deberemos provocar el vómito lo antes posible.

El uso de insecticidas no adecuados para animales de compañía es otra causa frecuente

No inducir al vómito si...

• El animal está inconsciente, en convulsiones o con un estado mental deprimido.

• Ha ingerido pilas.

• Desconocemos qué tóxico ha ingerido.

• Ha ingerido substancias volátiles (hexanos) derivadas del petróleo (disolventes, aguarrás, limpiamuebles, alcohol de quemar, limpiadores en seco, cola, gasolina, etc.).

de intoxicaciones con graves problemas en el sistema nervioso. En estos casos es muy fácil la prevención. No obstante, si se da el caso resulta muy útil lavar al animal con abundante agua.

El anticongelante del coche o los productos para matar caracoles resultan muy atractivos para los perros por su olor y su sabor, y provocan intoxicaciones muy graves. El tabaco o los fármacos también les causarán trastornos de una cierta consideración. Con excepción del anticongelante, que produce vómitos, en todos estos casos es conveniente inducir el vómito a tiempo para evitar un desenlace fatal.

Qué debe hacerse en caso de intoxicación

1. Tranquilizar al perro y llevarlo a un sitio cálido y ventilado. Si existen convulsiones, habrá que actuar como ya hemos comentado en el apartado correspondiente.

2. Retirar con agua tibia (sin jabón) el tóxico que esté en contacto con el animal, eliminando los restos que queden en la boca y en su cuerpo. Si no fuese suficiente, habrá que cortar el pelo. Hay que evitar que vuelva a tener acceso al tóxico.

3. Si no han pasado más de cuatro horas desde la ingestión del tóxico, debe provocarse el vómito. La forma más sencilla de hacerlo es dándole una cucharada de sal. De todos modos, debemos estar seguros de que no es contraproducente.

4. Hay que reunir toda la información que podamos sobre el tóxico (envases, restos del producto, frecuencia de los primeros vómitos, etc.) para que el veterinario pueda hacer el tratamiento adecuado.

Precauciones cuando se tiene un perro

• No dejar sustancias tóxicas al alcance del perro (lejía, desengrasadores, aceites, betunes, etc.)

• No dejarle que huela animales muertos que encuentre en las cunetas o por el campo.

• Impedir que el perro vaya suelto por ambientes en donde se haya efectuado tratamientos químicos recientes (raticidas, herbicidas, molusquicidas, etc.).

• Antes de aplicar cualquier producto químico en el jardín o en el sótano, retirar todos los objetos del perro.

• No guardar comida junto a otros productos.

• Enseñarle a comer exclusivamente lo que le ofrecemos nosotros.

Son menos graves las ingestiones de jabones, geles o champús, en cuyo caso bastará con dar un par de cucharadas de aceite de cocina. Si, en cambio, se hubiese intoxicado con desodorante, lo mejor será darle agua albuminosa o leche.

Parto y neonato (cachorro)

Durante un parto, si no surge ningún problema, lo mejor es no intervenir y dejar a nuestra perra en un lugar tranquilo donde nadie la moleste. Sí que deberíamos asegurarnos de que no surgen complicaciones, tanto en la madre (debilidad, hemorragia excesiva, algún cachorro que no sale, contracciones reiteradas sin expulsión, etc.), como en los cachorros, en cuyo caso contactaremos con el veterinario. Si algún cachorro parece tener problemas habrá que examinarlo. Comprobaremos que estén limpios los orificios nasales y los limpiaremos si procede, incluso podemos colocarlo cabeza abajo, cogiéndolo firmemente y sacudiéndolo ligeramente para ayudar a la expulsión de restos de líquidos y membranas. Lo secaremos y ayudaremos a entrar en calor masajeándolo. Si continúa sin respirar, podemos masajearlo presionando el tórax con dos dedos. Colocando un dedo en la boca del cachorro comprobaremos el reflejo de suc-

ción. En cuanto aparezca habrá que llevarlo junto a su madre para que empiece a mamar cuanto antes.

Cuando la madre no se puede hacer cargo de un neonato podemos recurrir a la lactancia artificial, aunque no siempre tendremos éxito. Debemos darle siempre leche maternizada para perros, ya que otro tipo de leche puede causarles diarreas y desnutrición. Hasta que no hayan transcurrido dos o tres semanas deberemos mantener una temperatura ambiente de 30 a 32 °C y será necesario estimularles a orinar y defecar frotando suavemente sus genitales con una gasa o un pañuelo humedecido para imitar el lamido de su madre.

Picaduras de insectos y reacciones alérgicas

Las picaduras de insectos o el contacto con orugas (como la procesionaria) pueden causar fuertes reacciones alérgicas. Nuestro perro se frotará el morro y los ojos con el suelo, las paredes o con sus patas o tal vez tendrá la cara inflamada (sobre todo alrededor de la boca y los ojos) y presentará enrojecimientos (orejas, barriga), lagrimeos y salivación. En ejemplares de razas de pelo corto (Bóxer, Braco), se pueden apreciar pequeños bultos (habones) por todo el cuerpo. En caso de que entre en contacto con procesionarias, habrá que limpiar bien la boca con agua caliente para detener la sustancia irritante, pero sin frotar porque dañaríamos más la mucosa oral. A continuación, habrá que llevar el perro al veterinario para tratar cuanto antes estos síntomas.

Quemaduras

El perro puede quemarse con líquidos u objetos calientes o por el contacto con alguna sustancia química. También puede ocurrir que el perro se salpique los ojos con un producto irritante.

En quemaduras leves y superficiales, habrá que aplicar compresas o gasas frías (no hielo), un buen rato, porque ayuda a calmar el dolor. Después podemos recortar el pelo de alrededor y desinfectar con una solución yodada (Betadine®, Topionic®). Si se trata de quemaduras más profundas o extensas, habrá que cubrirlas con vendas o paños humedecidos en agua fría, realizando un ligero vendaje que no presione hasta conseguir atención veterinaria.

Cuando la quemadura se debe a un producto químico (corrosivos como ácidos o sosas) la primera medida sería hacer lavados con agua tibia durante unos 10 ó 15 minutos.

Reanimación cardiorrespiratoria

Se considera necesaria la reanimación respiratoria cuando el perro pasa unos cuarenta segundos sin respirar. Primero nos aseguraremos de que el collar no oprime la zona del cuello. En tal caso lo aflojaremos, después sacaremos la lengua del animal y la colocaremos hacia un lado, comprobando a la vez si existe algún cuerpo extraño en la boca. A continuación iniciaremos un masaje respiratorio y seguiremos los pasos siguientes:

• Colocaremos al animal estirado sobre el costado derecho.
• Pondremos las manos planas sobre el tórax del animal.
• Realizaremos una compresión firme cada cinco segundos para que salga el aire de los pulmones y dejaremos que el tórax retorne a su posición.

Masaje respiratorio

Maniobras de reanimación cardiorrespiratoria

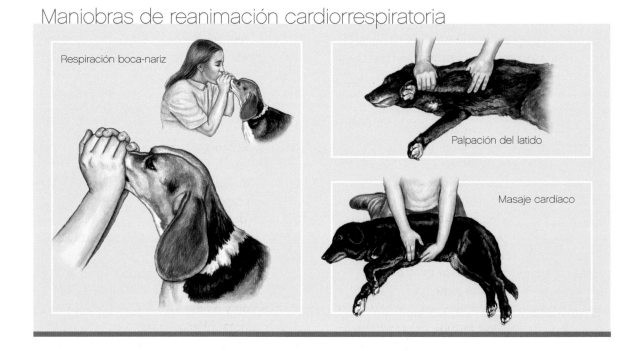

Respiración boca-nariz

Palpación del latido

Masaje cardíaco

Otra manera, algo más complicada, de ventilar a un animal que no respira es la respiración boca-nariz, en la que insuflamos aire a través de la nariz del perro. Para ello, hay que cerrar la boca del animal y colocar las manos rodeándole el morro. Después aplicamos nuestros labios sobre ellas e introducimos el aire, a un ritmo de una ventilación cada cinco segundos.

Cuando se trate de un animal ahogado, y si su peso lo permite, puede resultar eficaz colocarlo cabeza abajo para que expulse el agua.

Antes de iniciar las maniobras de reanimación respiratoria, hay que comprobar si el corazón funciona, ya sea palpando su latido o aplicando el oído, sobre las costillas en el lado izquierdo. El corazón está a la altura del codo flexionado del animal.

Si no hay latidos realizaremos un masaje cardíaco, con el animal en la misma posición que para el masaje respiratorio. Pondremos una mano a cada lado del tórax (si el perro es muy pequeño, podemos abarcar los dos lados del tórax con una mano) y haremos por lo menos ochenta compresiones por minuto. Cada quince compresiones deberíamos hacer dos ventilaciones profundas (masaje respiratorio o respiración boca-nariz).

Golpe de calor

Esta situación, frecuente en primavera y verano, se produce cuando el animal está sometido a un exceso de calor y estrés, y por algún motivo no puede acceder a un lugar más fresco para regular su temperatura corporal.

Cuando tengamos que dejar a nuestro animal dentro del coche, durante un período de tiempo, lo haremos en una zona de sombra (teniendo presente que ésta puede cambiar de lugar en poco tiempo), con las ventanillas un poco abiertas y un recipiente con agua fresca. Esto también lo tendremos presente cuando dejemos al perro atado en una terraza, un balcón o un jardín sin que pueda permanecer a la sombra.

Si no hemos tomado estas medidas nos encontraremos a nuestro perro en un estado de shock por calor, que se manifiesta con jadeo, vómitos, diarreas, pequeñas manchas rojas por la piel (orejas, abdomen, etc.) y un gran aumento de la temperatura corporal, incluso lo podemos encontrar semiinconsciente o inconsciente con grave peligro de su vida. Lo primero que tenemos que hacer es poner al perro en una zona fresca y enfriarlo muy lentamente con agua y paños fríos (por la zona del cuello y abdomen) y buscar asistencia veterinaria. No se debe administrar antitérmicos o antipiréticos, pues no tiene fiebre.

Torsión y dilatación de estómago

En estos casos el tiempo es muy importante para salvar la vida de nuestro perro, por lo que es fundamental saber reconocer esta urgencia y acudir lo antes posible al centro veterinario más cercano. Suele ser un problema de perros de razas grandes y a menudo va asociado a la ingestión abundante de comida seguida de ejercicio físico. Los síntomas que pueden verse son arcadas no productivas y repetidas (parece que va a vomitar pero no acaba de sacar nada), intranquilidad, salivación, abdomen muy distendido y duro a la palpación. Si damos pequeños golpes justo tras las últimas costillas, sonará como un tambor, ya que el estómago está lleno de aire.

Traslado del animal accidentado

Cuando tengamos que trasladar a un animal accidentado debemos tomar ciertas medidas, ya que posturas o movimientos inadecuados podrían resultar fatales.

En los animales atropellados, o que han sufrido algún otro tipo de traumatismo grave, son frecuentes las lesiones de la columna (cervicales, lumbares, etc.), de la cabeza o de las extremidades. En estos casos lo mejor es colocarlos de lado sobre una superficie rígida, sin hacer giros de la cabeza ni de la columna. Para facilitar el trabajo, puede emplearse una tabla, una puerta (si el perro es grande), la estantería de un mueble, un cajón (para un perro pequeño), etc. Si vamos a transportarlo en automóvil, deberíamos mantenerlo en esa posición y no moverlo de la superficie utilizada hasta llegar al veterinario. Si el animal está inconsciente podemos inclinar ligeramente la superficie, de manera que la cabeza quede ligeramente elevada. Cuando hay fracturas de costillas, podemos apreciar una parte de la pared torácica que se mueve en sentido contrario que el resto del tórax durante la respiración. La parte afectada se hunde al respirar. Debemos colocar al animal de lado con la parte afectada en contacto con la superficie que vaya a utilizarse para el traslado.

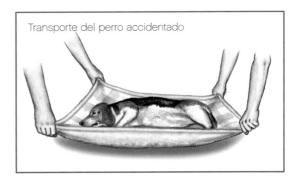
Transporte del perro accidentado

Un consejo

Después de pasear por zonas en donde haya cultivos o en donde crezcan gramináceas silvestres, inspeccionaremos minuciosamente el cuerpo del perro, las orejas, las patas y las almohadillas. Una buena medida preventiva en los perros de pelo largo es «despejar» los pies cortando el pelo entre los dedos.

En cuanto al resto de fracturas y hemorragias, actuaremos como ya hemos comentado en los apartados anteriores. Conviene tener en cuenta que cualquier objeto clavado no debe ser retirado nunca de la herida, y debemos evitar que se mueva durante el transporte.

Si el animal está consciente y no ha recibido traumatismos en la cabeza ni en la columna, pero no se mantiene en pie, podemos utilizar una manta, una sábana o una toalla sujetándolas firmemente por sus cuatro puntas.

Vómitos y diarreas

Como norma general, cuando el animal tenga vómitos o diarreas, lo dejaremos un día sin comer nada. Sólo podrá beber agua en la que podemos añadir algún tipo de suero oral (Bebesales®, Sueroral®, etc.), o agua con un poco de azúcar.

En caso de vómitos reiterados, tendremos que retirar también el agua durante unas horas (entre ocho y doce). Si éstos persisten, contactaremos con el veterinario.

Después del ayuno, si han cesado los vómitos o las diarreas, conviene seguir una dieta digestible que nos prescribirá el veterinario.

No hay que administrar antidiarreicos (Fortasec®, etc.), antibióticos (Sulfaintestin®, etc.), ni antieméticos (Primperan®, etc.) sin consultarlo, ya que podría empeorar la situación.

Ingestión de un cuerpo extraño

Todos los perros pueden sufrir problemas causados por la ingestión accidental de materiales extraños, como piedras o huesos, que pueden ser ingeridos accidentalmente y provocar trastornos gastrointestinales. En algunos casos, el objeto es expulsado, pero en otros puede obstruir el esófago o el intestino delgado. Las manifestaciones de estas obstrucciones van del vómito persistente a la oclusión intestinal.

Los perros jóvenes ingieren cuerpos extraños con más frecuencia. Los signos clínicos son náusea y vómito, anorexia y hemorragia si el cuerpo ha causado ulceración. La localización de los cuerpos extraños se logra mediante la palpación y la realización de placas radiológicas.

Las espigas

Un problema típico del verano son las espigas de las gramináceas. La propia forma de las espigas, con sus minúsculas barbas y su punta acerada hacen que se claven fácilmente en la piel, en el cuerpo y en los espacios interdigitales y que no caiga por sí sola. Con el propio movimiento, la espiga se va fijando, hasta perforar la piel. Cuando se clava en una pata, el perro intenta quitársela sin resultados, y se lame continuamente. La zona afectada puede infectarse. Para extraer la espiguilla se requerirá la intervención del veterinario.

El problema reviste más gravedad cuando la espiga penetra en las cavidades nasales (el animal estornuda repetidamente) o en el conducto auditivo (el perro sacude las orejas y gira la cabeza). En casos extremos puede producir una perforación de tímpano o acceder a las vías respiratorias.

Todos estos percances se resuelven con la extracción del cuerpo extraño.

Las espigas pueden
convertirse en
un serio problema
para el perro.

La alimentación

Qué debe comer nuestro perro

Cuando un gato conoce a sus nuevos dueños se pregunta si sabrán rascarle tras las orejas y si será buena la comida.
Un perro dice: «Te quiero. Por favor, por favor, por favor, quiéreme tu también».

PAMELA DUGDALE

Cómo se alimenta

En comparación con el ser humano, el estómago de los carnívoros, entre los que se incluye el perro, tiene una gran capacidad y el intestino es relativamente corto. Durante el proceso digestivo, el bolo alimentario permanece entre tres y ocho horas en el estómago, antes de pasar al intestino, en donde se asimilan las sustancias nutritivas. Debido a esta característica anatómica, el perro puede ingerir cantidades abundantes de comida, separadas por un período de tiempo largo entre una ingestión y la siguiente.

Una peculiaridad de los cánidos domésticos es que el proceso de adaptación a la vida junto al hombre les ha llevado a consumir productos de origen no animal. Sea como fuere, el perro necesita una dieta de gran valor nutritivo y que además se ajuste a las necesidades de la raza, a la edad, al estado fisiológico (mantenimiento, crecimiento, reproducción, lactancia) y al clima.

La alimentación es un aspecto fundamental del que dependen la salud y el equilibrio del perro. Por lo tanto, es importante conocer las pautas alimentarias de la especie canina y la forma de utilizar los productos. Un perro bien alimentado tendrá una gran vitalidad, una fuerza considerable, no temerá la actividad y no engordará. Por esta razón tendremos que cuidar su dieta a lo largo de toda su vida.

Para alimentar de forma correcta a nuestros perros, tenemos que administrarles un alimento que contenga las proporciones adecuadas de cada uno de los principios nutritivos: proteínas, hidratos de carbono y grasas, además de vitaminas y minerales.

La comida del cachorro

El cachorro recién nacido mama siete u ocho veces al día. Los cachorros buscan instintivamente las mamas, guiándose por el olor y por el calor de la madre. Todos maman al mismo tiempo. Para estimular la salida de la leche, los pequeños presionan las mamas con sus patas anteriores.

A partir de las cuatro semanas, los cachorros mordisquean los labios de la madre para incitarle a regurgitar alimento masticado. Es un comportamiento innato de los cachorros, que marca el inicio del destete y que coincide con la erupción de los dientes

El destete

Los cachorros se alimentan de la leche materna hasta las seis semanas, momento en que la

Un alimento para cada etapa

- **Cachorros** (destete hasta diez meses): puppy, junior.

- **Perras gestantes y lactantes:** crecimiento.

- **Actividad normal:** mantenimiento.

- **Perros deportistas:** alto rendimiento, activo, energy.

- **Perros obesos:** light.

- **Perros ancianos** (a partir de seis, siete u ocho años, según la raza): senior, adult 2.

perra interrumpe la lactancia. Para anticiparse a esta circunstancia, a partir de la cuarta semana se puede añadir una papilla especial para el destete. Un destete precoz es una gran ayuda para la madre, que se debilita mucho, especialmente en los casos de camadas numerosas. Los cachorros se van alejando cada vez más, y entre las siete y las nueve semanas ya tienen que comer solos. Primero les daremos una mezcla de leche con carne picada, y después ya podrá pasarse a la comida tipo «junior» o «puppy».

La leche de sustitución

En caso de fallecimiento de la madre o si ésta, por el motivo que sea, no está en condiciones de alimentar a la camada, se recurre a la leche de sustitución, que se da como mínimo hasta las seis semanas.

Para preparar la leche artificial se debe hervir siempre el agua, y posteriormente se deja enfriar hasta que alcance la misma temperatura que el organismo del cachorro, es decir, unos 38 °C.

Se da con biberón y el cachorrito no ha de mamar más de un cuarto de hora. Es importante

controlar el tiempo y marcar las pausas porque hay cachorros muy tragones y podrían tener diarrea. También habrá que tener la precaución de dar el biberón en un lugar tranquilo donde los animales no tengan frío. La primera semana maman cada dos horas, con una pausa nocturna. Esto significa que la primera semana habrá que alimentarlos siete u ocho veces. A partir de ahí, cada semana se reducirá el número de tomas, hasta llegar a tres.

La comida del adulto

Según la forma de elaboración existen dos grandes tipos de alimentación: la casera y la elaborada industrialmente, es decir, la comida en lata y el comúnmente llamado «pienso».

La primera es la alimentación tradicional, que se compone de carne, féculas y legumbres.

El perro se adapta fácilmente a nuestra comida (es más, seguramente la preferirá por la novedad y la variedad de olores), pero la realidad es que necesita unas cantidades determinadas de vitaminas, minerales, proteínas, hidratos de carbono y grasas que es precisamente lo que garantizan los productos especiales para perros.

A pesar de los prejuicios que tiene mucha gente, los alimentos preparados son los más recomendables, ya que han sido formulados por expertos en nutrición y contienen todos los elementos indicados. Muchas personas creen que alimentando a sus perros con restos de comida les están ofreciendo un delicioso manjar. Pero nada más lejos de la realidad: las sobras de nuestra mesa casi nunca cumplen con los requisitos alimentarios del perro y provocan desequilibrios nutricionales que a buen seguro originarán más de un trastorno. La comodidad y la economía no siempre dan buenos resultados, sobre todo si se anteponen al bienestar del animal.

Otra costumbre bastante difundida es ofrecer al perro mucha carne, huesos o incluso carne cruda, pensando que es lo mejor. Sin embargo, esta dieta puede provocarle estreñimiento. La carne cruda puede ser peligrosa, por el riesgo de transmisión de enfermedades y, además, no es más nutritiva que la carne cocida.

Los alimentos elaborados industrialmente están formulados científicamente, son muy equilibrados, cómodos, rápidos de usar, duraderos y tienen un precio muy razonable (el coste diario de alimentación estimado por los fabricantes oscila entre 0,30 euros y 1,50 euros, según las razas). Además, son muy sabrosos. Se venden en las grandes superficies, tiendas de animales y centros veterinarios.

Los alimentos húmedos pueden ser completos o complementarios, es decir, para ser mezclados con cereales y legumbres.

Las indicaciones del fabricante que el usuario puede leer en el envase deben respetarse siempre.

Dentro del grupo de productos industriales, está la gama de productos dietéticos y altos de gama, que son piensos adaptados especialmente a situaciones fisiológicas en las que las necesi-

Las reglas básicas de la alimentación canina

• El perro debe tener siempre a disposición un recipiente con agua fresca y limpia. Se recomienda utilizar agua envasada si el agua corriente contiene mucho cloro. El agua debe cambiarse a diario. Tengamos en cuenta que el perro al beber suelta mucha saliva (algunas razas más que otras) que se mezcla con el agua y puede ocurrir que quedando medio cubo de agua, el animal se negará a beber porque no le gustara el olor ni el sabor.

• La comida debe administrarse a horas fijas. La mayor parte de perros adultos pueden comer perfectamente una vez al día.

• Conviene evitar los cambios bruscos de régimen alimentario porque provocan diarreas. Todos los cambios deben efectuarse en un plazo de diez días, introduciendo el nuevo alimento gradualmente, mezclándolo con la comida habitual.

• El perro debe tener su propio comedero y en ningún caso utilizará los platos de la familia.

• No dejar que los restos de la comida del perro se queden en el comedero hasta la comida siguiente.

• Las sobras de nuestros platos y sartenes no constituyen una comida equilibrada. El perro necesita un alimento completo que satisfaga sus necesidades.

• No hay que dar al perro huesos largos de pollo o de conejo, ni tampoco raspas de pescado.

• Deben evitarse los azúcares y dulces.

dades energéticas son particularmente altas (gestación, lactancia, crecimiento, senescencia), a regímenes de actividad específicos (perros de trabajo, nórdicos, de pastoreo, etc.) o al tratamiento o recuperación de determinadas afecciones (obesidad, diabetes, crisis de urea, insuficiencia hepática, etc.).

Del mismo modo que la edad del perro es un factor clave que condiciona el tipo de alimentación, el tamaño de la raza también influye decisivamente. Las razas caninas presentan grandes diferencias morfológicas, como demuestra el hecho de que haya razas en las que un ejemplar adulto pueda pesar un kilo y en otras pueda alcanzar los ochenta. Esta diferencia, ya de por sí importante, implica otras que se derivan de esta primera. La duración de la edad de crecimiento puede ser tres veces más larga en una raza que en otra y la amplitud de crecimiento (relación entre el peso al nacer y el peso defini-

tivo) puede ser cinco veces mayor. Por otro lado, el tamaño de las mandíbulas también es muy diferente.

Para cubrir las necesidades de todos los perros, los productos no se elaboran teniendo en cuenta solamente la etapa de la vida del perro, sino contemplando también el tipo de raza (pequeña, mediana y grande).

La gama de alimentos para perros «activos»

Son productos que aportan un porcentaje de energía más alto por unidad de peso que el pienso de mantenimiento. Dicho de otro modo, si un alimento alto de gama de mantenimiento tiene un valor energético de 3900 a 4000 kcal/kg, los productos para perros activos pueden llegar hasta 4800 kcal/kg aproximadamente. Si se compara con un producto medio, la diferencia todavía es mayor: para un mismo aporte calórico, la comida para perros activos tiene un 35 % menos de volumen. Esta gama está destinada a perros que realizan un nivel de actividad superior al normal, ya sea practicando deportes de ocio, caza, trabajos de resistencia o actividades que generan mucho estrés.

Indicaciones del fabricante

En la etiqueta de información sobre el producto, además de los datos referentes a normativas en vigor, figuran informaciones importantes:

• **Los ingredientes:** en orden decreciente según la cantidad, y precisando en detalle el origen (por ejemplo,: proteínas de buey deshidratadas, carnes y subproductos de pollo y pavo, grasa de buey, harina de pescados escandinavos, etc.).

• **El análisis químico:** es el porcentaje de cada uno de los principios nutritivos contenidos en la sustancia seca, es decir, prescindiendo del agua.

• **Las vitaminas y los minerales** por unidad de peso de referencia.

• **La ración** diaria recomendada.

• **La caducidad.**

Pero, ¿cómo se puede medir el consumo energético de un perro? La regla básica para cuantificar la cantidad de «actividad» es la siguiente: una hora de actividad aumenta la necesidad energética un diez por ciento con respecto a las necesidades de mantenimiento.

Luego, hay que tener en cuenta otros factores, como son:

• **El clima.** En condiciones de frío intenso o de calor fuerte, la necesidad energética del perro aumenta (a 0 ó 40 °C, la necesidad energética se incrementa en un cuarenta por ciento).

• **El trabajo de guarda.** Aunque no se aprecie una actividad constante, el estrés que genera esta tarea hace aumentar en un veinte por ciento la necesidad energética del perro. De hecho todas las circunstancias que puedan representar una fuente de estrés (viajes, exposiciones, montas, etc.) aumentan sensiblemente la necesidad energética.

Por otro lado, están los perros nerviosos (que gastan más energía que un perro estándar), los de pelo corto (que necesitan un plus para la termorregulación), los que necesitan comer sin sobrecargar el estómago (para evitar problemas digestivos) y los de apetito difícil (que se benefician de la concentración y la aromatización del producto).

Por otro lado, no hay que olvidar el interés de un alimento concentrado en los perros con predisposición a sufrir dilatación y vólvulo estomacal.

El pienso para perros activos puede utilizarse cotidianamente en los casos que se acaban de ver, o temporalmente en previsión de períodos de aumento del nivel de esfuerzo, períodos de adiestramiento, durante convalecencias, etc.

El estrés
que genera
la guarda
hace aumentar
el gasto
energético.

Los complementos alimentarios

Existe una gama de productos catalogados como complementos y vitaminas. Estos complementos alimentarios son productos (minerales y vitaminas) que se añaden a la comida normal durante un tiempo, durante el cual surgen unas necesidades específicas.

Hay que tener en cuenta, además, que estos productos no son necesarios cuando se consume un tipo de alimento que ya los contiene,

como por ejemplo la gama «actividad» o la denominación «premium». Los tratamientos se realizan periódicamente o en épocas previas a exposiciones, caza, competiciones, etc. Hay una gran variedad de complementos en el mercado: para el pelo (a base de vitaminas C y E); para reforzar el tono general (para perros que compiten en actividades deportivas o que trabajan durante la temporada de caza); de calcio específicos para razas que tienen un crecimiento muy rápido, etc. Nuestro veterinario nos puede indicar si nuestro perro los necesita.

La obesidad

La obesidad se define como el exceso de grasa en el cuerpo, suficiente para afectar los mecanismos fisiológicos normales o predisponer a inconvenientes metabólicos o mecánicos. La edad y la inactividad son factores de riesgo, aunque seguramente la culpa más frecuente debe imputarse a la dieta. Las causas de la sobrealimentación de los animales son ignorancia de las pautas alimentarias por parte del dueño, las recomendaciones excesivamente generosas por parte de algunos fabricantes o el éxito de la aromatización de los productos. Muchos propietarios de perros obesos son

también obesos que consideran que comer es un placer del que no quieren privar a su mascota.

Las razas más predispuestas a la obesidad son el Labrador, el Cairn Terrier, el Cocker, el Teckel, el Pastor Escocés, el Basset, el Beagle, el King Charles y el Collie.

El tratamiento empieza por la educación del cliente, a quien debe explicarse que no se trata de una cuestión estética, sino que la obesidad entraña una serie de peligros. Normalmente, el seguimiento es de por vida. Consiste en aumentar el grado de actividad e instaurar una dieta adecuada a las necesidades calóricas del animal.

Qué hacer si no come

A menudo, el perro rechaza la comida que se le sirve. Las razones de ese comportamiento pueden ser muy variadas, desde el cansancio al aturdimiento, pasando por la inapetencia o la simple desobediencia. Antes de tomar una decisión, habrá que observar su comportamiento para determinar si se trata de un malestar pasajero.

El perro, como se ha dicho anteriormente, es un animal de costumbres. Por ello, debe comer siempre en un lugar tranquilo, sin que haya nadie a su alrededor y, por supuesto, fuera del comedor.

En algunos casos, el perro se ha acostumbrado a mendigar alguna «propina» en la mesa y pierde el interés por el pienso. Esta situación, por desgracia demasiado frecuente, no es en absoluto recomendable, sobre todo si el perro no come bien, ya que perjudica a su organismo. Además, esta situación origina un estí-

mulo inadecuado, porque a medida que el perro crece se acostumbra a las sobras y rechaza cualquier otro tipo de comida.

En el caso del perro al que nunca se permite mendigar en la mesa, es posible que su desgana esté causada por un trastorno digestivo. Por lo tanto, si al segundo o tercer día sigue sin comer, habrá que consultar con el veterinario.

Otras veces el problema es más sencillo: el animal ha crecido y necesita otro tipo de alimentación. Habrá llegado el momento de cambiar de pienso o incluso de alimento.

Si lo que ocurre es que el perro está poniendo a prueba a su dueño, éste no deberá ceder ofreciéndole otro tipo de comida, por miedo a que el animal sufra desnutrición. Un perro puede saltarse una comida sin que ello repercuta en su organismo. Por tanto, no hay que dejarse engañar por su mirada implorante. El dueño debe saber que los animales no se mueren de hambre teniendo comida a disposición, y debe tener muy claro que si el perro se acostumbra a escoger la comida, lo hará toda la vida, y se convertirá en un perro caprichoso.

Cuántas veces al día debe comer un perro

Hasta que el cachorro haya cumplido seis meses de edad, debe comer un pienso especial para cachorros (conocido con la denominación «puppy»). La cantidad dependerá del peso, la talla, la edad y la raza, si bien pueden seguirse las indicaciones del fabricante del producto.

A partir del séptimo mes comienza la segunda etapa de desarrollo, que se alargará has-

Cuándo darle de comer

Edad	Número de comidas	Primera comida	Última comida
Mes 3	5	7 horas	19 horas
Meses 4-5	2	8 horas	18 horas
Meses 6-7	2	9 horas	17 horas
Meses 8-12	2	9 horas	15 horas
Un año	1	A las 13 o a las 18 horas.	

ta que cumpla un año y medio. El pienso deberá ser del tipo regular, y se le administrará dos veces al día, por la mañana y por la noche.

Durante la tercera etapa se acostumbrará al perro a comer una vez al día. Si realiza un esfuerzo importante (pruebas de trabajo o labores de rastreo, caza, rescate, etc.) habrá que servirle pienso de mantenimiento o energético (active). En estos casos lo mejor será consultar con el veterinario para que prepare el programa dietético más adecuado.

Si el perro tiene problemas de nutrición porque su estómago es delicado y vomita, y padece de diarrea, tendremos que administrarle la comida en dos ingestas.

Razas caninas

Reconocidas por la Federación Canina Internacional

Grupo 1. Perros de Pastor y Boyeros (excluidos Boyeros Suizos)

Sección 1ª (Perros de Pastor)
Bearded Collie
Bobtail (antiguo perro de pastor inglés)
Border Collie
Gos d' Atura Català
Komondor
Kuvasz
Mudi
Perro de Pastor Alemán
Perro de Pastor Australiano
Perro de Pastor Belga
Perro de Pastor de Beauce
Perro de Pastor de Bergamasco
Perro de Pastor de Brie
Perro de Pastor de los Pirineos de cara rasa
Perro de Pastor de los Pirineos de pelo largo
Perro de pastor de Picardía
Perro de Pastor de Rusia Meridional
Perro de Pastor Escocés
Perro de Pastor Escocés de pelo corto
Perro de Pastor Escocés de pelo largo
Perro de Pastor Holandés
Perro de Pastor Mallorquín
Perro de Pastor Maremmano-Abrucés
Perro de Pastor Polaco de las Llanuras
Perro de Pastor Polaco de Podhale

Perro de Pastor Portugués
Perro Lobo Checoslovaco
Perro Lobo de Saarloos
Perro Pastor Australiano
Perro Pastor Croata
Puli
Pumi
Schapendoes
Schipperke
Tchuvatch Eslovaco
Welsh Corgi Cardigan
Welsh Corgi Pembroke

Sección 2ª (Boyeros, excepto los Boyeros Suizos)
Boyero Australiano
Boyero de Flandes
Boyero de las Ardenas
Cão Fila de São Miguel

Grupo 2. Perros de tipo Pinscher y Schnauzer, Molosoides y Boyeros Suizos

Sección 1ª (Perros de tipo Pinscher y Schnauzer)
Tipo Pinscher
Affenpinscher
Dobermann
Pinscher
Pinscher Austriaco de pelo corto
Pinscher Miniatura

Tipo Schnauzer
Schnauzer
Schnauzer Gigante
Schnauzer Miniatura

Razas afines
Smoushond Holandés
Terrier Negro Ruso

Sección 2ª (Molosoides)
Tipo Mastín
Boxer
Broholmer
Bulldog
Bullmastiff
Dogo Alemán
Dogo Argentino
Dogo de Burdeos
Fila Brasileño
Mastiff
Mastín Napolitano
Perro Corso
Perro Dogo Mallorquín
Rottweiler
Shar Pei
Tosa

Tipo Perro de Montaña
Dogo del Tíbet
Hovawart
Landseer
Leonberger
Mastín de los Pirineos
Mastín Español
Perro de Castro Laboreiro
Perro de Montaña de la Sierra de la Estrela
Perro de Pastor de Anatolia
Perro de Pastor de Asia Central
Perro de Pastor de Ciarplanina (pastor yugoslavo)

Perro de Pastor de Karst
Perro de Pastor del Atlas
Perro de Pastor del Cáucaso
Perro de San Bernardo
Rafaeiro del Alentejo
Terranova

Sección 3ª (Boyeros Suizos)
Boyero Bernés
Boyero de Appenzell
Boyero de Entlebuch
Gran Boyero Suizo

Grupo 3. Terrier
Sección 1ª (Terrier de talla grande
y mediana)
Airedale Terrier
Bedlington Terrier
Border Terrier
Fox Terrier de pelo duro
Fox Terrier de pelo liso
Irish Glen of Imaal Terrier
Irish Soft-Coated Wheaten Terrier
Irish Terrier
Kerry Blue Terrier
Lakeland Terrier
Manchester Terrier
Parson Jack Russel Terrier
Terrier Brasileño
Terrier Cazador Alemán
Welsh Terrier

Sección 2ª (Terrier de talla pequeña)
Cairn Terrier
Dandie Dinmont Terrier
Norfolk Terrier
Norwick Terrier
Sealyham Terrier
Skye Terrier
Terrier Australiano
Terrier Checo
Terrier Escocés
Terrier Japonés
West Highland White Terrier

Sección 3ª (Terrier de tipo Bull)
American Staffordshire Terrier
Bull Terrier
Staffordshire Bull Terrier

Sección 4.ª (Terrier de compañía)
Australian Silky Terrier
Terrier Inglés Miniatura negro y fuego
Yorkshire Terrier

Grupo 4. Dachshunds
Téckel
Téckel para la caza del conejo

**Grupo 5. Perros de tipo Spitz
y Primitivo**
Sección 1ª (Perros nórdicos de tiro)
Alaskan Malamute
Husky Siberiano
Perro de Groenlandia
Samoyedo

Sección 2ª (Perros nórdicos de caza)
Laika de Siberia Occidental
Laika de Siberia Oriental
Laika Ruso-Europeo
Lundehund Noruego
Perro Cazador de Alces Noruego gris
Perro Cazador de Alces Sueco
Perro de Alces Noruego negro
Perro de Osos de Carelia
Spitz de Norbotten
Spitz Finlandés

Sección 3ª (Perros nórdicos de
guarda y de pastor)
Buhund Noruego
Pastor Finlandés de Laponia
Perro de los Visigodos
Perro de Pastor Islandés
Perro Finlandés de Laponia
Perro Sueco de Laponia

Sección 4ª (Spitz europeos)
Spitz Alemanes (Spitz Lobo, Gran
Spitz, Spitz Mediano, Spitz
Pequeño, Spitz Enano)
Volpino Italiano

Sección 5ª (Spitz asiáticos y
razas afines)
Akita
Chow Chow
Eurasier

Hokkaido
Kai
Kishu
Perro Jindo Coreano
Shiba
Shikoku
Spitz Japonés

Sección 6ª (Tipo primitivo)
Basenji
Canaan Dog
Perro de los Faraones
Perro sin Pelo del Perú
Perro sin Pelo Mexicano

Sección 7ª (Tipo primitivo de caza)
Cirneco del Etna
Podenco Canario
Podenco Ibicenco
Podenco Portugués

Sección 8ª (Perros de tipo primitivo
con cresta sobre el lomo)
Thai Ridgeback

**Grupo 6. Sabuesos y perros
para rastro y de sangre**
Sección 1ª (Sabuesos de talla
grande)
Perro de San Huberto

Razas de pelo raso
Billy
Francés Tricolor
Gran Gascón Saintongeois
Gran Sabueso Anglofrancés
blanco y naranja
Gran sabueso Anglofrancés tricolor
Gran sabueso Anglofrancés blanco
y negro
Gran Sabueso Azul de Gascuña
Poitevin
Sabueso Francés blanco y naranja
Sabueso Francés blanco y negro

Razas de pelo largo
American Foxhound
Foxhound
Gran Grifón Vendeano

Perro de Nutria
Perro negro y fuego para la caza
   del mapache

Sección 2ª (Sabuesos de talla media)
Sabueso de Bosnia de pelo duro
   (Barak)
Sabueso Español

Razas de pelo raso
Anglo-français de Petite Vénerie
Ariègeois
Beagle-harrier
Pequeño Gascón Saintongeois
Pequeño Sabueso Azul de
   Gascuña
Porcelaine
Sabueso Artesiano

Razas de pelo largo
Briquet Grifón Vendeano
Grifón Azul de Gascoña
Grifón del Nivernais
Grifón Leonado de Bretaña
Harrier
Sabueso Austriaco negro y fuego
Sabueso de Hamilton
Sabueso de Hygen
Sabueso de Istria de pelo corto
Sabueso de Istria de pelo duro
Sabueso de Posavaz
Sabueso de Schiller
Sabueso de Smaland
Sabueso de Transilvania
Sabueso del Tirol
Sabueso Eslovaco
Sabueso Estirio de pelo duro
Sabueso Finlandés
Sabueso Halden
Sabueso Helénico
Sabueso Italiano de pelo corto
Sabueso Italiano de pelo duro
Sabueso Yugoslavo de montaña
Sabueso Noruego
Sabueso Polaco
Sabueso Serbio
Sabueso Tricolor Yugoslavo
Sabuesos Suizos (Bernés, del Jura,
   de Lucerna, de Schwyz)

**Sección 3ª (Sabuesos de talla
pequeña)**
Basset Artesiano de Normandía
Basset Azul de Gascuña
Basset de Artois
Basset Hound
Basset Leonado de Bretaña
Beagle
Gran Basset Grifón Vendeano
Pequeño Basset Grifón vendeano
Perro Tejonero de Westfalia
Perro Tejonero Sueco
Sabueso Alemán
Sabuesos Suizos Pequeños
   (Bernés, del Jura, de Lucerna, de
   Schwyz)

**Sección 4ª (perros para rastro de
sangre)**
Perro Tejonero Alpino
Sabueso de Sangre de Baviera
Sabueso de Sangre de Hanover

Sección 5ª (Razas afines)
Dálmata

Grupo 7. Perros de Muestra
**Sección 1ª (Perros de Muestra
Continentales)**
Tipo braco
Braco de Ariège
Braco de Auvergne
Braco del Bourbonais
Braco Dupuy
Braco Francés tipo Gascuña (talla
   grande)
Braco Francés tipo Pirenaico (talla
   pequeña)
Braco Húngaro de pelo corto
Braco Húngaro de pelo duro
Braco Italiano
Braco San Germain
Grifón de Muestra Eslovaco de
   pelo duro
Perdiguero de Burgos
Perdiguero Portugués
Perro Antiguo de Muestra Danés
Perro de Muestra Alemán de pelo
   áspero

Perro de Muestra Alemán de pelo
   corto
Perro de Muestra Alemán de pelo
   duro
Pudel-Pointer
Weimaraner

Tipo Épagneul
Épagneul Azul de Picardía
Épagneul Bretón
Épagneul de Pont-Audemer
Épagneul Francés
Épagneul picardo
Gran Münsterländer
Münsterländer Pequeño
Perdiguero de Drent
Perro de Muestra Alemán de pelo
   largo
Perro de Muestra Frisón

Tipo Grifón
Grifón de Muestra bohemio de
   pelo duro
Grifón de Muestra de pelo duro
Grifón de Muestra de pelo lanoso
   francés
Perro de Muestra Italiano de pelo
   duro

**Sección 2ª (Perros de Muestra
Británicos)**
Gordon Setter
Pointer Inglés
Setter Inglés
Setter Irlandés rojo y blanco

**Grupo 8. Perros de Cobro,
Levantadores y de Agua**
Sección 1ª (Perros de Cobro)
Chesapeake Bay Retriever
Golden Retriever
Labrador Retriever
Perro Cobrador de la Nueva
   Escocia
Perro Cobrador de pelo liso
Perro Cobrador de pelo rizado

Sección 2ª (Perros Levantadores)
Clumber Spaniel

Cocker Americano
Cocker Spaniel Inglés
Field Spaniel
Pequeño Perro Holandés para la
   caza acuática
Perdiguero Alemán
Springer Spaniel Galés
Springer Spaniel Inglés
Sussex Spaniel

Sección 3ª (Perros de Agua)
Barbet
Lagotto de Romaña
Perro de Agua Americano
Perro de Agua Español
Perro de Agua Irlandés
Perro de Agua Portugués
Spaniel Holandés

Grupo 9. Perros de Compañía
Sección 1ª (Bichones y Afines)
Bichón de Pelo Rizado
Bichón Habanero
Boloñés
Coton de Tulear
Maltés
Pequeño Perro León

Sección 2ª (Caniches)
Caniche

Sección 3ª (Perros Belgas
de talla pequeña)
Grifones

Grifón Belga
Grifón de Bruselas

Brabanzones
Pequeño Brabanzón

Sección 4ª (Perros sin pelo)
Perro Crestado Chino

Sección 5ª (Perros del Tíbet)
Lhasa Apso
Shih Tzu
Spaniel Tibetano
Terrier Tibetano

Sección 6ª (Chihuahua)
Chihuahua

Sección 7ª (Spaniel Ingleses de
Compañía)
Cavalier King Charles Spaniel
King Charles Spaniel

Sección 8ª (Spaniel Japoneses y
Pequineses)
Pequinés
Spaniel Japonés

Sección 9ª (Spaniel Enanos
Continentales)
Spaniel Continental Enano

Sección 10ª (Kromfohrländer)
Kromfohrländer

Sección 11ª (Molosoides de talla
pequeña)
Boston Terrier
Bulldog Francés
Carlino

Grupo 10. Lebreles
Sección 1ª (Lebreles de pelo largo
o mechado)
Lebrel Afgano
Lebrel Ruso
Saluki

Sección 2ª (Lebreles de pelo duro)
Lebrel Inglés
Lebrel Irlandés

Sección 3ª (Lebreles de pelo corto)
Azawakh
Galgo Español
Greeyhound
Lebrel Árabe
Lebrel Húngaro
Lebrel Polaco
Pequeño Lebrel Italiano
Whippet

Vocabulario

AFIJO: nombre y número registrado que poseen los criadores. Debe estar inscrito en la Real Sociedad Canina de España.

AKC: American Kennel Club. Es el registro oficial de perros de pura raza en Estados Unidos. Se encarga de publicar y mantener el registro en el libro de orígenes efectuando todos los registros de camadas, cambios de propiedad y cualquier variación.

ANIMAL ALFA: animal que tiene el más alto rango jerárquico dentro de la manada; es el más dominante, por lo que yergue en líder o guía.

ANURO: aquellos perros que carecen de cola, bien sea de forma natural o por amputación.

APLOMO: la verticalidad que se exige, según el estándar, a las extremidades anteriores de las razas caninas.

APPORT: es la pieza o elemento utilizado para el cobro en competición o bien para enseñar la orden de cobro al perro.

ARLEQUÍN: capa de fondo blanco con manchas o lunares negros.

ARRUFAR: acción de gruñir un perro hinchando el hocico y enseñando los dientes.

BAYO OSCURO: capa compuesta de pelos amarillentos en la base y negros u oscuros en el extremo.

BEST IN SHOW: es el título que se le otorga al macho o hembra escogido como mejor ejemplar de to-

da la exposición de entre todos los ganadores de mejor de grupo de cada raza.

BÍFIDO: labio partido que presentan algunas razas.

BELFO: es el labio superior del perro. Los belfos en plural designan tanto los labios superiores como los inferiores.

BOCA DURA: perro que muerde la pieza demasiado fuerte al cobrar y deja huellas con sus dientes.

BORRA: el subpelo del animal.

CAC: Certificado de Aptitud de Campeón. Certificado para optar al Campeonato Nacional de Belleza en las exposiciones emitido por la Real Sociedad de fomento de las Razas caninas en España.

CACIB: Certificado de Aptitud para el Campeonato Internacional de Belleza, el máximo trofeo de las exposiciones internacionales. Es emitido por la Federación Canina Internacional.

CACIT: Certificado de Aptitud para el Campeonato Internacional de Trabajo. Para optar al Campeonato Internacional de Trabajo. Reservado a los perros de utilidad y de caza.

CACT: Certificado de Aptitud para el Campeonato de Trabajo. Sirve para optar al Campeonato Nacional de Trabajo.

CALZÓN: largo pelaje que cubre la parte posterior de las nalgas de algunos perros como el Collie.

CAMPEÓN INTERNACIONAL: perro que ha ganado cuatro CACIB en tres países diferentes en exposiciones reguladas por la FCI.

CANILITO: los criadores lo usan para designar al animal más canijo de una camada.

CAMADA: grupo o número de cachorros de un mismo parto. Los criadores inscriben los cachorros de la camada con nombres que empiezan por la misma letra, es decir, a cada camada le asignan una inicial diferente. Por ejemplo: en la primera camada todos los nombres empezarán por la letra «a»; en la segunda camada, por la «b», etc.

CARÁCTER: son los rasgos característicos de comportamiento de cada animal considerado individualmente., aunque a cada raza le corresponden unos rasgos de carácter generales.

CAPA: pelaje del perro.

CASCO: mancha blanca de forma regular en el cráneo.

CASTA: conjunto de perros dentro de una misma raza que poseen unas especiales características comunes.

CELO: época durante la cual la hembra ovula y está dispuesta para la monta; generalmente ocurre dos veces al año. Empieza con una menstruación de unos diez días y alcanza su plenitud durante los doce días siguientes.

CINOLOGÍA: ciencia que estudia las diferentes razas caninas.

CKC: Continental Kennel Club.

CLASES: grupos establecidos en las exposiciones y concursos caninos para separar a los diferentes participantes por edad, sexo o por los títulos que poseen.

COLA ALEGRE: cola llevada alta.

CONDICIONAMIENTO: fijación de la realización o no de un acto a una determinada orden o estímulo.

COPROFAGIA: desviación de la conducta que consiste en comerse sus propias heces o las de los demás.

CORVEJÓN: punto de la articulación de las extremidades posteriores entre la tibia y el metatarso.

CRÍA CONSANGUÍNEA: intento de reforzar las cualidades deseadas mediante el apareamiento de individuos que tienen parentesco entre ellos.

CRÍA DIRIGIDA: crianza que estimula los aspectos y cualidades más apreciadas de una misma familia mediante el apareamiento de sus mejores especímenes.

CRÍA HIPERTRÓFICA: aquella que desarrolla en exceso unos determinados rasgos y que puede provocar taras y degeneraciones en el comportamiento.

CRIADERO: lugar donde se preparan acoplamientos de perros de la misma raza con intención de mantener el estándar y comerciar con los cachorros. Cuando entregan un cachorro, deben dar todos los papeles en regla, incluido el pedigrí.

CRIADOR: dueño de una perra de cría en el momento de la cubrición o del nacimiento del cachorro.

CRUZ: zona de la columna situada justo entre los omoplatos. Es la parte superior del lomo donde se mide la altura o alzada del animal.

CRUZAMIENTO O CRUCE: apareamiento de ejemplares de diferentes razas. Muchas razas caninas reconocidas actualmente han surgido de cruces, como por ejemplo el Rottweiler, el Dobermann... También se llama «cruzamiento» al apareamiento entre especímenes de una misma raza pero sin pertenecer a la misma familia (sin consanguinidad entre ellos).

CUARENTENA: como bien indica su nombre es un período de cuarenta días durante el cual se mantienen aislados animales enfermos o con riesgo de infecciones para impedir epidemias.

CUBRICIÓN: es el acto de apareamiento, el cual dura unos quince minutos. Durante este tiempo el perro y la perra permanecen enganchados, ya que el pene queda sujeto por la musculatura de la vagina.

CUELLO DE PALOMA: color de reflejos cambiantes.

CH: abreviatura utilizada para el titulo de campeón.

CHIP: microaparato de identificación que generalmente se inserta en el cuello del animal para garantizar su recuperación si se pierde o poder identificar al amo en caso de abandono.

DISPLASIA DE CADERA: es la malformación o deformación hereditaria de la articulación de la cadera (el acetábulo cotiloideo y la cabeza del fémur no concuerdan mutuamente entre sí en su forma) y mayoritariamente afecta a perros de tamaño grande. Generalmente está causada por problemas de peso o por la frecuente tendencia de la cría de ejemplares con el lomo más bajo por motivos estéticos (Pastor Alemán, Bóxer...).

DENTADURA: Se desarrolla completamente cuando el perro cumple el año. Puede ser en tijeras, en tenazas, completa, incompleta o prognata.

DOMINANTE: factor hereditario que se hereda visiblemente desplazando a otros.

EMBARAZO: el embarazo canino dura unos dos meses (entre sesenta y setenta días).

EMBARAZO PSICOLÓGICO: presenta los mismos síntomas psíquicos y físicos que un embarazo real. Cuando aparecen los síntomas se debe acudir al veterinario.

ESPOLÓN: quinto dedo, totalmente inútil, que tienen de más algunas razas como el Mastín. También se le llama «falso dedo» porque no tiene utilidad al no tener contacto con el suelo. Puede aparecer en las patas delanteras o en las traseras.

ESTÁNDAR: requisitos físicos y psíquicos establecidos para cada raza. Es el patrón racial para cada raza. En el estándar el perro aparece descrito en sus más pequeños detalles como tamaño, color de los ojos, longitud de la cola... En España lo fija la Real Sociedad Canina bajo la dirección de la Federación Canina Internacional (FCI).

ESTRELLA: pequeña mancha blanca en la frente.

ETOLOGÍA: es la ciencia que estudia el comportamiento de los animales. Actualmente está en desarrollo.

EXPOSICIONES: en todo el mundo se organizan exposiciones caninas en las que pueden participar los perros inscritos en el Libro de los Orígenes, o sea, los que poseen un pedigrí.

EXPRESIÓN: lo que comunica el perro con su cara. Depende mucho de la forma de los ojos y de su inserción.

FACTOR LETAL: factor hereditario que da lugar a graves malformaciones y, en ocasiones, a recién nacidos muertos. Se asocia con características que sí son deseables, como por ejemplo la sordera unida al color blanco de los Bull Terrier.

FENOTIPO: el aspecto exterior de un perro. Surge de la acción combinada de los factores hereditarios (genotipo) y de la influencia del medio ambiente.

FIC: Federación Canina Internacional (Federation Cynologique Internationale), en la cual se hallan inscritos todos los criadores profesionales de 49 países.

FUEGO: manchas de color entre rojo y tostado en perros de tonos oscuros, normalmente negros. Capa compuesta de pelos amarillo-anaranjados.

GESTACIÓN: Período en el que el embrión se desarrolla en el cuerpo materno. En la perra tiene una duración de 58 a 65 días.

GRIS: capa en la que se mezclan pelos blancos y negros.

GRUPA: parte trasera del lomo.

GRUPO DE CRÍA: presentación en una exposición de tres perros o más de una raza por parte de un mismo criador.

HOUND: palabra inglesa que sirve para designar perros de caza.

IMPRINTING: etapa o período durante el cual el cachorro debe aprender y conocer todo el entorno que le rodea. El tiempo oscila entre las tres y siete semanas de vida (de veinte a cincuenta días), e incluso puede alargarse hasta el tercer mes.

INSTINTO: comportamiento heredado genéticamente. Surge espontáneamente, por lo que no necesita aprendizaje.

ISABEL: capa unicolor de pelos color café con leche.

KC: Kennel Club. El Kennel Club de Inglaterra fue fundado en 1873 y es el organismo central de registro.de perros de pura raza.

LEISHMANIOSIS: enfermedad parasitaria provocada por la picadura de un mosquito (el flebotoma). Es de difícil tratamiento.

LEONADO: capa en la que se mezclan pelos predominantemente de tinte amarillo.

LEPTOSPIROSIS: enfermedad bacteriana. El animal se contagia por el contacto directo con otro animal infectado (mordedura) o indirecto mediante el contacto con un medio u objeto sucio. La leptospirosis canina suele estar provocada por las ratas.

LIBRO DE ORÍGENES ESPAÑOL: es donde se registran los perros de pura raza. Las genealogías de perros que no constan en este libro no tienen valor.

LISTA: BANDA blanca que desciende a lo largo de la nariz y parte de la cara del perro.

LOE: Libro de Orígenes Español.

MANTO: es uno de los caracteres anatómicos más importantes en el estándar. Es el conjunto de pelo que cubre al perro y puede ser corto, liso, largo, duro, ondulado, rizado, acordonado... Se denomina «unicolor» cuando aparece un solo color; «bicolor» cuando aparecen dos; y «tricolor» cuando aparecen tres. Los mantos también pueden ser atigrados, arlequinados, mosqueados...

MARCAS: manchas aisladas pardas, grises, negras o de otro color situadas como distintivos en la cabeza y en el cuerpo de los perros.

MÁSCARA: zona de color de la carra del perro simétrica, con perfiles netos y que destaca sobre el color del fondo. Por ejemplo, en el San Bernardo.

MONTA: acto del apareamiento.

MOSQUEADO: salpicadura negra u oscura en un manto de color claro.

MOSTAZA: capa cuyo color va desde un pardo rojizo al leonado pálido.

MOTA: pequeño mechón de pelos que algunos perros llevan en el extremo de la cola, como en el Spaniel Bretón, por ejemplo.

MUDA: cambio de pelaje que se produce un par de veces al año (generalmente durante las estaciones de primavera y otoño). Durante la muda debemos prestar mas atención al cepillado y aseo de nuestro animal.

NEOTENIA: retención en edad adulta de rasgos infantiles o juveniles. La etología considera que el perro es un lobo que no ha pasado de la fase de cachorro como consecuencia de la domesticación.

OLFATO CALIENTE: se aplica a un perro que puede seguir un rastro reciente dejado por un animal de fuerte olor.

OLFATO FRÍO: un perro que puede seguir un rastro viejo o uno difícil de encontrar y seguir.

OREJA DE MURCIÉLAGO: oreja tiesa alargada, ancha en la base y de punta redondeada. Por ejemplo, el Bulldog Francés.

OREJA DOBLADA: hay de dos tipos. En la oreja doblada alta sólo cae hacia delante el extremo de la punta, mientras que en la oreja doblada pesada cae el tercio superior.

OREJA EN ROSA: oreja con el pabellón del oído plegado hacia atrás. La punta se dirige hacia abajo.

OREJA PLEGADA: oreja de longitud media con los lóbulos caídos hacia delante.

OREJA TIESA: oreja que se mantiene erecta, como en los Pastores Alemanes.

PAPADA: piel colgante de la garganta, como en el Mastín o el Mastín Napolitano y los Molosos.

PARCHE: mancha oscura que rodea el ojo.

PARVOVIROSIS: es una enfermedad infecciosa y contagiosa causada por un virus llamado «parvovirus». Generalmente provoca una gastroenteritis hemorrágica que puede ser mortal, sobre todo en los cachorros. Aunque la enfermedad sigue existiendo ya no tiene la gravedad de antes.

PEDIGRÍ (PEDIGREE): es el certificado oficial del origen genealógico del perro de raza. Árbol genealógico del perro donde constan los antecedentes directos hasta al menos la tercera línea. Es la certificación del origen racial del perro.

PELO CORTO: también se llama «pelo liso». Es muy corto. Por ejemplo, el del Dobermann.

PELO DURO: pelo áspero al tacto, corto o de longitud media, que se levanta en diversas direcciones; por ejemplo, el del Téckel de pelo duro.

PELO HIRSUTO: pelo muy largo y basto. Se encuentra en algunos Perros Pastores.

PELO LARGO: el pelo de cobertura es largo y suave. En algunos casos hay un buen subpelo, como en el Terranova, mientras que en otros como el Setter, no.

PELO ONDULADO: pelo duro de longitud media y áspero. Se ondula tanto el pelo de cobertura como el subpelo.

PELO RIZADO: cuando el ondulado es muy fuerte.

PERROS ENANOS: perros pequeños de formas físicas bien proporcionadas. Se crían a partir de diversas razas de tamaño medio.

RABIA: enfermedad contagiosa y transmisible al hombre. El perro se puede contagiar a través de la mordedura de zorros, perros o gatos rabiosos. Actualmente en Europa no se dan casos de rabia.

RAYA DE MULA: banda negra u oscura que sigue la línea media del lomo desde la cruz a la base de la cola.

RECESIVO: los factores hereditarios recesivos no son visibles exteriormente, pero están en la herencia y salen a la luz en la generación posterior.

REFLEJO CONDICIONADO: fenómeno físico-psicológico determinado por la relación entre un estímulo y una reacción. El perro posee una notable memoria asociativa. Es uno de los pilares del adiestramiento del perro.

REGISTRO GENEALÓGICO: también llamado «libro de crianza». Es el libro que poseen todos los clubs de perros de raza en el cual deben inscribir las camadas. Un pedigrí que no se pueda comprobar con el registro genealógico no es válido.

REGURGITACION: es la expulsión de parte de la comida ya ingerida para posteriormente volver a comerla. Se produce cuando el perro está muy lleno o cuando ha comido demasiado deprisa; también se produce la regurgitación cuando los cachorros piden comida a la madre o al padre.

RSC: Real Sociedad Canina.

RUANO: capa compuesta de pelos blancos, colorados y negros muy mezclados.

SECO: perro musculoso, sin acumulación de grasas y con una piel fina y adherida, como por ejemplo el Bull Terrier.

SOCIALIZACIÓN: proceso de adaptación del perro al entorno humano y a su propia especie.

SPOT: marca de color castaño claro del tamaño de una moneda situada en medio del cráneo.

STOP: es la concavidad fronto-nasal que separa la frente de la cara.

SUBPELO: pelo lanudo bajo el pelo de cobertura que protege del frío en invierno y de los rayos solares en verano.

TALLA: los perros se dividen por su talla. Los perros miniatura tienen una altura de la cruz de 24 cm como máximo; los perros pequeños, de hasta 34 cm; los perros medios, de hasta 70 cm; y los perros grandes, de más de 70 cm.

TATUAJE: número de identificación que se graba en la piel del perro; generalmente en la parte interior de las orejas o en la cara interna de la ingle.

TIZÓN: mancha negra o mancha oscura a lo largo del ángulo externo del ojo.

TOS DE PERRERA: síndrome respiratorio infeccioso y contagioso.

TOY: término inglés que significa 'juguete' y que se emplea para indicar las tallas más pequeñas de una raza canina que posee también tallas más grandes.

TRUFA: es el hocico o nariz del perro. Generalmente está fría y húmeda.

UKC: United Kennel Club. Es el segundo mayor organismo que regula las razas caninas en Estados Unidos y fue fundado en 1898.

VACUNA: medio aplicado para impedir el desarrollo de enfermedades.

ZOONOSIS: enfermedades infecciosas de los animales o del perro que se transmiten al hombre en determinadas circunstancias.

Direcciones

ESPAÑA
Criadores
ASTURIAS
AYESHA GONZÁLEZ
Tl.: 610 06 16 49
Con el afijo «El fogaral», cría
Pastores Alemanes.

BARCELONA
ADELINO MASIP PARÈS
Santamaria, 20
08700 Igualada
Tl.: 93 805 38 70

ALIDOG BOXER´S HOUSE
Crta. de Caldes a Granollers, Km 2,5
08410 Caldes de Montbui
Tl.: 93 866 75 54 y 630 88 21 88 / 87
E-mail: info@alidog.com

BLANCA DE IZUZQUICE
Manuel Girona, 46
08034 Barcelona
Tl.: 93 203 62 33

**CRIADORES DE GOLDEN
Y LABRADOR RETRIEVER**
Apdo. de correos nº 70
08186 Lliçà de Munt
Tl.: 93 841 75 29
Con el afijo «Helvet Can» crían
ejemplares de estas dos razas.

DOGOS JOSEFINA ROSALES
Gelada, 10
08500 Vic
Tl.: 93 886 04 59

MALTESES DEL COTTON CLUB
Capitán Arenas, 29
08034 Barcelona
Tl.: 93 205 53 42 y 93 418 81 72
Con el afijo «Malteses del
Cotton Club», crían ejemplares
de Maltés.

SAN ROC CRIADORS
Reis Catòlics, 10
08620 Sant Vicenç dels Horts
Tl.: 93 656 08 03 y 93 418 81 72
Con el afijo «Sant Roc» cría
Schnauzer miniatura.

BILBAO
**ALFONSO GUTIÉRREZ,
LORENA CEREZALES**
La Magdalena, 27
48950 Erandio
Tl.: 630 57 20 74
Con el afijo «Los Aldeños» crían
Chow Chow.

**JAIME HERNANTES,
MARISA HERNÁNDEZ**
Arragua, 51
48903 Barakaldo
Tl.: 94 491 30 55
Con el afijo «El Regato» de Subiria
crían Rottweiler.

GRANADA
ANA HERRERA
Cocheras Sta. Paula, 1, 5º A
18001 Granada
Tl.: 600 33 22 83
Cría Alaskan Malamute y Cocker
Spaniel inglés con el afijo «Imokam».

HUESCA
CLEMENTE CASTEJÓN
Tl.: 974 57 05 26
Con el afijo «De la albahaca» cría
Golden Retriever.

MADRID
CENTRO CANINO GUFY
Carretera Fuencarral-Pardo, km. 4
28049 Madrid
Tl.: 91 373 27 88
Crían Pastores Alemanes con los
afijos «De alfien's» y «De Zitor».

DARÍO CASTRO, PILAR ALONSO
Roncesvalles, 17
28260 Galapagar
Tl.: 91 858 07 51 y 608 50 86 04
Crían Schnauzer con el afijo de
«Barbadura».

LUIS LEÓN HERRERO
Tl.: 91 855 01 39 y 609 14 74 80
Cría Rottweiler con el afijo
«La Peñota».

SANTANDER
**ROSA MARÍA ÁLVAREZ
GUTIÉRREZ**
Concha Espina, 3
39012 Santander
Tl.: 94 239 02 27
Con el afijo «Ferramonte» cría
desde hace más de treinta años
ejempla-res de Pastor Alemán
que han ob-tenido el título de
campeones de España, de Europa
y del mundo.

SEVILLA
JAVIER RICO
Carretera Sevilla - Málaga, km. 15
Alcalá de Guadaira
Tl.: 95 599 00 56
Cría Labrador Retriever con el afijo
«Sport Dog».

VALENCIA
VICENTE Y JESÚS GINER BARAT
Pichera, 14
46016 Borboto
Tl.: 96 363 27 04 y 96 363 27 17
Con el afijo «De pichera» cría
ejemplares de Schnauzer gigante
negro.

Veterinarios
BARCELONA
**CLINICA VETERINARIA
DR. ALBEROLA**
Rosellón, 395, local 6 (Pasaje Mariner)
08025 Barcelona
Tl.: 93 458 28 73

**HOSPITAL VETERINARIO
DE SABADELL**
Sant Oleguer, 77
08202 Sabadell
Tl.: 93 727 11 25

**HOSPITAL VETERINARIO
DE MONTJUIC**
Méjico, 8
08004 Barcelona
Tl.: 93 423 77 11

**CLÍNICA VETERINARIA
SAGRADA FAMILIA**
Córcega, 537
08025 Barcelona
Tl.: 93 435 88 67 y 93 435 95 04

**CLÍNICA VETERINARIA
DR. FLORIT Y DR. J. Mª CASAS**
París, 163
08036 Barcelona
Tl.: 93 430 91 26
Fax: 93 405 13 60

**CLÍNICA VETERINARIA
SANT GERVASI**
Marià Cubí, 159, bajos
08021 Barcelona
Tl.: 93 202 31 99
Urgencias: 655 47 52 43

BILBAO
**CLÍNICA VETERINARIA
SARRIKO**
Av. Lehendakari Aguirre, 145
48015 Bilbao
Tl.: 94 476 39 54

MAX CENTER
Kareaga s/n
48903 Barakaldo
Tl.: 94 485 07 57

MADRID
**CLÍNICA VETERINARIA
FERNANDO OCHOA ZAMORA**
Juan Antón, 23, Local 3
28011 Madrid
Tl.: 91 470 17 91

**HOSPITAL VETERINARIO
LOS MADRAZO**
Los Madrazo, 8
28014 Madrid
Tl.: 91 429 35 02

**HOSPITAL VETERINARIO
NUEVO ZOO**
Donoso Cortés, 8
28015 Madrid
Tl.: 91 447 69 52

CLÍNICA VETERINARIA KENNEL
Huesca, 4
28020 Madrid
Tl.: 91 579 32 45

PALMA DE MALLORCA
**CLÍNICA VETERINARIA
METROPOLITAN**
Adrià Ferran, 2
07007 Palma de Mallorca
Tl.: 971 24 74 84

VALENCIA
CLÍNICA DR. GERARDO ROJO
Sueca, 66, bajos.
46006 Valencia
Tl.: 96 380 86 47

**CLÍNICA VETERINARIA
CRUZ CUBIERTA**
Tomás de Villarroya, 12
46017 Valencia
Tl.: 96 378 68 30

ZARAGOZA
**CONSULTORIO VETERINARIO
AUGUSTA**
Av. Navarra, 69, bajos.
50010 Zaragoza
Tl.: 976 33 70 65

CENTRO DE MEDICINA ANIMAL
León XIII, 12
50008 Zaragoza.
Tl.: 976 23 67 32

Establecimientos especializados
BARCELONA
BCN ANIMALS
Av. Meridiana, 270-272
08027 Barcelona
Tl.: 93 349 67 27

CENTRE CANÍ CÒRSEGA
Córcega, 367
08037 Barcelona
Tl.: 93 458 00 77

CHIC
Rosellón, 339
08037 Barcelona
Tl. y Fax: 93 458 83 79
E-mail: chicbcn@hotmail.com

MISTER GUAU CENTER
Aribau, 21, bis
08011 Barcelona
Tl.: 93 451 04 04

BILBAO
LA CASA DEL PERRO
Gaztarriñe, s/n
48600 Sopelana
Tl.: 94 676 55 79

DOGGYS' DREAM
Juan de Garay, 7
48003 Bilbao
Tl.: 94 444 34 43

MADRID
SEGURICAN
Carretera de Arganda a Valdilecha,
km. 2.700
28500 Arganda del Rey
Tl.: 91 551 77 90

SEGURICAN
Av. Menéndez Pelayo, 20
28007 Madrid
Tl.: 91 551 77 90

PALMA DE MALLORCA
CAVALCAN
Via Majorica, 22
Tl.: 971 55 55 21.
También tienen residencia canina.

VALENCIA
CEDISPA
Pol. Ind. Fuente del Jarro
46988 Paterna
Tl.: 96 134 33 84

PICA PAU
Lladró y Malli, 28
46007 Valencia
Tl.: 96 329 05 65

ZARAGOZA
AVISCAN
Poeta Celso Emilio Ferreiro, 12, Local 3
50017 Zaragoza
Tl.: 976 53 53 56

MUNDO ANIMAL
Conde Aranda, 81
50004 Zaragoza
Tl.: 649 30 77 63
Servicio de urgencias 24 horas

Adiestradores
MADRID
SEGURICAN
Carretera de Arganda a Valdilecha,
km. 2.700
28500 Arganda del Rey
Tl.: 91 55 1 77 90

CENTRO CANINO «GUFY»
Carretera Fuencarral-Pardo, km. 4
28049 Madrid
Tl.: 91 373 27 88

SANTANDER
CENTRO CANINO «PARAYAS»
Av. Parayas s/n
39600 Maliaño
Tl.: 942 25 45 75

SEVILLA
CENTRO CANINO SPORT DOG
Carretera Sevilla a Málaga, Km. 15
Salida T. Juan de Dios
Alcalá de Guadaira
Tl.: 95 599 00 56

VALENCIA
CENTRO CANINO «LA PINADA»
Autovía Ademuz, salida Alcublas
(Lliria)
Tl.: 96 213 45 92

MÉXICO
Criadores
BÓXERS
JAMIESON BOXERS
Niños Héroes, 2363. Sector Juárez
Guadalajara, Jalisco
44150 México
Tl.: 34 3 616 90 35

BULL TERRIERS
SIERRA BULL TERRIERS
Zaragoza, nº 5. Col. Pilares Metepec
Edo. de México
Tl.: 01 7221 62070

COCKER SPANIEL AMERICANO
GUIZARD
México D. F.
Tl.: 52 5 5846 3459

DOBERMANN
AGGELER'S
Veracruz
Tl.: 01 961 614 41 18 y 01 229 781 0088

MASTÍN NAPOLITANO
DI SANTONE
Estado de Nvo. Leon, 6
Col. Providencia
07550 México D.F.
Tl.: 57 11 96 66 y 57 11 11 17
También crían Dogo de Burdeos.

ROTTWEILER
VON HERRIZ HAUS
Río Monclova, 2709; Col Sta. Mónica
Monclova, Coahuila - 25720 México
Tl.: 01 (866) 63 2 05 73 y
     01 (866) 649 30 85
También están especializados en
Pastor Alemán.

TERRANOVA
PATI Y BERNARDO GARCÍA
27 Sur 2501. Col. Sta. Cruz de
los Angeles
72400 México
Tl.: 01 222 284 65 94 y
01 222 237 11 74

Veterinarios
MÉDICA CANINA
Diagonal de San Antonio, 1932
Col. Narvarte
México D.F.
Tl.: 55 38 07 59

PUGA'S VETERINARIA
Escorza 615 - B Col. Moderna
Gudalajara

Adiestradores
CANINO INN
Blvd. Francisco Medina Asensio, 4180
48280 Colonia Villa «Las Flores»
http://www.caninoinn.com.mx/presen
tacionf.htm
En la carretera de acceso a Puerto
Vallarta.

**ETAC (ESCUELA TÉCNICA DE
ADIESTRAMIENTO CANINO)**
Anahuac, 81. Col. Ex Hacienda Coapa
14300. Mexico. D. F.
Tl.: 55 94 78 56
http://www.etac.com.mx/

Cementerio
FUNERAL PET
Dispone de servicios de cremación
y de recogida de animales, se trate
de perros o de tigres.
Ciudad de México
Tl.: 55 83 90 87
http://www.funeralpet.com.mx/conte
nido.htm
Servicios en Cuernavaca, Pachuca,
Toluca.

ARGENTINA
Criadores
BEAGLE
SOUTH BREEDER'S
Ridavia, 1261. Capital Federal
Tl.: 4383-755
http://www.lamascota.com/southbre
eders/

BÓXER Y COCKER
HONEY DEW
Triunvirato, 2919
Capital Federal
Tl.: 4 551 62 44

DOBERMANN
NAMMYOHO
Cerrito 685 Ramos Mejia
Buenos Aires
Tl.: 4654-7105

GOLDEN RETRIEVER
ROCKEFELLER
De la Tradición, 2284
Ituzaingo Buenos Aires
Tl. 4-481-2937 y 15-4429-2115

PASTOR ALEMÁN
VON HAUS KURUC
Spandonari 3641 (1678)
Caseros Buenos Aires
Tl.: 4759 0959 15 - 4028 5003

Establecimientos especializados
COLITAS PET STORE
Artigas, 4814. Barrio Villa Pueyrredon
Capital Federal

ZEUS MUNDO MASCOTA
Santander, 5427. Barrio Villa Lugano
Capital Federal

NUEVA ESPERANZA
Agüero, 1306. Barrio Norte
Capital Federal

PATITAS DE PERRO
Adolfo Alsina, 2560. Barrio
Congreso
Capital Federal

Veterinarios
**CENTRO ASISTENCIA
VETERINARIA DE FLORES**
Av. Carabobo, 523
Capital Federal
Tl.: 4631 7331

LADRID'S
Av. Mosconi, 2922
Capital Federal
Tl.: 4571 0772

MARTÍN
Guardia Vieja, 4186
Capital Federal
Tl.: 4866 4775

Adiestradores
HÉCTOR SANDOVAL
Buenos Aires
Tl.: (011) 154 099 6685
hectorsandoval@ciudad.com.ar

MARCELO WEIKOP
Buenos Aires
Telf (0054) 221 480 2785 - (0054)
15438 7128
marceloweikop@yahoo.com.ar

MAURO DE MATTIA
Bahía Blanca
Tl.: (0291) 156 456 985
maurodemattia@hotmail.com

Cementerios virtuales
http://www.geocities.com/Heartland/
Prairie/5670/index2.htm

http://cementerioanimal.eresmas.com/

Información sobre el autor

Teléfono. 0039 333 46 80 957

Via Alpini, 29
39012 Merano (Bzoldano) Italia

AGRADECIMIENTOS

Lydia Pastor.
Clínica veterinaria del Dr. Alberola, por su colaboración en la sección de salud.